STAN LAURYSSENS

BLOEDROZEN

[The Dalí Killings]

Manteau
THRILLER

Info en reacties:
www.stanlauryssens.be

© 2009 Uitgeverij Manteau / Standaard Uitgeverij nv en Arendsoog Ltd.
Standaard Uitgeverij nv, Mechelsesteenweg 203, B-2018 Antwerpen
www.manteau.be
info@manteau.be

Published by arrangement with Lennart Sane Agency AB

Vertegenwoordiging in Nederland: Uitgeverij Unieboek BV, Houten
www.unieboek.nl

Eerste druk april 2009
Tweede druk mei 2009

Omslagontwerp: Wil Immink
Omslagfoto:
Vrouw: © Stephen Stickler / Getty Images
Bloedende roos: © JUPITERIMAGES/ ABLESTOCK / Alamy

ISBN 978 90 223 2333 5
D 2009/0034/331
NUR 330

Perpignan in Frankrijk

Hij woonde in een oude vleesfabriek met een ondergrondse koelkamer en een weelderige tuin die niet zichtbaar was vanaf de straat. In de tuin bloeide een pracht aan rode, gele en tropische rozen met de zoetroze kleur van likstokken en weelderige treurrozen in emmertjes en stokrozen in aarden potten met smakelijke namen als Erotica, Zwarte Schone, Goldfinger, Belle Amour, Rosa Bella, Ingrid Bergman en de geurige Love Story met haar overvloed aan koraalkleurige bloemen. Er was een klimroos bij met de naam Liefdesverdriet, wat een heerlijke naam is voor de mooiste roos van allemaal. Een Mexicaanse tuinman besproeide de rozen en een wit konijn verschool zich tussen struiken en potten. De Filmacteur zat in een rieten stoel in de vroege ochtendzon. Hij droeg een zwarte zonnebril en een strohoed met een brede rand. Een vette Siamese kater ronkte op zijn schoot.

Speel iedere scène in je hoofd, dacht hij, maak je handen vrij, denk na over de zinnen die je moet uitspreken. Op de grammofoon in zijn slaapkamer lag The Times They are A-Changin' van Bob Dylan. Meester over het Heelal, dacht hij, dat ben ik en ik alleen, ik ben Meester over mijn eigen Heelal. Ik doe wat ik wil en niemand legt mij een strobreed in de weg. Ik ben het andere ik van Pacino. Ik ben een moderne Godfather, Tony Montana uit Scarface en de Duivel uit The Devil's Advocate. Ik ben een eenmansmoordmachine en geloof het of niet, ik kom altijd op mijn poten terecht. De muziek galmde uit de ramen die wijd open stonden, hard en hevig en vol passie en energie. Het was de meest filmische popmuziek die ooit op plaat is gezet en toen de muziek ophield, was het ineens heel stil in de tuin. De hemel was oneindig blauw zonder één enkele wolk. 'Koffie! *Croissants!*' riep de Filmacteur en hij sperde zijn neusvleugels wijd open.

De Mexicaanse tuinman liet zijn tuinslang vallen—een witte duif klapwiekte over het pannendak—en liep het huis binnen. Enkele minuten later kwam hij terug met botercroissants, een mok sterke zwarte koffie, stomend heet, en een plaatselijke krant op een dienblad. De Filmacteur knoopte een keukenservet onder zijn kin. Terwijl hij koffie dronk, bladerde hij in de krant. Zijn aandacht werd getrokken door een artikel dat was weggestopt in het financiële katern op pagina 15 en in zo'n kleine letter was gedrukt, dat hij er bijna overheen had gekeken.

SPAARBANK KOOPT MEESTERWERK VAN DALÍ

VAN ONZE CORRESPONDENT— **Een spaarbank in Santiago de Compostela in het noorden van Spanje heeft voor een onbekend bedrag *Les roses sanglantes* [Bloedrozen] van Salvador Dalí aangekocht. Het schilderij stelt een mooie blonde vrouw voor die in een surrealistisch landschap aan een** paal is gebonden. Haar naakte buik is opengesneden en opgevuld met rozen waaruit bloed vloeit. Het originele schilderij is een olieverf op doek van 75 bij 64 cm en zou in 1930 zijn geschilderd. De verkoper is een Zwitserse zakenman die onbekend wenst te blijven.

De Filmacteur glimlachte boosaardig en rekte zich uit en wreef de kruimels van zijn mond. Hoog tijd voor Plan B. Hij snuffelde aan een roos en streelde zijn kater zoals Vito Corleone in *The Godfather* en gaf zijn tuinman de opdracht om alle rozen in de tuin te knippen en ze naar de ondergrondse koelkamer te brengen.

In plaats van zich te ontharen met vloeibare was, had hij zijn lichaam met zorg geschoren: armen en benen eerst, dan zijn borst, zijn aars en zijn schaamhaar. Hij kreeg een kick van de zachtheid van het natte scheermes op zijn vermoeide, afgeleefde huid. Naakt stapte hij in het halfduister naar het raam en staarde met zijn handen achter zijn rug naar de straat beneden. Hij hield een halfvolle fles Johnnie Walker Red Label in de hand. De zon verdween achter de bergen en kleurde de hemel bloedrood met felgele vlammen. Het leek of de horizon in brand stond. Een bestelwagen zocht een parkeerplaats. Een kindermeisje duwde een kinderwagen voort. Een bejaarde verkoper van jojo's zat op een bank en rookte een sigaar. Naast de man stond een rieten boodschappenmand met bleekroze meloenen van Charentais met een geelgroene schil. De Filmacteur grijnslachte en nam een slok van zijn fles. Hij was klein van gestalte, met lange armen, stevige handen en een grote neus. Enkele weken geleden, op zijn boot, twee dagen voordat hij het meisje vermoordde—zij heette Jennifer maar liet zich Jenny noemen—had hij zijn blote voeten aan de plankenvloer genageld, zoals Christus aan het kruis, tot de vloer begon te kantelen. Daarna hamerde hij een vijfduimer dwars door zijn penis. Bloed spoot als een fontein omhoog. Hij voelde geen pijn. Hij voelde vreugde. Hij was opgelucht. Nadien nam hij een heet bad. Met sadistisch plezier dompelde hij zich onder in zijn eigen bloed tot hij er bijna in verdronk.

O schurk, schurk, lachende, vervloekte schurk!

De linkerhand van Jenny stond in zijn koelkast, in een bokaal tot de rand gevuld met vloeibare silicone. Hij had haar naam op het deksel geschreven, in grote klassieke letters met krullen en kronkels aan het eind van iedere letter. Om de ringvinger zat een diamanten verlovingsring. Met een tang had hij de nagels uit de vingers getrokken. Haar lever en niertjes at hij op zoals een gourmet, gebakken in lekkere botersaus met mosterd van Dijon. Nadien had hij de sappige hersenen uit haar schedel gezogen, dwars door de oogholten. Hij gebruikte haar doodshoofd als papierhouder, afgekookt en ontdaan van de huid en overtollig vet.

Het werd snel donker, op enkele heldere sterren na die met gulle hand over de zwarte hemel waren uitgestrooid. De eerste fles was leeg. De Filmacteur schroefde de dop van de tweede fles en zette de whisky aan zijn mond. Zijn handen hadden een roestbruine kleur en onder zijn vingernagels zat gedroogd bloed.

Opnieuw dreunde The Times They Are A-Changin' door de kamer.

Zijn handen hingen als dode gewichten naast zijn lichaam. De Filmacteur spande zijn vingers op. In zijn borst zat een leegte. Hij had schuim op de mond en nerveus wreef hij met zijn tong over zijn lippen. Zijn adem stokte en zijn ogen waren bloeddoorlopen. Hij kleedde zich in een zwart T-shirt, een zwart hemd van polyester en strakke nieuwe jeans van Armani, ook zwart, een zwarte leren broekriem en de zwarte sportschoenen van Adidas die Pacino draagt in 88 Minutes en daalde de trap af. In de gang beneden knipte hij het licht uit en stapte in zijn snelle, dure auto. In het handschoenkastje lag een geladen revolver. Voorzichtig manoeuvreerde hij uit zijn parkeerplaats en reed traag over de brede lanen van Perpignan naar de Oude Stad en de sombere hoerenbuurt met pornozaaltjes en massagesalons waar Russische en Afrikaanse prostituees hun seksuele standjes aan de man brengen alsof zij gratis en voor niks zijn. Kleurrijke neonlichten in de vorm van harten en palmbomen wierpen lange, lenige schaduwen in de straat.

De nacht was warm en wollig, zoals steeds in deze tijd van het jaar.

De Filmacteur draaide zijn raampje omlaag.

Bij de hoofdingang van het treinstation stond een betoverend mooi hoertje in een sexy geel mantelpakje met een klein zwart hoedje met kanten sluier onder een nachtlamp die aureooltjes vormde in de duisternis. Zij leek op een glimworm en had lange, kleurig versierde vingernagels van acryl en droeg speciale naaldhakken onder haar schoenen, zodat zij kon *tap-tap-tap*dansen als een echte tapdanseres.

'Ga je mee, schatje?' vroeg zij.

'Zullen we eerst iets drinken?' antwoordde de Filmacteur.

'Als je daarna meegaat.'

'Naar je huis?'

'Mijn kamer, ja.'

'Hoe ver is het?'

'Vlakbij.'

'Afgesproken.'

'Ik ken wel duizend standjes,' zei het hoertje.

Zij was even zwart en even sexy als Grace Jones.

De rood-geel-groene stoplichten knipperden met kleine tussenpozen. Een meisje met rood geverfd haar stond aan de rand van het voetpad, op blauwe hoge hakken die haar zeker twaalf centimeter groter maakten. Zij was ook zwart, hoewel zij niet op Grace Jones leek. Nerveus tapte zij met haar linkervoet in de goot. Haar vingernagels glansden als spiegels en haar lippen waren dik aangezet met lipgloss. Een mond die op maat is gemaakt om af te zuigen, dacht hij. Zij stak een hand onder haar mantelpakje en krabde aan haar linkerborst. Daarna krabde zij aan haar buik. Vlakbij speelde iemand een bekend nummer van Sidney Bechet op een jazzklarinet, *Petite Fleur* of iets gelijkaardigs.

'Op zoek naar een pleziertje, schat?' vroeg het meisje.

'Herken je me niet?' vroeg hij.

Zijn zwarte hemd van polyester was losgeknoopt aan de hals. Hij had brede schouders en een rubberen nek en grote zweetvlekken onder zijn oksels.

Het meisje keek angstig om zich heen.

Hij trok met zijn vingers aan zijn valse bakkebaarden. 'Vandaag heb ik méér zin in *soixante-neuf* dan in gewoon afzuigen,' zei hij zacht.

'Nu niet, baby. Ik heb een afspraak. Ik verwacht een klant. Een andere keer misschien.'

Zijn tenen krulden in zijn schoenen en zijn gebit ratelde in zijn mond. Geniet ervan, dacht hij. Geniet van iedere seconde. Hij trok het uitbeenmes met een blad van vijftien centimeter van onder zijn rechterbil. Met de tip van zijn wijsvinger wreef hij over de snee. Zij voelde koud aan. Koud, koud. Enkele minuten en de snee is warm, dacht hij en—

'Ik ben een goede katholiek, Cherry, dat weet je, iedere avond bid ik tot God, maar speel met mijn kloten en je gaat eraan!' zei hij en zijn oogleden trilden. Hij kon de zenuwtrek niet in bedwang houden als hij nerveus was.

'Niet kwaad zijn, baby,' antwoordde het meisje zangerig.

Zijn nekharen kwamen overeind.

Zijn gelaat werd purper.

—de eerste messteek schoot recht in haar mond en kraakte haar voorste tanden en spleet haar tong in twee gelijke helften en een straal warm bloed met de rode kleur van kersen spoot uit de gruwelijke wonde. Haar hoofd snokte achterover en huilend van pijn en spartelend als een vis op het droge strompelde Cherry achteruit. *Wel duizendmaal slaap zacht!* Shakespeare in *Romeo en Julia*. Het bloed dat zij verloor, was echt bloed met de stank van dood en geweld, niet de kleverige suikerstroop die in Hollywood als filmbloed wordt gebruikt. Hij liet de motor draaien en sprong uit de auto en zwaaide het uitbeenmes met kleine, nerveuze bewegingen in het rond en sneed door de warme lucht met een lemmet dat even groot en scherp was als een samoeraizwaard en aan haar vlees rukte en dieper in haar lichaam drong met iedere stap die hij dichterbij kwam, dieper, dieper, en plots wierp hij de lus van een telefoonkabel om haar hals en trok de lus stevig aan. *Ik kan glimlachen en een moord begaan terwijl ik glimlach.* Shakespeare in *Richard III*. Haar mond zat vol bloed. Haar gelaat zwol op en haar ogen puilden uit hun kassen. Zij reutelde van pijn en spuwde haar kapotte tanden uit haar mond. Haar slappe lichaam viel opengereten en kapotgescheurd in zijn uitgestoken armen, en terwijl hij zijn penis voelde zwellen en groeien in zijn wijde broek duwde hij het zwarte meisje vliegensvlug op de achterbank en reed weg in de lege uren van de nacht.

Den Haag in Nederland

De zevende dag van juli, een woensdag, begon zoals alle andere dagen, met een stralende zon en een warme hemel die trilde van zacht genot. Geuren van vroeger dreven door het open raam en politiehelikopters hingen met zacht wentelende schroeven boven het gebouw. Zûc-zûc-zûc. Een zachte wind speelde met de gordijnen. Op de vensterbanken stonden bloempotten met groene planten. De commissaris wreef met de vlakke hand over zijn bureau. Er lag niets op het bureau, op dat uur van de dag. Geen brieven, geen kranten, geen post, niets. Het bureau was leeg. Mooi, glanzend en leeg. Hij kreeg nooit post. Zijn kantoor was klein en benepen. De muren waren kaal, op twee kleurenfoto's na, van de koning van België en zijn zure koningin. De koning was gekleed in een militair uniform. De commissaris zag er goed uit voor zijn leeftijd. In tegenstelling tot de koning had hij nog al zijn haar. Het grijsde lichtjes aan de slapen en misschien was het te lang voor een verbindingsofficier. Er is geen kledingvoorschrift op het hoofdkwartier van Europol—behalve de veiligheidspolitie aan de ingang en de koning op de foto draagt niemand een uniform—en evenmin zijn er strikte werkuren of is er een bijzondere dienstregeling. Verbindingsofficieren komen en gaan en zolang zij hun zeven uur per dag kloppen, vijf dagen van de week, kunnen zij naar believen hun eigen uurrooster invullen. De commissaris was gekleed in een broek van ribfluweel met sleet aan de knieën en een zwarte polo van Lacoste die onder het geweld van wasmachines en droogzwierders was afgebleekt tot een kleur die het midden hield tussen grauw en muisgrijs. Hij droeg zwarte sokken van de Hema en nieuwe, bruine Docksides met leren veters die hij had gekocht in een Hollands warenhuis in het stadscentrum.

Hij zuchtte en keek door het raam.

Het hoofdkwartier van Europol is gevestigd in een oude jezuïetenschool aan de rand van Den Haag. Tijdens de Tweede Wereldoorlog diende het vierkante gebouw tot hoofdkwartier van de Gestapo. Op het binnenplein onder de bomen in de open lucht stonden combi's en anonieme dienstvoertuigen met een groene nummerplaat met de letters CD voor Corps Diplomatique. Agenten en politiebedienden maakten van een korte rookpauze gebruik om de ene stinkstok na de andere te paffen.

Op een gewone werkdag arriveerde de commissaris om tien uur op kantoor. 's Ochtends dronk hij koffie en verveelde zich en na de middag las hij documenten en kranten. Europol is geen *operatieve* maar een *ondersteunende* politiemacht die per dag 50.000 verdachte e-mails controleert en evenveel internationale telefoongesprekken afluistert. Het resultaat aan het eind van iedere dag is een gigantische papierberg maar geen spanning, geen avontuur en geen spetter actie en dat waren precies de dingen die de commissaris hadden verleid om voor Europol te kiezen.

's Avonds was hij moe van het nietsdoen en slofte naar zijn hotel voor een eenzaam bessenjenevertje aan de bar.

Om contact te houden met zijn landgenoten was hij lid geworden van de Belgian Business Club.

Hij dacht aan Marie-Thérèse en kreeg tranen in de ogen.

Zij was blond en mollig en had de blauwste ogen die de commissaris ooit had gezien.

De avond voor hij naar Den Haag en zijn nieuwe job verhuisde, keken zij samen TV in hun kleine, eenvoudige en smaakvol ingerichte appartement en aten een stukje pizza met gemengde sla, toen de commissaris zomaar iets in het oor van Marie-Thérèse fluisterde.

'Zullen we in bed duiken, poesje, zoals in de goede oude tijd, met alles erop en eraan, links, rechts, onderste-boven en achterstevoor?'

Marie-Thérèse giechelde en trok een wenkbrauw op.

'Horizontaal, verticaal, onder en boven, de hele mikmak?' antwoordde zij met een guitige oogopslag.

Vlug slikte de commissaris zijn dagelijkse dosis Viagra— een tabletje van 100 milligram—en anderhalf uur later hing hij hijgend en uitgeteld over de rand van het bed. Zijn slokdarm zat dichtgeschroefd en zijn maag brandde in zijn lichaam. Een rode wolk zoefde als een vliegende schotel van de ene hoek van de slaapkamer naar de andere hoek. Hij keek Marie-Thérèse recht in de ogen en moest ineens heel hard lachen. Zij had dansende vlekken op haar wangen en haar blonde haar stond recht omhoog in vlammende pieken alsof haar schedel in brand stond.

Hij had per ongeluk een overdosis Viagra genomen, voor het eerst in zijn leven. That's life, dacht hij, overdosis of geen overdosis, als je voor een jonge vrouw kiest, dan weet je waar je aan begint maar je weet nooit waar en wanneer het eindigt.

Marie-Thérèse zat alleen thuis en de commissaris miste haar.

Hij miste zijn TV en zijn pizza en zijn eigen slaapkamer.

Hij miste de schunnige praat van Peeters en de platte humor van Vindevogel met zijn jarenzeventigbril en de schwung van Sofie Simoens met haar cowboylaarsjes van slangenleer. Hij miste Verswyvel op zijn stoffige zolder in het forensisch labo. Hij miste de telefoonwacht in de sombere gang in het oude gerechtsgebouw. Hij miste zijn wekelijkse wandeling naar het lijkenhuis op de begraafplaats van Schoonselhof. Hij miste de koffie van Flora—zwart, zonder melk, zonder suiker—met een koekje uit haar broekje want de beste koekjes komen uit de natste broekjes, volgens Tony Bambino. De commissaris zuchtte en liet zijn schouders hangen. Alles gaat te snel, dacht hij. De wereld stinkt, dacht hij. De wereld is rot, dacht hij. De wereld ligt vol scherven, dacht hij. Mijn wereld gaat naar de kloten, dacht hij. Drie maanden in een nieuw werkmilieu en hij werd gek van heimwee naar zijn gewoonten en zijn mensen van vroeger.

Hij zette zijn computer aan en luisterde met een half oor naar Al-Manar op 106.8 FM. Hij begreep niets van de Arabische klanken van Hezbollah en tikte het webadres in van Radio Nostalgie die in het oude, vertrouwde gerechtshof zijn dagelijkse achtergrondmuziek was en de zoetgevooisde stemmen van The Ronettes met Be My—Be My Baby en The Velvettes en The Fabulettes en andere meisjesgroepen met stomme namen uit de gouden jaren zestig klonken door zijn kale kantoor. Haha! The Crystals met Da Doo Ron Ron, een klassieke jukebox-hit uit de goede oude tijd toen geen mens ooit had gehoord van Khomeini of Hezbollah.

In de vroegere jezuïetenschool van Europol heeft iedere lidstaat een eigen 'nationaal' kantoor met eigen 'nationaal' personeel en eigen 'nationale' verbindingsofficieren. Zweden heeft een Zweeds kantoor en in het Belgische kantoor, twee deuren verderop, werken de Belgen. Alle veertien kantoren van de veertien lidstaten liggen naast elkaar op dezelfde gang, in een prefab achter het hoofdgebouw, zodat je in minder dan tien seconden van Brussel naar Stockholm wandelt, of van Parijs naar Rome. De commissaris was een van drie Belgische verbindingsofficieren. Hij stond aan het hoofd van de sectie Europese Misdaad met terrorisme, witteboordencriminaliteit, computermisdaad en de strijd tegen drugs en namaakgoederen als voornaamste bevoegdheden.

Hij deelde zijn kantoor met Pietje Pladijs—op zijn huwelijksfoto met haar tot op zijn schouders—en een zweterige, zwaarlijvige ex-worstelaar uit Luik die in een ver verleden had deelgenomen aan de Olympische Spelen. Pietje Pladijs heette in werkelijkheid Petrus Vanderscheldte in één woord, alle letters aan elkaar en met dt, maar omdat het geen lachertje is met zo'n naam door het leven te gaan, noemden zijn collega's hem Piet of Pietje of gewoon Pladijs, wat makkelijk te onthouden is en smakelijk in de mond ligt. Hij was diensthoofd Douane en Accijnzen en had de vervelende gewoonte stress van zich af te reageren door ritmisch met zijn vingerknokkels op zijn bureau te trommelen, *tabbedab-tab-tab tabbedab-tab-tab*, waardoor het leek alsof het dansorkest van Dilbeek met toeters en bellen door de gang marcheerde. De ex-worstelaar uit Luik was *geheimpikeur* en vertegenwoordigde de Belgische Staatsveiligheid in het grotere geheel van Europol. Iedere ochtend schopte hij zijn schoenen en sokken uit en paradeerde de rest van de dag blootsvoets op kalfsleren pantoffels door het gebouw.

Het kantoor van de commissaris was een stukje België op Hollandse bodem. Met een Waalse haan (de ex-worstelaar uit Luik), een Brussels ketje (Piet Pladijs) en een dikkenek uit Antwerpen (de commissaris) waren drie van de vier taalgemeenschappen vertegenwoordigd. Niet *gelijk* vertegenwoordigd, want hoe je 't ook draait of keert, één Antwerpenaar alleen zal altijd méér gewicht in de schaal leggen dan een Brusselaar en een Waal samen. Misschien ontbrak er een vendelzwaaier uit Eupen-Malmédy, maar vendelzwaaiende Duitsers hadden ze genoeg gezien, de voorbije vijftig tot honderd jaar.

Zeven juli, een woensdag, en de commissaris was niet gelukkig.

'Is er iets, Sam?' vroeg Pietje Pladijs.

De commissaris zuchtte. 'Niet echt,' antwoordde hij. 'Ik moet wennen aan een ander leven en heb het daar moeilijk mee. Al die politieke flauwekul, al dat godsdienstterrorisme, ik ben het kotsbeu. Ik heb geen zittend gat, Piet, ik ben een man van de straat. Ik heb actie nodig, en buitenlucht. Bagdad en Afghanistan kunnen mij gestolen worden, laat de Heilige Oorlog uitvechten door anderen maar hou mij erbuiten. Ik ben een *flik*, een speurder van de oude stempel, ik kick op schuld en boete en een lekkere moord met veel bloed. Een lijk stinkt maar het is *mijn* leven. Voor ik met pensioen ga, hoop ik op een verse misdaad die zo origineel is, dat we er nooit eerder over hebben gehoord of gelezen, en dat ik met de zaak word belast.'

'Misdadigers aller landen, Sam rekent op jullie!' lachte de ex-worstelaar uit Luik.

'Het leven is te kort om in de put te zitten, Sam,' zei Pietje Pladijs.

De ex-worstelaar uit Luik speelde met een digitaal zakrekenmachientje.

'Er woonde eens 1 Marokkaan in Antwerpen,' zei hij.

1 intikken

'Hij is 59 jaar.'

59 intikken (niét optellen)

'Hij heeft 8 vrouwen.'

8 intikken (niét optellen)

'Samen hebben zij 69 kinderen—

69 intikken

—die tweemaal per dag eten krijgen.'

Vermenigvuldig x 2

'WIE MOET DAT ALLEMAAL BETALEN?' riep de ex-worstelaar uit Luik.

Voor een antwoord, hou het zakrekenmachientje ondersteboven.

'Vertel eens een mop,' zei Pietje Pladijs.

'Bon,' zei de ex-worstelaar uit Luik.

Jos en Jef zitten in de kroeg.

—Verdomd, allemaal blauwe strepen op mijn piemel! roept Jos, die terugkomt van de WC.

—Vorige week had ik rode strepen op mijn piemel. Voor 25 Euro hielp mijn huisarts mij er vanaf, zegt Jef.

Jos holderdebolder naar de huisarts.

—Dat grapje zal u 500 Euro kosten, zegt de huisarts.

—Maar allez dokter, Jef betaalde slechts 25 Euro, zegt Jos.

—Lippenstift wegvegen is goedkoper dan spataderen verwijderen, antwoordt de huisarts.

Nu was het de beurt aan Pietje Pladijs om een mop te vertellen.

In een apotheek koopt George Clooney een pak condooms. Lachend wandelt hij buiten. De volgende dag staat hij wéér in de apotheek, wéér voor een pak condooms, en wéér wandelt hij lachend buiten.

De apotheker geeft zijn winkeljongen de opdracht om Clooney te volgen.

Twee uur later komt de winkeljongen terug.

—Wat deed Clooney? vraagt de apotheker.

—Hij ging naar uw huis.

—*Mijn* huis? Waarom? Ik ben niet thuis!

—Jij niet, nee, maar je echtgenote is wél thuis, zegt de winkeljongen.

Vlamingen zijn lolbroeken en moppentappers maar *trop*

is te veel, zoals de Fransen zeggen, dacht de commissaris, en keek mistroostig voor zich uit.

'Ik begrijp die mop niet,' zei de ex-worstelaar uit Luik.

'Misschien ken je ze reeds,' zei Pietje Pladijs.

'Nee, ik ken ze niet en ik begrijp ze niet.'

'Clooney kocht condooms om te *neuken*—met de echtgenote van de apotheker,' zei Pietje Pladijs ernstig.

'Oh, *nu* snap ik het!' zei de ex-worstelaar uit Luik schaterend.

'Denk je dat hij een *postiche* draagt?' vroeg de commissaris.

'Wie? De apotheker?'

'Nee, snulleke-snul, Clooney.'

'George Clooney?'

'Ja.'

'Een *postiche*? Waarom?'

'Hij slaapt met een haarnetje op zijn hoofd.'

'Hoe weet jij dat? Slaap jij met George Clooney?' vroeg Pietje Pladijs.

De commissaris haalde zijn schouders op. 'Ik zag George Clooney op een foto met een haarnetje,' zei hij. 'Heb je op TV zijn reclamespotje voor Nespresso gezien? Of voor Martini? Zijn haar ligt zo natuurlijk dat het onnatuurlijk wordt. Ik vermoed dat hij een *postiche* draagt.'

'Daar zou ik mijn hand niet voor in het vuur steken,' zei de ex-worstelaar uit Luik.

'Sam, ben jij een filmfan?' vroeg Pietje Pladijs.

De commissaris lachte fijntjes. 'Een freak, bedoel je? Een *filmfreak*? Nee, Piet, helemaal niet. Ik hou van oude films in Technicolor op een breed scherm, maar voor de rest ben ik nogal normaal. Oude films, dat was studiowerk. Landschappen werden op doek geschilderd, zoals in het theater. Ik wist dat niet. Zo ziet Amerika eruit, dacht ik, zoals een landschap op doek. In de bioscoop zat ik vooraan in het midden, op de zevende rij, zodat ik het doek bijna kon aanraken, en wanneer Brigitte Bardot in een Franse film met haar borsten van twintig meter zwabberde, zat ik er met mijn twee oren tussenin. Toen ik een teenager was van twaalf, dertien jaar knipte ik foto's van filmsterren uit de *Piccolo* en hing ze in mijn kamer boven mijn bed. De pin-ups uit de *Piccolo* waren om duimen en vingers bij af te likken.'

Pietje Pladijs zuchtte. 'Toen ik twaalf jaar was, likte ik aan cornetto's van 't IJsboerke,' zei hij.

'Ik wilde filmster worden,' zei de commissaris, 'zoals James Dean en Elvis Presley. Iedere avond stond ik in de keuken voor de spiegel en wreef margarine en Brylcream op mijn haar en kamde het in een kippenkontje. Met een heet krulijzer van mijn moeder legde ik er een golving in. Als goede socialisten hadden wij thuis een gratis abonnement op de *Volksgazet*. Op een dag viel mijn oog op een advertentie van drie regeltjes die zat weggedrukt tussen het gemengd nieuws: MANNELIJKE FILMSTER GEZOCHT. VOOR SUPERPRODUCTIE IN HOLLYWOOD. WIE NIET WAAGT, NIET WINT. Dit is mijn kans, dacht ik. Filmster in Amerika! Ik waag, ik win. Met mijn laatste zakgeld kocht ik een postzegel en zond de foto van mijn plechtige communie naar Hollywood—nieuwe schoenen, een nieuw kostuum en een verse golving in mijn haar. Ik heb nooit antwoord gekregen uit Hollywood en mijn droom spatte als een zeepbel uit elkaar.'

'Wie heeft gisteravond *When Harry Met Sally* op TV gezien?' vroeg de ex-worstelaar uit Luik.

'Ik zat op de kaartclub,' zei Pietje Pladijs.

Ik verveelde mij in mijn hotel, dacht de commissaris.

'Geestige film. Om je kreupel te lachen. Meg Ryan doet

alsof zij een orgasme heeft...' zei de ex-worstelaar uit Luik.

'Is dat geestig? Om te lachen? Mijn vrouw doet altijd alsof zij een orgasme heeft.'

'... in een vol restaurant.'

'Mijn vrouw doet het in een leeg bed, da's veel erger.'

De commissaris keek naar de vijf identieke ronde klokken aan de verste muur in zijn kale kantoor. Het was 5 uur 20 in New York, 12 uur 20 in Sydney, 17 uur 20 in Moskou, 9 uur 20 in Tokio en 14 uur 20 plaatselijke tijd in Den Haag. Hoe laat zou het in Hollywood zijn? vroeg hij zich af.

'Ik ontplof van de honger,' zei Pietje Pladijs. 'Wie gaat mee een hapje eten?'

Er werd luid op de deur geklopt.

'KOM BINNEN!' riep Pietje Pladijs.

Werner Erdmann stak zijn hoofd om de deur. Hij was kaal en zijn schedel glansde als een biljartbal. Met een zakdoek wreef hij zweetdruppels van zijn voorhoofd.

'Ha, les Belges!' zei de grote baas van Europol met een vet Duits accent.

'Scheisse,' fluisterde de ex-worstelaar uit Luik en liet een knaller van een scheet. Onmiddellijk begon hij dossiers te klasseren, zoals een schooljongen die op heterdaad wordt betrapt en de indruk wil geven dat hij druk bezig is.

'Wie van jullie spreekt Frans en Spaans?' vroeg Werner Erdmann.

Iedereen keek naar de ex-worstelaar uit Luik.

'Frans is mijn moedertaal,' zei hij, 'maar de enige Spaanse woorden die ik ken zijn flamenco en cerveza.'

'Piet Pladijs?'

Geen antwoord.

'Sam?'

'Un peu. Un poco.'

'OK. Wie is vertrouwd met de wereld van moderne kunst?'

Stilte.
'Pietje?'
'Zut, ik kan amper mijn naam schrijven, laat staan dat ik zou kunnen tekenen,' antwoordde Pietje Pladijs en trommelde *tabbedab-tab-tab tabbedab-tab-tab* op het blad van zijn bureau.

De grote baas van Europol zuchtte. 'Geen moderne kunst?' zei hij.

'Nee, chef.'

'Niets.'

'Noppes.'

'Tot daaraan toe. Wie kent het werk van Salvador Dalí?'

Opnieuw keek iedereen in de richting van de ex-worstelaar uit Luik.

'Nee *hein,* ik weet niet wie Salvador Dalí is,' zei hij.

'Ik ben een kaarter, chef, geen kunstliefhebber,' zei Pietje Pladijs.

'*Warum* Salvador Dalí, *Herr* Erdmann?' vroeg de commissaris.

'Heb jij iets met Dalí?'

'Ik heb thuis een salon van Ikea. Op ons appartement in Antwerpen,' lachte de commissaris. 'Boven de sofa hangt een ingelijste afdruk van Dalí.'

Zoals het klokje thuis tikt, zo tikt het nergens, dacht hij. De mens die dat spreekwoord heeft uitgevonden zat er *boenk* op.

'De laatste weken verdwenen op raadselachtige wijze ten minste drie bloedmooie meisjes nabij het station van Perpignan,' zei Werner Erdmann ernstig. 'Hoertjes waarschijnlijk, beroeps of parttime. Tien dagen geleden werd nabij Barcelona het naakte lichaam van een van de meisjes teruggevonden: zonder hoofd, zonder hand, linker of rechter, daar wil ik vanaf zijn, en haar ingewanden—lever,

24

darmen, nieren—lagen in een kartonnen schoenendoos naast het lichaam. Zij was met een bot voorwerp langs achter verkracht en haar geslachtsdelen werden uit het lichaam gesneden. Volgens de Spaanse en Franse politie is een seriemoordenaar met een obsessie voor de kunst van Salvador Dalí op pad en maakt hij jacht op jonge hoertjes.'

'Waarom Salvador Dalí en niet Picasso of Van Gogh?'

'Dalí woonde in de streek, halfweg tussen Barcelona en Perpignan,' zei Werner Erdmann. 'Op een van zijn beroemdste schilderijen, *Het spook van de Sex-Appeal* uit 1934, beeldt hij een verminkte naakte vrouw af zonder hoofd en zonder handen.'

'Hij is dood, is het niet?' vroeg Pietje Pladijs.

'Wie? Picasso?'

'Salvador Dalí.'

De commissaris knikte. 'Hij overleed in 1989, bijna twintig jaar geleden,' zei hij.

'Dalí was misschien een psychopaat, maar zeker geen seriemoordenaar,' zei Werner Erdmann.

De commissaris keek naar de klokken.

14 uur 30 pil in Den Haag, Perpignan en Barcelona.

'Sedert de invoering van het verdrag van Prüm hebben al onze verbindingsofficieren—van welke nationaliteit dan ook—een wettelijke vergunning om hun pistool te trekken en te schieten in elk van de veertien lidstaten van Europol,' zei Werner Erdmann. 'Ik speel met de gedachte om onze beste agent naar Perpignan te sturen. Ik denk aan een officier die Frans en Spaans spreekt en niet te beroerd is om iemand van kant te maken indien iemand van kant moet worden gemaakt. Ik zoek iemand met ballen aan zijn lijf en haar op zijn tanden.'

Pietje Pladijs schudde het hoofd. 'Sorry chef, ik ben geen James Bond,' zei hij. 'Ik ben een broekschijter.'

'Waarom schakel je geen Franse *gendarmes* in of die gekke Spaanse poppemiekes van de Guardia Civil in hun clownspakje?' zei de ex-worstelaar uit Luik. 'Dat risico loop ik niet. Ik zal je zeggen waarom,' zei de grote baas van Europol. 'Een filmmaatschappij uit Hollywood draait een belangrijke film in Barcelona en Perpignan. Mijn vrienden in Hollywood rekenen op ons om *nu* de moordenaar te vinden en *smeken* mij om hen te helpen. Niemand wil dat de film vertraging oploopt.'

'Hollywood roept de hulp in van Europol?' vroeg de ex-worstelaar uit Luik.

'Ja. Is dat niet fantastisch?' zei Werner Erdmann.

Zijn vrienden in Hollywood? Hoe komt hij aan vrienden in Hollywood? dacht de commissaris.

'Waarom zou de film vertraging oplopen? Toch niet omdat een seriemoordenaar de streek onveilig maakt?' vroeg Pietje Pladijs.

'Piet, je begrijpt niets van Hollywood,' zei Werner Erdmann. 'Als verzekeringsmaatschappijen zich terugtrekken omdat niemand de veiligheid van de acteurs kan garanderen, dan is er geen film, zo eenvoudig is het. We praten niet over peanuts—we hebben het over een financieel avontuur van een paar tientallen miljoenen dollars. Ik kan je verzekeren dat op dit ogenblik zowel de producer en de regisseur als alle acteurs hun billen dichtknijpen van schrik. Seriemoord in het vredige Perpignan, zoiets is nooit eerder gebeurd.'

'Weet je meer over de vermeende seriemoordenaar, chef?' vroeg de commissaris.

'Hij is sluw en doortrapt. Hij gaat voor niets uit de weg. Niets houdt hem tegen. Wie is hij? Waarom moordt hij? Hoe houden we hem tegen? Dat zijn de vragen waarop ik een antwoord zoek.'

'Hem—of haar?' zei de ex-worstelaar uit Luik.

Pietje Pladijs knikte. 'Je hebt gelijk. Hem—of haar,' zei hij.

De commissaris was het er niet mee eens. 'Nee, altijd hem, punt aan de lijn,' zei hij.

'Da's nattevingerwerk, Sam.'

'Sam heeft gelijk. Misdaad is een mannenziekte,' zei Werner Erdmann.

'Wie is kandidaat?' vroeg de commissaris.

'Vinger opsteken, niet iedereen tegelijk,' zei Werner Erdmann.

'Stuur een van de Spanjaarden of Fransen van de deur hiernaast,' zei de ex-worstelaar uit Luik. 'We hebben er op overschot en Perpignan ligt op een steenworp van de Frans-Spaanse grens.'

'Nein, nein, ik wil geen Spanjaard en zeker geen Fransman,' zei Werner Erdmann. 'Zelfs een blinde herkent een Franse flic van een kilometer afstand en iedere Spaanse politieman ziet eruit alsof hij uit een oude aflevering van Miami Vice op TV is gestapt. Stinkt naar zweet, scheert zich niet... je weet wat ik bedoel. Het is hoogzomer. Barcelona en Perpignan stikken van de toeristen. Ik heb een detective in een korte broek en op sandalen nodig, een soort Hercule Poirot of Inspecteur Clouseau die niet stuntelt en zich niet belachelijk maakt. Iemand die lekker oliebolt in de zon en vriendschap sluit met de filmcrew en tegelijk zijn oren en ogen open houdt.'

'Over welke film hebben we 't?' vroeg de ex-worstelaar uit Luik.

Werner Erdmann trok zijn schouders op. 'Weet ik veel,' zei hij. 'Misschien een kunstfilm of een thriller over valse schilderijen. Een film met oog voor detail die de sfeer van de jaren zeventig van de vorige eeuw ademt. Dat is naar het schijnt de Amerikaanse manier van werken.'

'Een kutfilm?' vroeg Pietje Pladijs.

'Kunstfilm, Piet, met een *n* en een *s* vóór de t.'

'Wie speelt de hoofdrol?'

'Al Pacino.'

'Pacino?'

'Ja.'

'In welke rol?'

'De rol van Salvador Dalí.'

De commissaris floot tussen zijn tanden.

Al Pacino! *Heat! Scarface! Dog Day Afternoon! Serpico!* Pacino is de perfecte Dalí, dacht hij.

'Ik denk dat *Scarface* bij mijn collectie DVD's zit,' zei de ex-worstelaar uit Luik.

'Pacino zou een ideale seriemoordenaar zijn,' zei Pietje Pladijs met een wrang lachje. 'In *The Godfather* verstopt hij een revolver in het toilet van een restaurant en schiet twee kogels door het hoofd van een corrupte flik.'

'Boontje komt om zijn loontje,' zei Werner Erdmann.

'Pacino acteert niet—hij roept en tiert,' zei Pietje Pladijs. 'Wie geeft in godsnaam z'n goeie geld weg om iemand te horen roepen? Sommige filmacteurs nemen een slaappil om te relaxen. Pacino wordt in een dwangbuis gestopt.'

'Hij is ocharme 1 meter 61 of 1 meter 63. Te klein om Dalí te spelen,' zei de ex-worstelaar uit Luik.

'Hij lijkt klein omdat hij met een schoftje loopt, zoals de bultenaar van Notre Dame. In het echt is hij 1 meter 72,' zei Werner Erdmann.

'Pacino is een smurf,' zei de ex-worstelaar uit Luik.

'Enkele jaren geleden liep ik hem tegen het lijf,' zei de commissaris.

'Wie? De bultenaar van Notre Dame?'

'Nee, Pacino.'

'Jij liep Al *Cappuccino* tegen het lijf?' gniffelde de ex-worstelaar uit Luik.

De commissaris knikte. 'Per toeval. Dat was in mijn vorige job. Ik werd met een rogatoire opdracht naar Los Angeles gestuurd en had een lunchafspraak in Musso & Frank Grill op Hollywood Boulevard. Al Pacino zat bij het raam aan tafel 28, in een ouderwetse cosy-corner voor vier personen. Hij bestelde gegrilde zwaardvis met aardappelpuree.'

'En jij, Sam, wat bestelde jij om te eten?' vroeg de ex-worstelaar uit Luik.

'Gegrilde zwaardvis natuurlijk.'

'Met aardappelpuree?'

'Natuurlijk.'

'Al Cappuccino,' zei Werner Erdmann en proefde de naam op zijn lippen.

'Er is meer dat wij gemeen hebben,' zei de commissaris.

'Wie?'

'Pacino en ik.'

'Zoals?'

'Hij is een kind van gescheiden ouders,' zei de commissaris. 'Ik ben ook een kind van gescheiden ouders. Hij werd opgevoed door zijn grootmoeder aan moederskant. Ik ook. Zijn vader verliet het gezin toen Pacino twee jaar was. Mijn vader verliet ook het gezin.'

'Hoe oud was je?'

'Twee jaar,' zei de commissaris.

'Wat weet je over Perpignan?' vroeg Pietje Pladijs.

'Het is er mooi en rustig,' zei Werner Erdmann. 'Een echte provinciestad aan de tolweg van de Franse Rivièra naar Barcelona.'

'De mensen leven er als God in Frankrijk,' grinnikte de ex-worstelaar uit Luik.

De commissaris ging op de rand van zijn bureau zitten. 'Mooi en rustig en toch een lijk in Barcelona,' zei hij. 'Weet je iets meer, chef?'

'Heb je interesse, Sam?'

'Misschien.'

'Jennifer Adiou,' zei Werner Erdmann. 'Slank, bloedmooi, een universiteitsstudente met een mokka-kleurige huid en schouderlange krullen in een rode mini-rok en zwarte enkellaarsjes met hoge hakken. Noord-Afrikaanse ouders. Op zaterdagavond verliet zij het appartement van een vriend vlak bij het station. Het meisje was onderweg naar Collioure aan de kust, twintig kilometer verderop. In het weekend poetste zij hotelkamers. Jennifer had geen auto en er reed die avond geen bus. Zij kwam nooit aan in Collioure.'

'Een hoertje dat hotelkamers poetste?'

'Zij *kleedde* zich in ieder geval als een hoertje. Mini-rokje, enkellaarsjes in de zomer.'

'Wie is de voornaamste verdachte?'

'Er is geen verdachte,' zei Werner Erdmann. 'Een rare snuiter uit Zuid-Amerika—een dokter, naar het schijnt—werd aangehouden en kort daarop vrijgelaten bij gebrek aan bewijs. Bleek dat zijn medisch getuigschrift niet geldig is in Frankrijk. De plaatselijke pers vergeleek hem met Jack de Ripper—een *Zuid-Amerikaanse* Jack de Ripper, welteverstaan.'

'Ik begrijp de vergelijking,' zei de ex-worstelaar uit Luik. 'De echte Jack de Ripper sneed ook organen en geslachtsdelen uit zijn slachtoffers en zond ze naar de pers, per post in een pakje. Hij vermoordde minstens vijf hoertjes in Londen. Dat moet echte horror zijn geweest. Onlangs beweerde iemand dat een zekere Walter Sickert de echte Jack de Ripper was.'

'Hoe weet jij dat?'

'Iedereen heeft een hobby. Jack de Ripper is *mijn* geheime hobby.'

'Wie is Walter Sickert?' vroeg de commissaris.

'Een Engelse kunstschilder,' zei de ex-worstelaar uit Luik.

'Negentiende, begin twintigste eeuw. Hij zou aanwijzingen en symbolen over de plaats van de misdaad in zijn tekeningen en schilderijen hebben gesmokkeld, zo nauwkeurig en gedetailleerd dat niemand behalve de moordenaar ze kan weten.'

'Steek je vinger op als vrijwilliger,' zei Werner Erdmann.

'Nee chef, ik heb geen ballen aan mijn lijf.'

Werner Erdmann was de wanhoop nabij.

'Ga ervoor, Sam,' zei Pietje Pladijs. 'Je houdt van filmsterren. Je bent een echte flik. Je houdt van moord met veel bloed. Dit is één kans uit duizend. Een job die je op het lijf is geschreven en die valt zomaar in je schoot. Doe het voor de pin-ups boven je bed toen je een tiener was. Je hebt het zelf gezegd. Diep in je hart hoop je op een verse misdaad die zo origineel is, dat we er nooit eerder over hebben gehoord of gelezen, en dat jij met de zaak wordt belast. Jij hebt wél ballen aan je lijf, Sam. Laat ze knallen, die ballen.'

'De plaatselijke politie heeft een *professional* nodig,' zei Werner Erdmann.

'Eerst wil ik er met Marie-Thérèse over praten. Als zij geen bezwaar heeft, dan is de kans groot dat ik het doe,' zei de commissaris.

De grote baas van Europol keek naar de klokken aan de muur. 'Tof. *Bon.* Op dit ogenblik slaapt Amerika. Als Hollywood wakker wordt, moet mijn antwoord ginder op tafel liggen,' zei hij.

'Vergeet je dienstpistool niet,' zei Werner Erdmann en verliet het kantoor en trok de deur met een klap achter zich dicht.

'Bravo, Sam!' riep de ex-worstelaar uit Luik en klapte in zijn handen.

De commissaris ging voor zijn computerscherm zitten en surfte naar Google. Hij voegde enkele zoektermen in— 'Al Pacino Perpignan *meurtre* moord *asesino* Hollywood Salvador Dalí Barcelona'—en doorzocht het internet. Het antwoord van Google sloeg hem met verstomming. Er waren zestien Engelstalige hits, waaronder webpagina's van *The Sunday Times* en *The Sunday Telegraph*, een ellenlange pagina gepost door het Internet Misdaadarchief, een webpagina van ABC News—een Amerikaanse nieuwszender—onder de titel *Dienen de schilderijen van Salvador Dalí als voorbeeld voor seriemoordenaar?* plus een bericht uit *The Hollywood Reporter* en gelijksoortige berichten op twee Franse en een Italiaanse website. *E dove un misterioso serial killer ne ha fatte trovare già due con mani.* Een van de Franse sites was de homepage van TV-France 2. De commissaris scrolde naar de pagina van het Internet Misdaadarchief, klikte op zijn muis en staarde naar de titels van de hoofdstukken op het scherm.

De killer van de Groene Rivier
Moordenaar in twee steden
De Wurger van Phoenix
De babysitter
Een seriemoordenaar aan de Rivièra
Het monster van Florence
De nachtraaf
To Kill or Not to Kill
Moord als kunst
De versnijder van Perpignan

Hoewel hij met plezier van moderne technologie gebruik maakte, bleef de commissaris in hart en nieren een speurder van de oude stempel. Hij zocht naar een potloodje en een blad papier en maakte voor zichzelf een samenvatting van de verschillende websites over de seriemoordenaar van Perpignan en het lijk in Barcelona. Toen hij na enkele minuten zijn eigen tekst hardop las, viel zijn mond open van verbazing en liepen koude rillingen over zijn rug.

De versnijder van Perpignan

Zijn de macabere schilderijen van Salvador Dalí de sleutel tot een aantal moorden op jonge vrouwen in Frankrijk en Spanje?

De Franse politie brengt een schilderij van Salvador Dalí in verband met de moord op twee en de raadselachtige verdwijning van een derde jonge vrouw. De drie (?) vrouwen werden voor het laatst gezien nabij het station van Perpignan. Een van de slachtoffers is een callgirl van 19 jaar. Zij werd anaal verkracht en haar anus en vagina werden met zo'n precisie uit het lichaam gesneden, dat de politie ervan uitgaat dat iemand met een opleiding tot chirurg hiervoor verantwoordelijk moet zijn. Op zijn meesterwerk Het station van Perpignan uit 1965 beeldt de Spaanse kunstenaar Salvador Dalí (1904-1989) een mannelijke figuur af die op het punt staat een vrouw anaal te verkrachten. De surrealistische kunstenaar heeft vaak gezegd dat hij in de wachtzaal van het station van Perpignan zijn beste ideeën kreeg.

'Heb ik dat goed begrepen? De seriemoordenaar *amputeerde* de geslachtsorganen van de meisjes?' vroeg de ex-worstelaar uit Luik. 'Amputeren is een vast onderdeel van een beroepsopleiding tot chirurg, kok en restaurantuitbater.'

'Om te amputeren heb je scherpe messen nodig,' zei Pietje Pladijs.

'Driesterrenrestaurants gebruiken de scherpste messen,' zei de ex-worstelaar uit Luik.

'Is er een driesterrenrestaurant in Perpignan?' vroeg de commissaris.

Google. *Tik-tik-tik.* Nee, geen driesterrenrestaurant in Perpignan.

Op geen enkele website stonden foto's van de slachtoffers en de commissaris vond nergens een politiefoto van de Zuid-Amerikaanse dokter die was aangehouden en weer vrijgelaten. De websites illustreerden hun webpagina met het schilderij van Dalí uit 1965 of met een recente kleurenfoto van het station van Perpignan na een recente restauratie en verbouwing.

'Volgens Google staan in het decembernummer van *Vanity Fair* twaalf pagina's over de Dalí-moorden,' zei de commissaris.

'Wie is *Vanity Fair?*' vroeg de ex-worstelaar uit Luik.

'Niet *wie* maar *wat.* Vanity Fair is een kutblad uit Hollywood,' zei Pietje Pladijs.

'Moord, toffe wijven, erotiek, kunst, een perverse surrealist... ik denk dat ik begrijp waarom Hollywood is geïnteresseerd in Salvador Dalí,' zei de commissaris.

'Een schilderij van Dalí als voorbeeld voor seriemoord? Is dat niet een beetje overdreven, Sam?' zei Pietje Pladijs.

'PlayStation en gewelddadige videospelletjes, tot daar aan toe, maar—een *schilderij*? Een kunstwerk?'

'Videospelletjes zijn ook kunst,' zei de ex-worstelaar uit Luik.

'Een minderjarige vermoordde twee vriendjes in een korenveld nadat hij op TV een film van Stephen King had gezien over kindermoord in een korenveld,' zei de commissaris. 'Als de handen van een moordenaar jeuken, is iedere aanleiding welkom. Het heeft geen belang of de aanleiding een film is, een videospel, een boek, een schilderij of een natte onderbroek.'

'Misschien heb je gelijk,' zei Pietje Pladijs. 'Ik las onlangs een boek over een moderne seriemoordenaar. Hij boetseerde zijn slachtoffers naar Macbeth van Shakespeare—zelf een dolgedraaide psychotische slager.'

'Was Shakespeare slager van beroep? Dat wist ik niet,' zei de ex-worstelaar uit Luik.

De commissaris schraapte zijn keel. Hardop las hij het tweede deel van zijn tekst voor.

Toen de verminkte romp van het derde slachtoffer werd teruggevonden in de buurt van Barcelona, was haar anus weggesneden met een scalpel en ontbraken haar hoofd en handen. Hoewel de romp werd aangetroffen in Barcelona, lag de rechterhand van het slachtoffer in een gracht buiten Perpignan. Een vroeg schilderij van Salvador Dalí getiteld *Het spook van de Sex-Appeal* stelt een rottend vrouwenlichaam voor zonder hoofd, zonder handen, met jutezakken in plaats van borsten. Een knaap in een marinepakje kijkt met belangstelling naar de misvormde vrouw. Zou het kunnen dat het derde slachtoffer ten prooi viel aan een moordenaar met een psychopathische dwang om kunstwerken te herscheppen? Gebruikt de seriemoordenaar de kunst van Salvador Dalí als inspiratie voor moord? Gaat het leven de kunst achterna? Naar verluidt werken kunstexperts en kenners van de schilderijen van Dalí nauw samen met de Franse en Spaanse politie.

35

Op de webpagina van TV-France 2 stonden enkele Franse woorden die de commissaris niet begreep. *Voleur, violeur, bandit de grand chemin,* tot daar aan toe, geen probleem, maar wat betekende *bagarreur* en *vindicatif*? Hij dubbelklikte op het icoontje van het vertaalwoordenboek in de rechterbenedenhoek en tikte *bagarreur* en *vindicatif* in als zoekwoorden. *Bagarreur*: vechter, vechtjas, vechtersbaas, vechthaan. *Vindicatif*: moedwillig, opzettelijk, gemeen, hatelijk. Iedere dag maakt de moderne techniek mijn leven een stuk eenvoudiger, dacht de commissaris. Hij glimlachte en kruiste zijn vingers en las de laatste alinea.

Bovenstaand verhaal kreeg een macabere draai nadat enkele dagen geleden *The Hollywood Reporter* uit Los Angeles bekendmaakte dat een succesvol filmproducer uit Hollywood op het punt staat een schandaalfilm over Salvador Dalí te draaien met de flamboyante Al Pacino in de rol van de grote Spaanse kunstenaar. Zoals iedereen weet, is Dalí wereldberoemd om zijn schilderijen van liefde en dood vol beeldspraak en verborgen betekenissen. Ongetwijfeld is Pacino als Dalí een filmrol die in heel de wereld tot de verbeelding spreekt. Volgens het vakblad van de filmindustrie beginnen zeer binnenkort de eerste filmopnamen in het zuiden van Frankrijk en in Spanje. Daarna verhuizen acteurs en medewerkers naar New York en Hollywood. Ondertussen is onder acteurs van amateurtoneel in Frankrijk een nationale zoektocht aan de gang naar dubbelgangers van Pacino die zullen worden ingezet als stand-in of stuntman. Zij moeten kunnen dansen en zwemmen. Volgens *The Hollywood Reporter* wordt de schandaalfilm een biografie over het intieme leven van Salvador Dalí gezien door de ogen van een frauduleuze kunsthandelaar die op de vlucht is voor Interpol en per toeval de buurman van de kunstenaar wordt.

Het is nooit anders geweest, dacht de commissaris. In film, op televisie, in toneelstukken van Shakespeare, in de opera, zelfs in beeldende kunst zijn seks en dood en geweld het voornaamste en misschien wel het *enige* onderwerp. Misdaad is de ultieme bron van inspiratie en zeg niet dat ik mij vergis. Kijk naar Tarantino, kijk naar Clint Eastwood, kijk naar Scorcese: dankzij misdaad winnen zij Oscars en Gouden Palmen.

Hij tikte nieuwe zoektermen in op Google en zei: 'Salma Hayek zou in aanmerking komen voor de rol van Gala—Dalí's echtgenote. Zij was verslaafd aan seks.'

'Is Salma Hayek verslaafd aan seks?' vroeg de ex-worstelaar uit Luik.

'Zij is Mexicaans,' zei Pietje Pladijs. 'Alle Mexicanen zijn verslaafd aan seks.'

'Gala was Mexicaans?' vroeg de ex-worstelaar uit Luik.

Luikse boerenkloot, dacht de commissaris. 'Niet Gala, Salma Hayek,' zei hij. 'De echte Gala had de Russische nationaliteit.'

'Mexicaans, Russisch, seks is seks, zowel in Rusland als in Mexico,' zei Pietje Pladijs.

Waar begin ik aan? dacht de commissaris.

Wat haal ik op mijn hals?

Broederlijk naast elkaar—de ex-worstelaar uit Luik blootsvoets in zijn kalfsleren pantoffels—wandelden de drie verbindingsofficieren naar de refter in het hoofdgebouw. Overal rinkelden telefoons. De lange, brede gangen waren opgesierd met fraaie filmfoto's uit *Ocean's Twelve* en handgesigneerde kleurenfoto's van Catherine Zeta-Jones in close-up.

'Catherine Zeta-Jones, Europol, ik zie het verband niet,' zei de commissaris.

'Je hebt de film niet gezien?' vroeg Pietje Pladijs.

'Welke film?'

'Ocean's Twelve.'

'Nee. Niet dat ik weet.'

'Ocean's Twelve is hier gefilmd, in dit gebouw, met Catherine Zeta-Jones als een ambitieuze agente van Europol.'

'Dat wist ik niet,' zei de commissaris.

'Dat was vóór jouw tijd,' zei de ex-worstelaar uit Luik. 'De conferentieruimte van Europol komt in de film spectaculair in beeld. In werkelijkheid is het de raadzaal van het stadhuis van Den Haag. Een actiescène in het station van Amsterdam Centraal werd gefilmd in het station van Haarlem twintig kilometer verderop. Film is nep en namaak en doen-alsof. Dat is Hollywood, zo gaat dat in de filmwereld.'

'Ik vind niet dat Catherine Zeta-Jones nep en namaak was,' zei Pietje Pladijs. 'Zo'n tof wijf in een roodleren mantelpakje. Zij trok zich iedere dag een uurtje of zo terug in het kantoor van de grote baas en ik denk niet dat Werner Erdmann één voet buiten de deur heeft gezet wanneer zij in het gebouw was.'

Eindelijk begrijp ik zijn contacten met Hollywood, dacht de commissaris.

'Ik dacht dat Catherine Zeta-Jones met Michael Douglas is getrouwd?' zei hij.

'Mama mia, Sam, jij bent toch óók getrouwd?' zei Pietje Pladijs.

'Niet met Catherine Zeta-Jones,' zuchtte de commissaris.

De veertien lidstaten aangesloten bij Europol zijn in alfabetische volgorde: België, Denemarken, Duitsland, Finland, Frankrijk, Griekenland, Ierland, Italië, Luxemburg, Nederland, Oostenrijk, Portugal, Spanje en Zweden. Het lunchbuffet in de refter bestaat uit evenveel verschillende keukens als er lidstaten zijn: mosselen-friet voor de Belgen (in de maanden met een 'r'; in de andere maanden biefstuk-friet), gemarineerde haring voor de Denen, zuurkool met braadworst voor de Duitsers en erwtensoep met zure room voor de Finnen. De Fransen hebben de keuze tussen cassoulet en ratatouille in een rijke tomatensaus. Voor de Grieken is er moussaka, een stoofpotje van schapenvlees voor de Ieren, pizza en spaghetti voor de Italianen, wienerschnitzel voor de Oostenrijkers, paella voor de Spanjaarden en stokvis voor de Portugezen. Voor de Zweden zijn er gehaktballetjes van Ikea. Omdat een postzegellandje als Luxemburg geen nationaal gerecht heeft, eten de Luxemburgers van alle walletjes. Nederlanders hebben geen eigen keuken. Wie het ongeluk heeft om Nederlander te zijn en voor Europol werkt, moet zich 's middags tevreden stellen met een broodje kaas en een glas karnemelk.

Kaas en karnemelk voor de Hollanders.

Zelfs de beste schrijver kan zoiets niet verzinnen, dacht de commissaris.

'Een fruitsapje, Sam? Cola? Mineraalwater?' vroeg Pietje Pladijs.

'Koffie graag, zonder melk, zonder suiker, met een aspirine of twee,' zei de commissaris.

Pietje Pladijs stak 15 Eurocent in een automaat van Douwe Egberts. Er viel een bekertje zwarte koffie uit. 15 cent voor koffie, da's ook geen geld, dacht hij. Het bekertje was niet eens halfvol.

Ook de refter hing vol handgesigneerde en ingelijste foto's en close-ups van Catherine Zeta-Jones naast rood-witte stickers met de tekst NO SMOKING *Roken Verboden* DÉFENSE DE FUMER in drie talen.

De commissaris dronk zijn koffie met kleine teugjes.

Vier politieofficieren uit Shangai waren niet vertrouwd met Europese eetgewoonten. Zij verwarden het lunchbuffet met een Chinese rijsttafel en laadden hun bord vol gemarineerde haring, zuurkool, mosterd, paella, pizza, Zweedse gehaktballetjes, moussaka, stokvis, mosselenfriet, mayonaise en karnemelk en verorberden smakkend en slurpend het hele zootje alsof zij zoiets lekkers nog nooit hadden gegeten. Toen zij een kommetje lauw citroenwater kregen om hun vingers te wassen, dronken zij het kommetje in één teug leeg.

'Ik liep Julia Roberts tegen het lijf,' zei een Italiaan terwijl hij op een stuk pizza kauwde.

'Waar?'

'Op de set van *Ocean's Twelve*.'

'Je liegt. Julia Roberts speelt niet mee in *Ocean's Twelve*.'

'Natuurlijk wel.'

'Niet in de scènes die in Den Haag zijn opgenomen,' zei Werner Erdmann.

'Ik ontmoette haar in Italië.'

'In Italië?'

'In Rome. Zij zit met Bruce Willis in de eindscènes.'

'*Stimmt...!* Haar naam is de laatste op de aftiteling.'

'Zij dacht dat zij vooraan zou staan. Sta je vooraan op de generiek, ben je de vedette van de film,' zei een Ier met een whiskyneus.

'Al Pacino heeft een klein rolletje in *Ocean's Thirteen*,' zei Pietje Pladijs.

De Italiaan luisterde niet. 'Ik stond zo dicht bij Julia Roberts dat ik haar parfum kon ruiken,' zei hij en verslikte zich in zijn pizza.

'Filmwijven in Hollywood hebben een perfecte huid—zacht en glanzend—en zo'n grote mond, dat je ze tegelijk een tong kan draaien en er je auto in parkeren,' antwoordde de Fransman.

'Ik zou er liefst iets anders in parkeren,' zei Werner Erdmann en beet de kop van zijn knakworst.

Pietje Pladijs rolde met zijn ogen. 'Julia Roberts is cool,' zei hij vol bewondering.

'Al die gozers zijn cool, George Clooney, Brad Pitt, Matt Damon, zelfs Andy Garcia is cool, maar Al Cappuccino is de coolste van allemaal,' zei de ex-worstelaar uit Luik.

'Zou Pacino een haarnetje dragen, zoals George Clooney?' vroeg Pietje Pladijs.

Den Haag is een stad van standbeelden. Zij staan overal, in parken en op pleinen, of zomaar *bang* midden op straat, zoals Spinoza en de goede oude Descartes en het standbeeld van Willem van Oranje voor het Koninklijk Paleis. Sommige standbeelden staan zo hoog op hun sokkel dat zij op monumentale wolken van beton lijken, die boven de hoofden van de mensen hangen. Een poedel aan de leiband trok zijn achterpoot op en plaste tegen de kousenvoeten van Descartes. In station Holland Spoor keek de commissaris omhoog naar de stationsklok, met zijn oude schoolboekentas in de hand. Hij stak enkele muntstukken in de gleuf van een magnetronautomaat en trok er twee warme kroketten en een bamischijf uit. In de kiosk kocht hij Franse en Spaanse kranten, El País, La Vanguardia, Le Figaro, Le Monde en de Presse Régionale, een regionale krant uit de streek van Perpignan.

De hemel was grijs en bewolkt en zwanger van de pikante, prikkelende geur van Pakistaanse en Indonesische meeneemrestaurants tegenover het station. Er hing onweer in de lucht. Overal stonden lange rijen fietsen. Terwijl hij op tramlijn 9 wachtte, dacht de commissaris met vertedering aan zijn nachtelijk telefoongesprek met Marie-Thérèse.

'Poesje? Ben jij het, poesje?'

'Natuurlijk, wie anders?'

'Ben je alleen thuis?'

'Ik ben altijd alleen thuis.'

Zij hingen twee uur aan de telefoon. Nog een geluk dat Europol aan het eind van de maand ook privételefoongesprekken terugbetaalde. Een klein kwartiertje met de tram naar het hoofdkwartier van Europol, langs de Haringkade. De commissaris liep over het bruggetje naar de overkant van de straat. Een slijmdeken van kroos bedekte de gracht. Er lag een zwarte fiets in. Het voorwiel stak uit het kroos omhoog. De eerste regendruppels pletsten op het voetpad. De commissaris toonde zijn entreepasje aan de veiligheidsagent van Europol en wrong zich langs de metaaldetector en een CT-scanner door het draaihek. Hij legde een handvol kleingeld en zijn oude schoolboekentas op de rubberen band van het röntgenapparaat—in de boekentas zat een opgerolde regenjas, een Burberry met de kleur van mosterd, en een mini-paraplu—en telde de vlaggen van de veertien lidstaten naast de politiepost. De controlekamer leek op een aquarium van kogelvrij glas. Veiligheidsagenten staarden naar computerschermen. Op het glas kleefden rood-witte stickers met de tekst NO SMOKING Roken Verboden DÉFENSE DE FUMER in drie talen.

De commissaris tikte op het glas en zei: 'Ik wil Werner Erdmann spreken.'

'Heb je een afspraak?'

'Nee.'

'De big boss is niet op kantoor.'

'Wanneer wel?'

'Vandaag niet. Hij zit in het buitenland.'

'In het buitenland?'

'Ja.'

'Wanneer keert hij terug?'

'Hoe zou ik dat weten?' zei de veiligheidsagent en geeuwde met zijn mond wijd open.

De commissaris deed de deur van zijn kantoor open. In het midden van zijn mooi gepolijste bureau lag een dichtgekleefde bruine briefomslag formaat A4 met zijn naam erop, in drukletters en tweemaal onderstreept. Zijn telefoon rinkelde en hij nam de hoorn op. Werner Erdmann aan de lijn.

'Zodra je de grens voorbij bent, ga je undercover, Sam,' gromde de grote baas. 'In Frankrijk ben je Jack—Jacques op zijn Frans.'

'Jack is mijn schuilnaam?'

'Ja. Doe alsof je een schrijver bent.'

'Ik? Een schrijver?'

'Natuurlijk jij. Wie anders?'

'Oké, ik ben Jack of Jacques op zijn Frans. Ik ben schrijver.'

'Geeft dat geen prettig gevoel, schrijver zijn?'

'Ik ben Jacques Wie?'

'Kerouac.'

'Kerouac? Ben ik Jacques Kerouac?'

'Juist, ja.'

De commissaris glimlachte. Mooie naam, dacht hij. Jacques Kerouac. Klinkt bekend in de oren. Een naam waar ik mee kan leven.

'Vlieg erin, Jacques,' zei Werner Erdmann. 'Los die zaak op. Niet bullshitten. Pas op, de enige Fransman die je ware identiteit kent is een officier van de plaatselijke politie in Perpignan. Breng hem een bezoekje. Zijn naam is Renaudot.'

'Is Renaudot een schuilnaam?'

De verbinding werd verbroken.

In de bruine briefomslag zat een aanbevelingsbrief met het briefhoofd van Europol, twee aan elkaar geniete treintickets—een van de Nederlandse Spoorwegen en een van de Franse SNCF—een toeristische folder mét stadsplan en een reservatie voor één persoon op naam van Jacques Kerouac in het Hôtel du Canal in de Avenue du Général de Gaulle, op wandelafstand van het station van Perpignan volgens de toeristische folder. Chambre double met twee eenpersoonsbedden, airconditioning, bubbelbad, WC en een flatscreen-TV op de kamer. De treincoupons waren geldig voor het traject Den Haag-Brussel-Perpignan met een overstap in Parijs. Er zaten twee boeken in de briefomslag, een nieuwe uitgave van Op weg in het Frans, geschreven door Jack—niet Jacques— Kerouac en een Lonely Planet Gids voor de Languedoc en het zuiden van Frankrijk.

Regen kletterde tegen de ramen. Een felle wind scheurde de regenwolken uit elkaar.

Mijn eerste buitenlandse reis in opdracht van Europol, dacht de commissaris, en hij slaakte een zucht van opluchting. Hij was niet naar Den Haag gekomen om op zijn krent voor een computer te zitten en de heilige oorlog in Syrië en Afghanistan in kaart te brengen. Zijn spullen stonden gepakt en gezakt op zijn hotelkamer. Hij keek naar de muurklokken, glimlachte, stopte de bruine briefomslag in zijn oude schoolboekentas en zakte ontspannen onderuit in zijn draaistoel. Hij vouwde de Franse kranten open en zijn aandacht werd getrokken door een berichtje op de wekelijkse filmpagina van de Presse Régionale uit Perpignan.

AL PACINO BEVESTIGT FILM OVER DALÍ

REUTERS/PERPIGNAN.—In een vraaggesprek met MTV News bevestigt de beroemde Amerikaanse filmacteur Al Pacino dat hij eerstdaags naar onze contreien afzakt om de rol van Salvador Dalí te spelen in een biografische film over de laatste levensjaren van de Spaanse kunstenaar, die beroemd en berucht is om zijn schilderijen met slappe horloges in een verlaten landschap. 'Het scenario is schitterend. Salvador Dalí is een rol waar ik al m'n hele leven naar uitkijk,' zei Pacino in het interview. De filmcrew zal tijdens de hele periode van de opnamen in Perpignan logeren in het Flamingo Park Hotel (vier sterren), dat bekendstaat als een van de meest luxueuze vakantiehotels in de Languedoc. Een zegsman van het stadsbestuur bevestigt dat het station van Perpignan een belangrijke rol zal spelen in de film.

'Wees voorzichtig, Sam,' zei Pietje Pladijs. 'Je weet toch wat over Hollywood wordt gezegd?'

'Nee, Piet, geen idee.'

'Hollywood betast je en blijft met zijn handen niet van je lijf.'

De commissaris glimlachte. 'O nee? Waarom niet?' vroeg hij.

'Hollywood voelt of je mals genoeg bent vóór je met huid en haar wordt opgevreten.'

'Wanneer vertrek je, Sam?' vroeg de ex-worstelaar uit Luik.

De commissaris keek naar de klokken aan de muur.

'Nu,' zei hij.

Parijs

De commissaris stapte uit de trein en nam een taxi van het Gare du Nord naar Brasserie Dauphine, een klein en gezellig restaurantje tegenover het gerechtsgebouw aan de Quai des Orfèvres dat populair was bij politieofficieren en gerechtsmagistraten. Hij schudde de patron de hand en wandelde meteen door naar de intieme eetzaal, vanwaar hij de Seine voorbij zag stromen. Het werd snel donker. Voetgangers kromden zich onder grote zwarte paraplu's en auto's zetten hun koplampen aan.

De commissaris had zo'n razende honger dat hij zelfs de spijskaart had kunnen opvreten. Als dagschotel was er keuze tussen coq-au-vin of haantje gegaard in rode wijn en kalfsfricassee met champignons in roomsaus.

'Een echte *pastis* van Marseille om de zomer uit te wuiven?' vroeg de patron breed lachend. Hij had een verweerd gelaat en een grote adamsappel, zoals alle Fransen van zijn leeftijd.

De commissaris nipte met kleine teugjes van zijn Ricard en genoot van de zachte, melkachtige smaak van anijs. Heel Frankrijk in één enkel glas, dacht hij. Het was van de jaren tachtig geleden dat hij pastis had gedronken en zeg nu zelf, de jaren tachtig, dat waren toch de middeleeuwen?

'Wat zou je denken van een dagschotel, commissaris?' vroeg de patron en veegde zijn handen af aan zijn schort.

De dagschotel smaakte zoals thuis. De commissaris dronk er un demi bij van een Frans merk dat hij niet kende, een zoet, helder bier met een bittere afdronk. Hij had geen haast, en toch keek hij voortdurend op zijn horloge.

In alle rust genoot hij van zijn kalfsfricassee met champignons in roomsaus en aardappelgratin. Af en toe keek hij door het raam naar de regen en het drukke verkeer. Regenwater spoelde door de goten en de straat glom van nattigheid. Nadat de patron de tafel had afgeruimd, zette hij de commissaris een stuk amandeltaart en een pruimenlikeurtje voor, op kosten van het huis.

Om negen uur betaalde hij de rekening en verliet het restaurant. Er was druk verkeer in de richting van het Gare d'Austerlitz en de ruitenwissers van zijn taxi kletsten de regen over het dak van de auto. In het station controleerde hij het uurrooster van de treinen. De enige nachttrein met slaapcoupés vertrok een halfuur later. De commissaris had geluk, er waren nauwelijks passagiers en hij had een slaapcompartiment voor zich alleen. Hij trok zijn schoenen en zijn natte regenjas uit, klom langs het laddertje omhoog naar het smalle bed, dat zelfs smaller was dan het laddertje, en met z'n kleren aan kroop hij onder de grijze deken van de SNCF en staarde in het donker naar voorbijrazende wijngaarden en zilveren rivieren. De commissaris was het niet gewend om laat op de avond warm te eten en hij voelde zich onwennig en opgeblazen. Hij was niet dronken maar ook niet helder in zijn hoofd en had een zure smaak in zijn mond. Ik heb een Rennie of twee nodig, dacht hij.

Het werd stikdonker.

Terwijl hij op zijn oude walkman naar Miles Davis en Chet Baker luisterde—Valium voor mijn ziel, dacht de commissaris—dommelde hij langzaam in en riep in zijn droom: 'Hollywood, ik kom!'

Canet-Strand nabij Perpignan in Frankrijk

De plaats van de misdaad was een modderpoel aan de rand van een zoutwatermeer in Canet-en-Roussillon, ten westen van Perpignan, vlak bij het Copacabana Hotel in de buurt van Canet-Strand naast de jachthaven. Het fijne gele zand stond vol jetski's, vrolijk gekleurde zonneschermen, windsurfspullen en opblaasbare zwembaden van olympische afmetingen. Er waren drie terreinen voor beachvolley, drie voor strandtennis en drie naaktstranden. Vroeg in de ochtend, kort na vier uur. Het was warmer dan de vorige dagen. Sterren doofden uit en de hemel werd helder. Zeemeeuwen zeilden op en neer. Een gedeelte van het zoutwatermeer was afgespannen met geel en rood politielint, dat flapperde in de zachte, warme ochtendbries. Agenten van het technisch labo bukten onder het plastic lint door. Zoals in een doordeweekse aflevering van CSI op televisie stofzuigden zij het zand op zoek naar menselijk haar en onbekende vezels. Met een speciale bril scanden zij de plaats van de misdaad met een Polylight, dat vezels en lichaamsvochten zichtbaar maakt die met het blote oog onzichtbaar zijn. Op de brug over de kustweg stond een witte politieauto met een sirene die balkte als een hongerige ezel—ÍÍÍÍ-AAAA, ÍÍÍÍ-AAAA—en een daklicht dat nerveus heen en weer zwaaide als een stroboscopische lamp in een disco.

Drie politiedetectives in burger schartten langs achter aan hun kont. Zij droegen alle drie een hemd met open kraag en een zonnebril. Twee van de drie detectives hadden een zwarte snor, die van plezier op en neer wipte tel-

48

kens wanneer zij hun mond openden. Met hun snor en stoppelbaard van drie dagen leken zij als twee druppels op de slechteriken in een spaghettiwestern van Sergio Leone. Hun hemd hing over hun broek. Achter hun rug klemden twee detectives hun vuisten om de ebbenhouten kolf van een Remington shotgun *à canon court*, met afgezaagde loop, terwijl de derde detective zijn hand op de kolf van een halfautomatische 9mm Sig-Sauer in een heupholster legde. De detective met de Sig-Sauer was Paco Banana. Hij was de jongste van de drie politiedetectives. Hij speelde met een tandenstoker in een hoek van zijn mond en was gekleed in een strakke jeans van Wrangler met opgestikte zakken. Paco Banana was een neger met dreadlocks. Hij had een kleine gouden oorring in zijn linkeroor. Hoewel hij niet zo donker was als Louis Armstrong en hij evenmin de afgebleekte huid van Michael Jackson had, kon toch zelfs een blinde zien dat hij een neger was.

'Is zij een echt meisje?' vroeg Paco Banana.

'Zij lijkt niet op een echt meisje maar op een pop,' zei Renaudot. De blanke politiedetective had kortgeknipt, hazelnootkleurig haar en borstelige wenkbrauwen. Uit zijn neus en oren groeiden lange zwarte haren en zijn gelaat werd ontsierd door littekens van acne of jeugdbrand.

'Dit lijkt een film. De plaats van de misdaad in een film,' zei Paco Banana.

'Welke film?' vroeg Achmed Al Fatou. Hij was moslim, een *pied-noir* van Algerijnse afkomst, half Frans en half Noord-Afrikaans.

'Een weekendfilm op TV,' zei Renaudot.

'Een *telenovela*,' zei Paco Banana.

'Woody Allen draait een film in Barcelona,' zei Renaudot. 'In heel de wereld worden films en *telenovelas* gedraaid.'

'Barcelona is een fotogenieke stad,' zei Paco Banana.

Daarover waren de politiedetectives het roerend eens, wat een uitzondering op de regel was, want gewoonlijk waren politiemensen het *nooit* met elkaar eens.

Dat komt omdat Frankrijk twee politiemachten telt: de *Gendarmerie*, die op militaire leest is geschoeid en onder toezicht staat van het ministerie van Landsverdediging, en de *Police Judiciaire*, die onder de bevoegdheid valt van het ministerie van Binnenlandse Zaken. Hoewel zij een blauwzwart uniform dragen, met al het uiterlijk vertoon van een ambtenaar der wet, zijn *gendarmes* geen detectives en verrichten zij geen speurwerk. Een *gendarme* die een misdaad op het spoor komt, geeft het dossier door aan de dichtstbijzijnde post van de *Police Judiciaire*, die het onderzoek overneemt en speurders in burger op de zaak zet.

Het was de taak van de drie detectives van de *Police Judiciaire* om een antwoord te vinden op volgende vragen:

1.—Wat is er gebeurd?
2.—Wanneer is het gebeurd?
3.—Hoe is het gebeurd?
4.—Vond de misdaad hier of elders plaats?
5.—Wie is het slachtoffer?
6.—Wie is de dader?
7.—Wat is de reden van de misdaad?

Zeven vragen. Zeven is een geluksgetal.

'Gisteravond at ik in een plaatselijk restaurant een schotel oesters uit de Middellandse Zee,' zei Renaudot. 'Een man en zijn vriendin kregen slaande ruzie. Die kerel werd zo kwaad dat hij met zijn vork het oog van zijn vriendin uitstak. Ik greep de eigenaar van het restaurant bij zijn kraag en vroeg mijn geld terug.'

'Je geld terug? Waarom?' zei Paco Banana.

'Haar bloed spatte over mijn oesters. Mijn avondmaal naar de kloten,' zei Renaudot en schoot in de lach.

Al het labomateriaal zat in twee vismanden van gevlochten riet, van het soort dat gebruikt wordt door liefhebbers van de hengelsport. In de eerste mand zaten
enkele rollen politielint, een zaklamp, een logboek, schrijf-
gerief, een digitale camera, papieren broodzakken, een tang
om bij verstikking de tong vrij te maken, rubberbandjes,
een schetsboek, wegwerpkledij in vinyl, vinylhandschoenen, anti-stankmaskers, een rolletje touw (altijd handig),
een lintmeter, vlaggetjes in verschillende kleuren, boter-
hampapier, een testpakket voor drugs, een handleiding bij
verkrachting, een lijst met noodnummers van dokters en
ziekenhuizen en het telefoonnummer van een psycholoog die in geval van verkrachting onmiddellijk kan worden
opgeroepen. In de tweede vismand zaten vooral werktui-
gen: een hamer, een knijptang, een zaag, schroevendraai-
ers, een handstofzuiger op batterijen, pincetten en zelfs
een spray om afdrukken van schoenzolen en autobanden
te fixeren in de sneeuw—hoewel het sedert mensenheu-
genis niet had gesneeuwd in Perpignan.

Er stond ook een plastic lunchbox. Tussen smeltende
ijsblokjes zaten containers met melk, yoghurt, vers sinaasappelsap, blikjes Coca-Cola (Zero en Coke Light) en twee
soorten bier van een Frans merk, Pelforth en Kronenbourg.

Het dode meisje lag op haar rug, half onder water, met
een telefoonkabel om haar hals. Haar zijden jurk wolkte
om haar hoofd. Zij heeft een lief zwart onderwaterpoeze-
loesje met kleine elegante krulletjes, dacht Paco Banana.
Vóór zij stierf had zij haar tong ingeslikt. Haar nek was ge-
broken en haar hals doorgesneden. Er zat zand in haar
mond—er vloeide wat bloed uit—en haar donkere, kas-
tanjebruine ogen staarden groot en rond en wijd open
naar de lege hemel. Het meisje had mollige benen en één

schoen met een blauwe hoge hak aan haar voeten. Haar vingernagels waren perfect gemanicuurd en haar tepels stonden rechtop, als bourgognerode *cuberdons* of neusjes, onder een nat en sexy topje. Het dode lichaam stonk naar rotte vis. Krabben en kreeftjes hadden er een smakelijke maaltijd aan en genoten zichtbaar van hun vroege ontbijt. Zij smakten en slurpten en likten hun vingers af. Opdat zij geen kostbare tijd zouden verliezen, wrikten agenten van het labo—met een masker van chlorophyl voor hun mond—een zegelring van de vinger van het meisje en borgen de ring in een bruine enveloppe. Andere labo-agenten tekenden de omtrek van het lijk af op de modderige oever van het zoutwatermeer.

Het klotsende water spoelde al het bloed weg.

'Hoe oud zou het meisje zijn?' vroeg Achmed Al Fatou en ademde de zuivere ochtendlucht in.

'Geen meisje, een vrouw. Tweeëndertig, drieëndertig, zoiets,' zei Renaudot.

'Zij lijkt ouder dan tweeëndertig,' zei Paco Banana. Hij hield een opengetrokken bierblikje in de hand.

'Omdat het een zwartje is,' zei Renaudot. 'Zwartjes lijken altijd ouder dan hun echte leeftijd, ook wanneer zij *niet* dood zijn. Dat moet jij toch weten, Paco? Neem Condoleezza Rice of Oprah Winfrey. Hoe oud zijn zij, denk je?'

'In de veertig? Vijfenveertig?'

'Zij lijken ouder,' zei Renaudot.

'Je hebt gelijk,' zei Paco Banana.

'Dit slachtoffer is geen veertig jaar,' zei Achmed Al Fatou. 'Zij lijkt ook niet op Oprah Winfrey.'

Omdat zij half onder water lag, was lijkstijfheid niet ingetreden.

Achmed Al Fatou zuchtte. 'Weer een hoertje?' vroeg hij.

'De wetsdokter is met de lijkwagen onderweg,' zei Renaudot.

'Wie zou haar pooier zijn?' vroeg Paco Banana en dronk gulzig van zijn bier.

'Volgens de burgemeester zijn er in onze stad geen pooiers,' zei Renaudot. 'Er zijn geen hoertjes en zonder hoertjes geen pooiers.'

'De stad stinkt van Albanezen en *Arabes* en dat zijn *allemaal* pooiers,' zei Paco Banana.

'Een hoertje is een geldmachine,' zei Achmed Al Fatou. 'Zorg dat een hoertje voor je werkt en je hoeft je financieel geen zorgen te maken. Iedere dag brood op de plank.'

'Ik zie nergens een portefeuille of een handtas,' zei Renaudot.

'Waar bleef zij met haar geld?' vroeg Paco Banana.

'Hoertjes verstoppen het geld van hun klanten in hun schoenen,' zei Achmed Al Fatou, en zijn mobieltje rinkelde met de beltoon van een biddende muezzin die de gelovigen opriep tot het ochtendgebed.

Renaudot streek een lucifer af en stak een donkere sigaar op. Bijna verbrandde hij zijn vingers aan de vlam van de lucifer. Uit zijn mond dreef een grijze rookwolk die stonk naar teer en brandende autobanden en langzaam verdwenen de speurders in een wolk van sigarenrook.

'Ik arresteerde eens een hoertje, je zal het nooit geloven, haar vagina zat vol bankbiljetten uit alle landen. Poolse zloty's, Russische roebels en zelfs bankbriefjes uit China en Vietnam,' zei Paco Banana.

'Als je er een stijve in kan stoppen, dan kan je er alles in stoppen,' zei Renaudot en kwispelde met zijn staart.

Achmed Al Fatou ratelde in het Arabisch en kleefde aan zijn mobiele telefoon.

'Bereid je een terroristische aanslag voor?' vroeg Renaudot.

'Het zoveelste dode hoertje. Waar beginnen we aan?'

zei Paco Banana en met zijn arm achter zijn hoofd zwaaide hij het lege blikje van Pelforth in een wijde boog in het meer.

'Je kunt je vergissen. Het zijn niet allemaal hoertjes,' zei Renaudot en krabde achter zijn oor.

'O nee?'

'Misschien zijn het callgirls.'

'Ik zie geen verschil.'

'Callgirls hebben rijke pipo's als klant,' zei Renaudot. 'Zij kunnen zich makkelijk een Rolex met diamanten veroorloven. Een hoertje van de straat verdient per klant vijftig keer minder dan een callgirl en stelt zich tevreden met een Seiko van twee keer niks. Hoertjes staan op de laagste trap van de neukladder. Hoertjes zijn de socialisten in het vak, het enige wat zij niet hebben, is een eigen vakbond. Pik een straathoertje op en zij pijpt je met plezier—allez, met haar mond—in een afwerkhotelletje of je eigen auto en dat kost je peanuts. Voor een callgirl betaal je een maandloon en aan het eind van de avond mag je jezelf afrukken in je eigen bed, HAHAHA!'

'*Putain de merde,*' gromde Achmed Al Fatou.

Klootzak, in vertaling.

Met zijn oude vertrouwde Rolleiflex op statief—niet met een digitale camera; digitale foto's worden in de rechtbank niet als bewijs aanvaard—nam de politiefotograaf close-ups en afstandsfoto's van het slachtoffer, met scherp flitslicht en *flash-flash-flash* met de snelheid van een machinegeweer. Zelfs op dit vroege uur waren er heel wat kijklustigen, van verslaggevers van de *Presse Régionale* en zonnekloppers in zwembroek tot reporters van een lokale TV-ploeg die alles op film vastlegden.

'Kammen wij het meer uit?' vroeg Paco Banana.

'Waarom?' zei Renaudot.

'Om het mes te vinden.'

'Welk mes?'

'Het moordwapen.'

'Is zij neergestoken? Of gewurgd?

'Allebei,' zei Paco Banana.

De zon kwam op. Het water kabbelde zacht tegen de oever. Stofdeeltjes dobberden als mist in het zonlicht. De eerste zwemmers en zonnekloppers legden hun strandlaken op het zand en trokken hun kleren uit achter een veelkleurig zonnescherm.

'Voilà, de wetsdokter is er,' zei Renaudot.

'De hoogste tijd,' zei Achmed Al Fatou.

Een groene Peugeot zonder kentekens stopte op de brug over de kustweg naast de witte politieauto. De wetsdokter legde de motor stil en stapte uit onder een grote strohoed die zijn kale schedel tegen de felle zon beschermde. Hij zag eruit of hij wakker was geschud uit een diepe slaap. Hij wreef het zweet van zijn voorhoofd, sloeg zijn handen tegen elkaar, haakte zijn vingers ineen en kraakte zijn knokkels.

De zon stond laag aan de hemel. Het werd druk op het meer: er werd geroeid en gekajakt en liefhebbers deden aan sailboarding hoewel er nauwelijks wind stond.

Renaudot keek op zijn horloge. 'Waar bleef je zo lang, dokter?' vroeg hij.

'Het stadscentrum is afgesloten,' zei de wetsdokter met vlakke stem. 'Het schijnt dat er een beroemde filmacteur in de stad is.'

'Ik ben klaar,' zei de politiefotograaf. 'Jullie hebben mij niet meer nodig?'

'Nee, gelukkig niet,' zei Achmed Al Fatou.

Met de handen in zijn broekzakken keek de wetsdokter naar het dode lichaam. Hij fronste zijn voorhoofd. 'Er zijn verschillende manieren om het tijdstip van de dood te bepalen,' zei hij. 'Zo kan ik de hoeveelheid kalium in de gel van haar dode ogen meten. Toegegeven, dat is een vrij ingewikkelde operatie. De makkelijkste manier is de makkelijkste: ik steek gewoon een thermometer in haar kont en meet haar lichaamstemperatuur. Een lijk koelt ieder uur één graad Celsius af. Lijkstijfheid of rigor mortis begint in de hals, enkele uren na de dood, en verspreidt zich over de rest van het lichaam. Helaas—rigor mortis lost volledig op vanaf tien tot achtenveertig uur *na* de dood. Daarom is lijkstijfheid in het algemeen een slechte graadmeter om het exacte tijdstip van overlijden te bepalen. Indien een lichaam méér dan tien uur dood is, helpt rigor mortis ons geen sikkepit verder.'

Hij kantelde het lichaam op haar rug en stak een thermometer in haar aars.

'Twee nachten geleden ademde zij nog,' zei hij.

De ochtendbries geurde naar zonnebrandolie en versgemalen koffie en halfnaakte mannen op surfplanken weerkaatsten in de zonnebril van de speurders.

'Dokter, is zij verkracht?' vroeg Renaudot.

'In ieder geval gewurgd en neergestoken, of eerst neergestoken en daarna gewurgd, dat zal het onderzoek uitwijzen.'

'Een nieuw slachtoffer van onze seriemoordenaar?' vroeg Paco Banana. 'Wat denk je, dokter?'

'Er ontbreken geen lichaamsdelen, er zijn geen zichtbare amputaties, geen armen en benen die in het rond vliegen... Dit slachtoffer lijkt niet op een schilderij van Dalí,' zei de wetsdokter.

'Geen ontbrekende lichaamsdelen, geen amputaties, wel snijwonden,' zei Achmed Al Fatou.

'Ik vermoed dat zij honderd keer is gestoken,' zei Paco Banana.

'Méér dan honderd keer,' zei de wetsdokter lachend.

'Dat begint slecht,' zei Achmed Al Fatou.

'Een seriemoordenaar is een psychopaat,' zei de wetsdokter. 'Ik vrees, eerlijk gezegd, dat jullie extra hulp nodig hebben om hem te vinden. Psychologen, psychiaters, internationale politie-experts, noem maar op.'

Renaudot boog het hoofd. 'Ik ken haar,' zei hij met gedempte stem en zijn snor trilde op zijn bovenlip. Tranen rolden over zijn wangen. 'Het slachtoffer heet Cherry en is achtentwintig jaar, behalve haar nieuwe siliconentetten, die slechts twee jaar oud zijn. Cherry was geen callgirl met een gouden Rolex. Zij was een ordinair hoertje van dertien in een dozijn, eentje met een hart van goud. Werkte in de hoerenbuurt bij het station van Perpignan. Als er een Nobelprijs voor pijpen en blowjobs bestaat, zou ze die zeker hebben gekregen, dubbel en dik verdiend. Iedere keer leverde zij een meesterwerkje af. Cherry was de beste pijper van de klas—mijn tenen krulden in mijn schoenen en mijn gebit vloog bijna uit mijn mond—maar helaas, zij was ook een zwarte aardbei.'

Paco Banana en Achmed Al Fatou hapten naar adem en keken de andere kant op.

'Een zwarte aardbei? Nooit van gehoord,' zei de wetsdokter.

'Een hoertje dat zwaar verslaafd is en cocaïne rookt,' zei Paco Banana.

'Was zij moslim?' vroeg de wetsdokter.

'Wie? Cherry?'

'Nee, Moeder Teresa,' zei de wetsdokter met een wegwerpgebaar.

'In moslimlanden gedijen geen zwarte aardbeien,' zei Achmed Al Fatou.

'Haar vader is een Belg,' zei Renaudot. 'Een huurling.

Cherry kwam tien jaar geleden uit Zaïre naar Frankrijk.'

'Zaïre is geen moslimland,' zei Achmed Al Fatou.

'Wordt er *gerukt* en *gepijpt* in een moslimland?' vroeg Paco Banana.

'Of gewoon geneukt?' vroeg de wetsdokter.

'*Ah, oui oui!*' zei Achmed Al Fatou luid lachend.

'Gerukt, geneukt en gepijpt—met een kameel en een schaap, HAHAHA!' zei Renaudot.

'... of met een kieken zonder kop,' zei Achmed Al Fatou.

Assistenten van het labo wikkelden het lichaam in een wit laken—zelfs in de dood had het slachtoffer een mooie, matte glans met een rijke chocoladebruine kleur—en schoven de lijkenzak voor transport naar het dodenhuis in het koelvak van de dodenwagen.

'Je had het lichaam beter in Gibraltar gedumpt, Renaudot. Zo ver mogelijk hier vandaan,' zei Paco Banana.

'Wie? Ik?' vroeg Renaudot. '*Zwans* je, Paco?'

'Ah-ha, beetgenomen! *Allez, je plaisante.* De moordenaar, bedoel ik.'

'Loop naar de pomp, sukkels!'

'In Gibraltar?' vroeg de wetsdokter.

'Ja.'

'Waarom in Gibraltar?'

'Waarom niet?'

Perpignan in Frankrijk

Om 7 uur 18 *pil* reed de trein het station van Perpignan binnen. Het zoete aroma van jasmijn prikkelde de warme lucht. Alle vier de perrons waren versierd met bloemen. Witte sierduiven roekoeden in het gouden licht. De zon straalde aan de hemel. De commissaris stapte van de trein en zette zijn voet op een grote witte letter 'A'—de achtste letter van de slogan PERPIGNAN MIDDELPUNT VAN DE WERELD—die in het Frans, in drukletters in witte verf, op het perron was geschilderd. Onder het bleekmetalen gewelf keek de commissaris omhoog naar de azuurblauwe hemel. Hij hield niet van een hemel zonder wolken. Een hemel zonder wolken is smakeloos en zonder avontuur. Hij luisterde naar nieuwe, frisse ochtendgeluiden: het kwaadaardig vloeken van gestrande reizigers op weg naar een onbereikbare vakantiebestemming, de metalen stem uit de luidspreker die vertrektijden en vertragingen aankondigde, het sissen en gorgelen van koffiemachines en het heen en weer kletsen van metalen flipperballen in het stationsbuffet. Het concert van rinkelende GSM's hield geen seconde op. Overal dezelfde geluiden, in heel de wereld, dacht de commissaris. Kranten in de kiosk geurden naar verse inkt. In het overvolle stationsbuffet zette hij zijn reiskoffer en zijn oude schoolboekentas naast zich op de grond en leunend op de zinken toog hees hij zich op de enige barkruk die vrij was en keek nieuwsgierig om zich heen. Zonlicht danste op de spiegel achter de tapkast. Mooie meisjes waren gekleed in een jurk die op een monokini leek en droegen een strohoed in de vorm van een lampenkap.

'Welk spuitwater heb je?' vroeg hij.

'Perrier, *monsieur*,' zei de barman met een Spaans accent.

'Welke muntsiroop? Diabolo?'

'Weet ik niet, *monsieur*. Iets in een fles.'

'Geef mij een koffie—zwart, zonder melk, zonder suiker—en een *menthe* met *gazeuse, s'il vous plaît*.'

Muntsiroop met spuitwater.

De koffie was sterk en bitter, *amer* in het Frans, en de bodem van het kopje lag vol gruis.

De commissaris keek in de spiegel. 'Is dit het beruchte station van Perpignan dat door Salvador Dalí op een schilderij werd vereeuwigd?' vroeg hij. Zijn ogen waren glazig van vermoeidheid.

Zijn linkerbuurman bladerde in *Le Monde* en dronk een Heineken terwijl hij een Gauloise rookte die half was opgebrand.

'*Oui, monsieur*,' zei de barman.

De buurman keek op van zijn krant. '*Het treinstation van Perpignan*. Een meesterwerk. Het schilderij hangt in een museum in Duitsland,' zei hij met een hese rokersstem.

De barman bekeek de commissaris van kop tot teen. 'Is *monsieur* bij de politie?' vroeg hij argwanend.

'Waarom... denk je dat?'

'Politie? Je ruikt ze van ver.'

'Nee, nee... ik ben... schrijver.'

'Maak dat een ander wijs.'

De commissaris vloekte binnensmonds. Klote, zeg. Vijf minuten in Perpignan en zijn valse identiteit lag open en bloot op straat. Ik had het kunnen weten, dacht hij. Een Chinees spreekwoord zegt: Open je mond niet, en er komen geen vliegen in. Met andere woorden, bek dicht en zwijgen. Het station liep langzaam leeg. Zelfs het sissen en gorgelen van de koffiemachines viel stil. De commissaris legde gepast geld op de *comptoir* en gleed van zijn barkruk. Met zijn reiskoffer in de ene en zijn oude schoolboekentas in de andere hand begaf hij zich met hangende schouders naar de uitgang.

'*Au revoir*, tot ziens,' zei hij.

'*Merci et bonne chance*,' antwoordde de barman.

Bedankt en veel geluk.

Het immense plein voor het station—dat niet toevallig Place Salvador Dalí heet, al is dat nergens aangegeven— was afgespannen met fladderende linten en metalen dranghekken. Zou er bomalarm zijn? vroeg de commissaris zich af. Huilende politiesirenes overstemden de zalige klank van een blinde straatmuzikant die een *musette* speelde op zijn accordeon. De ochtendzon was afgedekt met zwart zeildoek, om de scherpte uit het licht te halen, en jonge vrouwen met klemborden en stoere kerels met een zonnebril liepen van de ene satellietwagen naar de andere. Het plein was afgeboord met vrachtwagens van een maatschappij die technisch materiaal verhuurde aan filmbedrijven. Van alle kanten stroomden toeschouwers toe om een blik op te vangen van de beroemde filmster uit Hollywood en plaatselijke TV-zenders berichtten over de filmopnamen alsof zij het belangrijkste nieuwsfeit van het jaar waren.

'Al Pa-chee-no! Al Pa-chee-no!' zongen de mensen.

De commissaris wrong zich tussen de menigte en luisterde aandachtig naar de gesprekken op de filmset.

'Ik begin deze film met een knaller,' zei de filmregisseur. 'We geven de kijkers waar voor hun geld, anders lopen zij als een kudde weg uit de cinemazaal. Ongetwijfeld komt de film ook op TV. Daarom eindigen we met een spannende cliffhanger, zodat de kijker in z'n luie zetel blijft zitten in plaats van weg te zappen als het weer eens tijd is voor drie minuutjes reclame voor inlegkruisjes en toiletpapier. In het openingsshot zien we Gala en Dalí...'

De eerste assistent van de regisseur zette een ouderwetse megafoon die op een misthoorn leek aan zijn mond en vroeg het publiek om stilte.

'Alles klaar...?' vroeg de filmregisseur.

'Laat de camera rollen...' zei de eerste assistent van de regisseur.

'Ook het geluid...' zei de tweede assistent van de regisseur.

Microfoons aan een lange staaf stuiterden over de set.

Plots stopte het gehuil van de politiesirenes. De blinde straatmuzikant hield zijn vingers stil. Het werd heel rustig en in de akelige stilte werd een oude zwarte Cadillac uit de jaren vijftig met een Californische nummerplaat en een open dak van zeildoek langs gigantische filmcamera's getrokken. De camera's waren gemonteerd op de motorkap van een vrachtwagen. Op de achterbank van de Cadillac zat een dubbelganger die gekleed was als Salvador Dalí— hij was heerlijk gebruind met de gezonde kleur van kaneel—en een bleke actrice die was opgemaakt als Gala, zijn Russische echtgenote. Een kale knecht zat aan het stuur. De tweede assistent van de regisseur en een geluidsman bogen zich over een monitor en gaven aanwijzingen aan de vrachtwagen die de Cadillac voorttrok. Hoewel twaalf identieke scènes waren ingeblikt, werd alles keer op keer op keer herhaald en hernomen en bij iedere herhaling en herneming was het resultaat slechter dan de vorige keer. De filmcamera was gemonteerd op een kraan die moeilijk te manoeuvreren was en dwars door de bomen gleed, tot op het stationsplein. De cameraman stelde alles in het werk om zoveel mogelijk beelden te schieten in de sfeer van de

jaren zestig. Daken van huizen waren vol valse televisie-
antennes geplaatst.

De spanning op de set was te snijden.

De filmregisseur zat in een vouwstoel van zeildoek. Af
en toe krulde hij zijn vingers voor zijn linkeroog en keek
erdoor alsof het een lens was. Hij was tweeënveertig of
drieënveertig jaar en zag er behoorlijk onnozel uit in zijn
gebloemde hemd, afgesneden jeans van Armani, Texas-
laarzen en een Mexicaanse sombrero op zijn kale hoofd.

Hij greep zijn micro en riep: '... en... CUT!'

'Deed ik het goed?' gromde de dubbelganger in zijn
microfoon.

'Nee, het spijt me, vind ik niet,' zei de regisseur. 'Je acteerkunst laat te wensen over. Je bent gespannen. Je moet je
lichaam beter gebruiken. Een klassiek geval van plankenkoorts. Heb je goed geslapen vannacht?'

'Is dat Al Pacino?' vroeg een toevallige toeschouwer.

'ZWIJG OVER DIE MAN! Noem NOOIT zijn naam in
MIJN aanwezigheid!' riep de filmregisseur.

'Nee, nee. Pacino is er niet,' zei een assistente van de
kleedster die instond voor de make-up. 'De dubbelganger is zijn vervanger. Zijn naam is Sonny Scott.'

'Een valse Al Pacino,' zei de toeschouwer beteuterd.

Sonny Scott maakte zich kwaad. 'Fuck! Fuck! Fuck!' riep
hij. 'Dit is mijn laatste film! Na deze opnamen leg ik er het
bijltje bij neer. Voor altijd!'

Zijn gelaat was samengesteld uit kunstprothesen en
valse hulpstukken van vloeibare latex—valse oren en een
bredere neus—wat het effect gaf van een oude en gerimpelde huid. Aan zijn slapen kleefden kleine toefjes vals
haar, allemaal zeer zorgvuldig gedaan. Het effect was verbluffend. Tijdens de make-up wordt vaak geen rekening
gehouden met de 'echte' haarlijn, met een rampzalig resul-

taat tot gevolg, maar bij deze film had de grimeur wijselijk verkozen om het valse haar van de dubbelganger uit
te dunnen met een chirurgische schaar. Tijdens de opnamen dunde hij het verder uit met een speciaal elektrisch
scheerapparaat dat 'echte' lange haren intact liet.

De actrice die was opgemaakt als Gala was een echte bar-
biepop. Zij droeg een zwarte pruik en valse wimpers op
een wit gepoederd gelaat met rode lippenstift en roze
wangen en zag er beeldig uit onder haar industriële hoeveelheid mascara. Zij bewoog zich elegant voort met een
zijwaartse slag in haar heupen en een zelfverzekerde houding, waarop zij had geoefend vanaf haar veertiende. De
grimeurs maakten van een korte pauze gebruik om haar
ouderwetse make-up uit de jaren vijftig bij te werken. Zij
scheerden haar wenkbrauwen af en kleefden er nieuwe
wenkbrauwen op, pluiziger en eleganter, en wreven haar
witte gelaat in met een perzikachtige crème in echte Tech-
nicolor-kleuren.

'Nooit eerder heeft God zo'n mooie vrouw op leeftijd
geschapen,' zei de directeur die verantwoordelijk was voor
de fotografie.

'Gala is even aantrekkelijk als een digitale foto,' zei Sonny
Scott.

'Zij lijkt op Catherine Zeta-Jones,' mompelde de commissaris.

'Catherine Zeta-Jones was te duur, wij zochten een vervanger,' zei de filmregisseur.

'Wij kregen tienduizend actrices over de vloer,' zei de
grimeur. 'Toen dit vrouwtje in de kamer kwam waar de
auditie plaatsvond, viel alles in de juiste plooi—zoals zij
lachte, zoals zij ging zitten, dat haar, die zwanenhals... zij
is rijp en sexy en dus ideaal als vrouw van Salvador Dalí.'

'Wie is zij?' vroeg de commissaris.

'Een *valse* Catherine Zeta-Jones.'

Gala was bijna tachtig jaar oud in de film. Zij was het slachtoffer van een behoorlijk aantal facelifts en de zware make-up was vooral bedoeld om haar littekens zo goed en zo kwaad mogelijk te verdoezelen. Natuurlijk leefde zij in het verleden, in de tijd toen rijke en beroemde vrouwen zich lieten optutten in het schoonheidssalon van Elizabeth Arden. Klemmetjes achter de oren van Gala spanden de gerimpelde huid in haar hals aan. Aangezien de film zich afspeelde in een tijd van mooie vrouwen met een rood gestift pruilmondje en bloedrode vingernagels, was Gala zodanig opgemaakt dat zij zelfs in het filmjournaal in zwart en wit uit de jaren vijftig een betoverende schoonheid zou blijven.

'Hoe komt het dat zij niet met de ogen knippert tijdens het filmen?' vroeg de commissaris.

'Acteurs dragen orthopedische contactlenzen,' fluisterde de directeur die verantwoordelijk was voor de fotografie.

'Heb je *Heat* gezien?' vroeg de grimeur verantwoordelijk voor styling.

'Prachtige film,' zei de commissaris. 'Een van de beste films ooit gemaakt over een bankoverval—en ik kan het weten. *Heat* en de Franse *Rififi* van Jules Dassin zijn mijn absolute toppers.'

'Ik werkte op de set van *Heat*,' zei de grimeur trots. 'De dubbelganger van Pacino—Tom Elliott, heette hij—stampt een deur in, komt het appartement binnen, vecht op leven en dood met een verdachte, valt op zijn smoel—en dan komt de echte Pacino een halve seconde in beeld en is de scène voorbij. De vedette van een film zie je uitsluitend in close-ups. Tom Elliott was ook de dubbelganger van Al Pacino in *88 Minutes* en *Looking for Richard*. Voor *Scent of a*

Woman volgde hij dansles—tango—in de DanceSport Studio in New York. Gevolg: Pacino kreeg een Oscar. Eerlijk is eerlijk, de helft van zijn Oscar had hij aan Tom moeten geven. Die man is zo goed. Wist je dat Tom Elliott in *Days of Thunder* zelfs de dubbelganger is van Tom Cruise? Dubbelgangers zijn de echte helden van het witte doek.'

'Hoe is Pacino in het dagelijkse leven?' vroeg de commissaris.

'Vriendelijk en verlegen. Een man naar mijn hart.'

'Is hij echt zo'n kleine dreumes?'

'1 meter 58, volgens sommigen. In werkelijkheid zou hij 1 meter 72 zijn—1 meter 78 op plateauzolen—maar hij heeft sterke trapeziumspieren tussen nek en schouders, boven de schouderbladen, waardoor hij zijn rug kromt en met zijn hoofd naar de grond loopt, alsof hij een rugprobleem heeft. In sommige van zijn films—zoals *The Godfather* en *Scarface*—torst hij het gewicht van heel de wereld op zijn schouders, waardoor hij zelfs kleiner lijkt dan 1 meter 72.'

'Ik ben 1 meter 72,' zei de commissaris. 'Dat is niet klein, dat is... normaal.'

Met 1 meter 72 ben ik wél de kleinste verbindingsofficier van Europol, dacht hij.

Warme lucht dampte van het voetpad en vliegen zoemden in het rond. De commissaris voelde zich vuil. Zijn kleren waren verkreukt en stonken naar de nacht. Zij kleefden aan zijn lichaam. Hij had dringend een natte scheerbeurt en een warm bad nodig. Hij keek op zijn horloge. Omdat hij het plein moest oversteken naar zijn hotel aan de Avenue du Général de Gaulle, vroeg hij wanneer het plein zou worden vrijgemaakt.

Een regieassistent bladerde door een draaiboek vol aanwijzingen en aantekeningen. 'Na de volgende opname is er een pauze van tien minuten,' antwoordde hij.

EXT. HET STATION VAN PERPIGNAN
—OPNAMEDAG 22

We zijn in het jaar 1964. Zoals iedere herfst, wanneer in hun geliefde Catalonië de blaren van de bomen vallen, laadt Salvador Dalí zijn nieuwste schilderijen in de kofferbak van zijn oude zwarte Cadillac. De kunstenaar en zijn echtgenote verlaten Figueres en rijden in noordelijke richting naar de Franse grens en het station van Perpignan, dat het vertrekpunt is van hun jaarlijkse pelgrimstocht naar de glitterwereld en de seksuele avonturen van Parijs en New York. Een halfuurtje voorbij de Franse grens stopt de Cadillac voor het lage station van rode baksteen.

Op een pancarte verschijnt:

Het station van Perpignan
1964

De dubbelganger leek zo gruwelijk goed op de echte Dalí dat toeschouwers zijn naam riepen: 'Dalí! Dalí! Kijk, daar is Dalí!'

Enkele toeschouwers waren in 1964 niet eens geboren en toch konden zij de grote kunstenaar in levenden lijve aan het werk zien.

'Wat bekent EXT.?' vroeg de commissaris.

'EXT. is de afkorting van EXTerieur,' zei de regieassistent. 'EXT. is filmtaal voor een buitenopname.'

'... en OPNAMEDAG 22?'

'Vandaag is onze tweeëntwintigste draaidag. In totaal hebben wij meer dan vijftig draaidagen.'

Om het eenvoudig te houden, werden de vier hoofdrolspelers niet aangesproken met hun naam maar met hun rol in de film: De Spaanse Kunstenaar, Zijn Russische Echtgenote, De Kunsthandelaar en De Spaanse Vriendin van De Kunsthandelaar. De valse Catherine Zeta-Jones was Zijn Russische Echtgenote. Omdat de filmregisseur zijn tong brak over 'De Spaanse Kunstenaar', noemde hij hem voor het gemak de Filmacteur. Natuurlijk was er een probleem. Er was namelijk niet één Filmacteur in de film, er waren er minstens zes, zeven en misschien wel acht. Filmacteur #1 was Pacino zelf. Filmacteur #2 was Pacino's favoriete dubbelganger. Hij werd vooral gebruikt wanneer Pacino volledig in beeld kwam. Soms viel hij in bij een moeilijke close-up. Filmacteur #3 was een *stunt*dubbelganger voor gevaarlijke en ingewikkelde opnamen. Hij had geen sprekende rol. Verder waren er een *stem*dubbelganger (Filmacteur #4), een *foto*dubbelganger, die in beeld kwam bij gesofistikeerde opnamen en uitvoerige dialogen (Filmacteur #5), een *oog*dubbelganger (Filmacteur #6), een *hand*dubbelganger (Filmacteur #7)—zijn hand komt in beeld en soms een hele arm—en zelfs een *haar*dubbelganger (Filmacteur #8; evenmin een sprekende rol), die opdraaft wanneer Filmacteur #1 met weerbarstig haar uit zijn bed is gekomen. In de dagelijkse omgang werden zij door de rest van de crew voor het gemak allemaal 'de Filmacteur' genoemd. Op de koop toe leken zij allemaal als twee druppels op elkaar. Zoveel dubbelgangers voor Pacino op één filmset was een probleem voor de technische staf, die jongleerde met decors en erover moest waken dat de juiste Filmacteur op het juiste uur en het juiste ogenblik op de juiste plaats stond.

'Alle dubbelgangers hebben dezelfde huidskleur, dezelfde kleur van haar, dezelfde grootte en hetzelfde gewicht als Pacino,' zei de regieassistent. 'Zij noemen zich voor de grap Alpa Chino of Al Cappuccino of Sonny Scott en soms

Tony Montana en Frank Serpico, zoals de personages in Pacino's bekendste films.'

'Tony Montana is de Cubaanse drugsdealer in *Scarface* en Frank Serpico is een politieagent in *Serpico*,' zei de commissaris, 'maar wie is Sonny Scott?'

De regieassistent glimlachte. 'Pacino zelf. Als jongeman noemde hij zich Sonny Scott,' zei hij. 'Pacino vond dat zijn eigen naam lullig klonk en bedacht een acteursnaam. Dat werd Sonny Scott.'

'SS,' zei de commissaris. 'Ik hou van de herhaling van de letters, zoals bij Marilyn Monroe en Greta Garbo en Sylvester Stallone. Heeft Pacino de naam Sonny Scott ooit *in het echt* gebruikt?'

'Nee, nooit.'

Een hoogspanningskabel werd verlegd naar de overkant van het plein. De assistent van de cameraman zette een geelbruine filter voor de lens, zodat buitenopnamen in volle zon niet egaalblauw zouden lijken op film. Met een lintmeter mat een cameraman de afstand van de acteurs tot de camera, waarna hij hun positie op het plein nummerde en afplakte met gekleurde plakband. Voor iedere figurant en voor elk van de zeven of acht dubbelgangers werd plakband gebruikt van een andere kleur.

'Jij staat hier, Gala,' zei de eerste assistent van de filmregisseur.

'Steek hier het plein over, Dalí,' zei de tweede assistent van de regisseur.

'Vandaag filmen we drie pagina's uit het draaiboek,' zei een scenariomeisje.

'Tien minuten en we beginnen eraan,' zei de derde assistent van de regisseur.

Figuranten speelden de rol van journalisten en televisiemensen en bestookten Gala en Dalí met vragen.

Het treinstation op de achtergrond baadde in een god-delijk licht.

SALVADOR DALÍ

[Stapt uit de zwarte Cadillac, knielt, maakt een kruiste-ken en zoent de grond; hij heeft een valse buik en ge-wichten in zijn schoenen om trager te stappen. In zijn mond zit een uitneembare brug van plastic, waardoor zijn wangen uitstulpen en naar beneden hangen. Hij steekt zijn armen in de lucht en roept:] Het station van Perrrpignan is het middelpunt van het Heelal en mijn pe-nis staat stijf van vrrreugde en op-win-ding.

'Laat je broek zakken, Dalí! Vooruit-nu!' riep de film-regisseur.

De Filmacteur wees met de vinger naar de vele honder-den toeschouwers en zei: 'Blijven die klootzakken naar mij kijken terwijl ik mijn broek afstroop en in mijn blote kont sta?'

'Natuurlijk.'

'Staat dat in het scenario?'

'Ja.'

'Ik begrijp er niets van,' zei de Filmacteur. 'In geen enkel toneelstuk van Shakespeare wordt gezoend, zelfs niet in *Romeo en Julia*, en zijn toneelspelers gaan nooit uit de kle-ren, laat staan dat zij hun broek laten zakken.'

'Godverdomme vent, je wordt betaald om te acteren, niet om de filosoof uit te hangen,' zei de filmregisseur. 'Doe je ogen dicht en begin eraan, acteer, speel zoals je moet spe-len en druppel een beetje tabasco in je mond, zodat je genoeg speeksel aanmaakt en je mond niet uitdroogt.'

'*Madre de diós!*' fluisterde de Filmacteur en ook zijn tong lag in de knoop omdat hij slecht Spaans sprak.

'Wij doen er goed aan een *kontdubbelganger* in te huren,' zei de tweede assistent van de filmregisseur.

'Schitterend verhaal over liefde en dood—en meneer de Filmacteur weigert zijn broek af te steken,' zei de regieassistent.

'De blote kont van een mooie man is supertof op een groot scherm,' zei het scenariomeisje. Zij was zelf heel mooi in strakke jeans en sandalen en een wit T-shirt.

'Was Dalí een mooie man? Geloof ik nooit,' zei de commissaris.

'Dalí niet, Pacino wel.'

'Je hebt gelijk.'

De Filmacteur—vals kleurtje en pompeus haar, dat op zijn hoofd danste alsof zelfs hij voor de gelegenheid een toupetje droeg—was identiek gekleed als Pacino. Her en der op de set stonden grote stukken karton met daarop de zinnen die hij moest uitspreken, zodat hij ze kon lezen zonder dat hij zijn tekst vanbuiten hoefde te leren.

'Wie is de Filmacteur?' vroeg een oude clochard met een drankprobleem.

Hij had de flodderogen van iemand die te weinig slaapt. Om zijn hals hing een slordig karton waarop stond IK HEB HONGER. EEN BEETJE KLEINGELD AUB in handgeschreven drukletters. Zijn kleren hingen aan flarden maar aan zijn grote voeten droeg hij handgemaakte schoenen van echt krokodillenleer met leren zolen.

'Een dubbelganger voor Pacino,' zei het scenariomeisje.

'Wie is Pacino? Nooit van gehoord.'

'*The Godfather, Serpico, Carlito's Way*. Don Michael Corleone.'

'Corleone—is dat zijn echte naam?'

'In de film.'

'Welke film?'

'*The Godfather. Le parrain* in het Frans, *El padrino* in het Spaans. De beste film aller tijden.'

'Corleone klinkt Italiaans. Is hij een Italiaan?'

'Wie? *The Godfather*?'

'Ja.'

'Dat vermoed ik.'

'Is Pa... Pa... Pacino... ook een Italiaan?'

'Een Amerikaanse Italiaan.'

'Pacino, Sinatra, Berlusconi, Carla Bruni, alle namen die eindigen op *o* of *a* of *i* zijn Italiaanse namen, zoals Topolino en Paperino,' zei de oude clochard en nam een slok van zijn goedkope rode wijn.

'Pacino ken ik, Sinatra, Berlusconi en Carla Bruni ook, maar Topolino en Paperino, die ken ik niet,' zei het scenariomeisje.

'Schaam je, schatje!,' zei de oude clochard. 'Topolino en Paperino, dat is gewoon Mickey Mouse en Donald Duck in het Italiaans. In boeken en films en op TV hebben schoften en boeven altijd een Italiaanse naam die eindigt op *i* of *a* of *o* en soms op *e*—zoals Al Capone.'

'Oorspronkelijk was de zwarte Cadillac van Salvador Dalí eigendom van Al Capone,' zei de grimeur.

Gala rolde met haar ogen en rookte een sigaret in een sigarettenpijpje van dertig centimeter, zoals de beroemdste filmsterren in Hollywood in de jaren veertig. Zij was gekleed in een zwarte jurk van Chanel en keek nerveus op een week, smeltend en druipend horloge dat het handelsmerk was van Salvador Dalí.

GALA

Maak het kort, Sal! Binnen een kwartiertje vertrekt de trein.

'CUT!' riep de filmregisseur.

'Het ziet er allemaal *echt* uit—maar *lijkt* De Russische Echtgenote op Gala?' vroeg de commissaris.

'Fiona Shaw is de enige actrice in heel de wereld die op Gala lijkt,' zei de tweede assistent van de cameraman.

'Fiona Shaw? Nooit van gehoord,' zei de commissaris.

'Tante Petunia in de films van Harry Potter. Zij speelt een rolletje van niemendal in *The Black Dahlia*,' zei de regie-assistent.

'*The Black Dahlia* is een film van poepgelei,' zei de tweede assistent van de cameraman.

'Waarom?'

'Omdat James Ellroy een schrijver van poepgelei is.'

'Mijn ideale Gala is Michelle Pfeiffer,' zei het scenariomeisje. 'Pacino en Pfeiffer in één film, dat geeft vuurwerk.'

'Meryl Streep is de gedroomde Gala,' zei de tweede assistent van de cameraman.

'Waarom geven ze de rol niet aan Julia Roberts?' vroeg de oude clochard.

SALVADOR DALÍ

[Tegen Gala, die in de auto zit:] Tijd zat, Gala Grrradiva Galushka. Overrral waar Dalí komt, staat de werrreld stil. De trrrein wacht en als de trrrein niet wacht, dan wachten Parrrijs en New York.

'Dalí! Wat is er aan de hand?' riep de filmregisseur. 'Je stapt niet, je *waggelt* zoals Donald Duck.'

'Haal die gewichten uit mijn schoenen en ik zal normaal lopen,' antwoordde de Filmacteur.

OVER NAAR: Later.

In het station. Dalí en Gala schrijden naar het loket. Zij worden luid aangemoedigd door honderden toeschouwers in T-shirt en korte broek. Politieagenten met wapenschilden slagen er nauwelijks in om de toeschouwers op afstand te houden. Onder haar zwarte jurk van Chanel draagt Gala witte enkelsokjes en zwarte herenschoenen.

'Verdomd, Gala! Je bent je hoed vergeten!' riep de filmregisseur.

'Hoed? Welke hoed?' vroeg Gala.

'In deze scène draag je een strohoed. Wij hebben reeds enkele opnamen ingeblikt met je dubbelganger en de strohoed.'

'Wat zeg je? Een dubbelganger droeg *mijn* hoed?'

'Er is één strohoed voor iedereen.'

'Is dit je eerste film?' zei Gala venijnig. 'Een *filmster* draagt geen hoed die op het hoofd van een dubbelganger heeft gestaan. Je zult het zonder hoed moeten stellen, schattebout.'

'Mooi verhaal. Wie is de schrijver?' vroeg de commissaris.

'De schrijver kan de pot op,' zei het scenariomeisje. Zij drukte het filmscript als een teddybeer tegen haar borst.

Figuranten wandelden in en uit het station, gekleed in kostuums en militaire uniformen van na de oorlog. De kostuums waren zorgvuldig nagemaakt. Straatlampen waren verplaatst en taxi's van vroeger reden rond het plein. Een muur die vele jaren geleden was afgebroken, werd heropgebouwd met beschilderd piepschuim. Op de achtergrond werkten decorschilders aan nieuwe sets.

'Heb je *Perfume: The Story of a Murderer* gezien?' vroeg het scenariomeisje.

'Dat is geen film, dat is een ramp,' zei de grimeur, die heel sexy en uitdagend overkwam.

'De gruwelijkste scènes in *Perfume* werden in Girona gedraaid,' zei het scenariomeisje. 'In de film staat Girona model voor Parijs een paar eeuwen geleden.'

'Ik was nooit in Girona en één keer in Barcelona,' zei de commissaris.

'Mijn naam is Michèle, ik woon in Girona,' zei het scenariomeisje en stak haar hand uit.

Zij schudden elkaar de hand. Dit is mijn eerste handdruk met iemand uit de filmindustrie, dacht de commissaris. Je begint onder aan de ladder en als je geluk hebt, klauter je misschien helemaal tot boven.

De opnameleider hield een zwart klapbord met witte diagonale strepen voor de camera.

'Klaar?' vroeg hij.

Op het klapbord stond—in wit krijt—de titel van de film, de naam van de filmregisseur en het nummer van de opname.

'Scène achtenzestig—Opname 4,' zei de opnameleider en sloeg de klapper op het klapbord.

(Net zoals in de cinema.)

'Nogmaals... Licht! Camera! ACTIE!' riep de filmregisseur in zijn megafoon.

'Opname 4 is gewoonlijk de beste, maar je weet nooit,' zei de regieassistent.

De cameraman glimlachte. 'Shit happens,' zei hij.

'Opname 4 is goed—we proberen er eentje meer!' zei de filmregisseur.

'Dalí dronk zijn eigen urine,' zei het scenariomeisje. 'Ik vraag mij af of Pacino z'n eigen urine wil drinken.'

'Wij nemen geen risico, een dubbelganger zal zijn urine drinken,' zei de filmregisseur.

'Grapje, natuurlijk,' zei de eerste assistent van de film-regisseur.

'CUT! Nog één keer...!' riep de filmregisseur.

Van ongeloof rolde de Filmacteur met zijn ogen.

'Je doet het heel goed,' zei de opnameleider.

'Ik ben een dubbelganger,' antwoordde de Filmacteur. 'Dit is mijn eerste filmrol. Mijn gelaat zie je niet in de film. Mijn schouders of mijn hals als ik geluk heb, maar mijn gelaat zeker niet.'

De grimeur deed het werk van een tandarts en beschilderde de tanden van een figurant. Hij speelde de rol van kruier en droeg de koffers van Dalí naar de lege trein. Eerst bracht zij een zuuroplossing aan op zijn tanden, om er de glans af te halen, daarna schilderde zij groene verf op zijn voortanden onder het tandvlees en bruine en gele verf op de rest van de tanden en bekleedde ze met doorschijnend plastic.

Een loopjongen op een scooter bracht pizza en reed op het plein. Hij keerde zich naar de camera, stak zijn linker-vuist in de lucht en riep: 'Kijk, kijk! Ik ben een vedette!'

De temperatuur was opgelopen tot 30 graden in de scha-duw en het werd steeds warmer. De commissaris zweette als een rund in zijn afgesleten, ribfluwelen broek en mos-terdkleurige regenjas. Hij wenste geen tweeënhalf uur in de brandende zon te wachten en wrong zich door de me-nigte naar de Avenue du Général de Gaulle, die een van de drukste verkeersaders is van Perpignan.

'Maak alles klaar voor de volgende opname,' zei de twee-de assistent van de filmregisseur zacht. 'Dalí steekt een mes in zijn oksels en laat het bloed langs weerszijden over zijn witte kostuum druipen.'

'Precies zoals in Scarface,' zei het scenariomeisje.

'De opnameleider knikte. 'Net iets voor Pacino,' zei hij.

'In *Scarface* zegt Pacino honderdtachtig keer *fuck*,' zei de tweede assistent van de cameraman.

'Wij hebben twee emmers Karo-bloed nodig,' zei de eerste assistent van de filmregisseur.

'Dalí was een baarlijke duivel en god-nog-aan-toe, Pacino is perfect in de rol van de duivel,' zei het scenariomeisje.

'Opname!' riep de filmregisseur.

Ondanks de lieflijke naam was het Hôtel du Canal met zijn vier verdiepingen een echte ramp. De ô en de eerste van twee a's ontbraken in de gekleurde lichtreclame die als blikvanger diende. Achter de imposante siergevel van bleke pleisterkalk ging geen echt hotel schuil maar een goedkoop familiepension voor rugzaktoeristen met een gemeenschappelijke WC en één douche op iedere gang. Een nachtportier in een grijs T-shirt van Harley Davidson zat kettingrokend in een rieten stoel en keek televisie terwijl hij in een Spaanse sportkrant bladerde. Half opgerookte sigarettenpeuken puilden uit een asbak op een ronde rieten tafel met een glazen blad. Een koersfiets stond ondersteboven in de hal van het hotel.

De commissaris legde zijn boek van Jacques Kerouac op de incheckbalie van formica en sloeg met zijn vuist op de koperen bel naast een glas water en een ronde schaal met uitgedroogde Jaffa-cakes.

De nachtportier zuchtte. Slaperig kwam hij overeind uit zijn stoel van bamboe. Zijn jeans hing over zijn zwarte sandalen.

'*Una noche?*' vroeg hij.

Waarom spreekt hij Spaans? vroeg de commissaris zich af. Ik ben hier toch in Frankrijk? Wordt in Frankrijk geen Frans gesproken?

'*Una noche? Une nuit?* Eén nacht?' herhaalde de nachtportier.

'Ik heb een reservatie,' zei de commissaris.

'*Profesión?*'

'*Escritor,*' zei de commissaris.

De grote baas van Europol zegt dat ik schrijver ben, dacht hij.

'*Felicidades.*'

'Je bent geen Fransman?' vroeg de commissaris.

'Nee, *monsieur,*' zei de nachtportier, 'ik kom uit Figueres in Spanje, zestig kilometer zuidelijker voorbij de Franse grens.'

'Figueres—daar is Salvador Dalí geboren?'

'Ja, *Monsieur,* Salvador Dalí en Narciso Monturiol.'

'Wie is Narciso Monturiol?'

'De uitvinder van de onderzeeboot.'

'Hoe ben je hier beland?'

'De liefde, *Monsieur.* Mijn echtgenote is afkomstig van Perpignan.'

'Aardige stad,' zei de commissaris.

De nachtportier gromde. 'Je moet de krant lezen, *Monsieur,*' zei hij. 'Een seriemoordenaar maakt jacht op argeloze vrouwen. Drie keer in één week werd er ingebroken in mijn appartement. Ik wachtte drie uur op de politie.'

'Een geluk dat je geen argeloze vrouw bent,' zei de commissaris lachend.

'Mijn echtgenote is een vrouw en zij is argeloos,' antwoordde de nachtportier.

Hij nam een gestencild formulier uit een lade, kopieerde traag de naam van de schrijver van het omslag van het boek en gaf de commissaris de zwaarste sleutel die hij ooit had gezien. De sleutel zat vast aan een rubberen sleutelhanger in de vorm van een voetbal.

'Habitación 411, Monsieur Kerouac, ontbijt van zeven tot tien,' zei de nachtportier en met een zacht *phhuttt* doofde hij zijn sigaret in het glas water. Hij glimlachte met zijn mond wijd open, zodat de commissaris zijn gouden tanden kon zien. Het waren de enige tanden in zijn mond die niet halfrot waren en door nicotine aangetast.

De commissaris nam de krakende en schuddende lift naar de vierde verdieping. Kamer 411 was heet en vochtig. Het was een kleine zolderkamer onder een hellend dak. Behangpapier krulde van de muren. Het vloerkleed zat onder brandvlekken van uitgetrapte sigaretten. In plaats van een uitnodigend fruitmandje stond op het dressoir een halflege fles mineraalwater van Volvic. Geen airconditioning, bubbelbad, eigen toilet en kleuren-TV. De commissaris moest zich in bochten wringen om bij zijn bed te komen. Hij was ervan overtuigd dat hij pas na een flinke poetsbeurt met enkele flessen bleekwater zijn ogen zou kunnen sluiten voor de nacht. Is dit wat ze VIP-behandeling noemen? vroeg hij zich af. Very Important Persons? Is dit wat Europol verstaat onder de luxe van het Corps Diplomatique? Hoewel hij geen hoge verwachtingen koesterde—in Perpignan had hij geen luxepaleis verwacht—was hij ontgoocheld over de armoedige staat van het hotel.

In kamer 411 hing een geur van mummies en lijkkisten. De geur maakte de commissaris misselijk.

Hij splashte water uit de kraan op zijn gelaat en in zijn hals. Het water was lauw. Hij waste zijn handen in de kleine metalen wasbak—de zeep stonk naar dierlijk vet—en terwijl hij in de spiegel naar zichzelf keek, dronk hij de halflege fles mineraalwater leeg. Een stoppelbaard van een dag en een nacht bedekte de onderste helft van zijn gelaat. Stadsgeluiden golfden door het open dakraam. Dezelfde geluiden over heel de wereld, dacht de commissaris. Hij gespte zijn oude schoolboekentas los en nam er de reisgids van *Lonely Planet* en zijn 9 mm Beretta 92SB Compact uit, een mooi designerpistool met een walnoten handgreep en vijftien patronen in de lader. Hij trok een patroon in de loop en wierp het wapen op het bed.

Ineens had de commissaris heimwee naar de muurklokken in zijn kantoor. Hoe laat zou het zijn in New York? In Sydney? In Tokio? Zonder klokken had hij er het raden naar. Hij kon Den Haag bellen en vragen hoe laat het was in Sydney en New York, maar zou dat niet ongelooflijk stom overkomen, vragen hoe laat het is aan de andere kant van de wereld terwijl je een opdracht vervult in het zuiden van Frankrijk die door iedereen wordt beschouwd als een snoepreisje?

De commissaris liet zich languit op bed vallen en sliep een uurtje, hoewel het leek of het uurtje in vijf minuten voorbij was. Het scherm van zijn BlackBerry lichtte op, in felle kleuren, en zijn mobieltje rinkelde. Hij tastte ernaar en luisterde naar zijn voicemail. Vier gemiste oproepen. Hij speelde met het toestelletje—een cadeau van Europol—toen hij zich ineens realiseerde dat de meeste mobiele telefoons een aantal 'geheime' functies hebben die niet in de handleiding staan. Wie *#06# intoetst, krijgt het serienummer van zijn toestel op het scherm. Toets *#0000# in op een Nokia en het scherm toont details over de software die het toestel gebruikt. Een andere code—welke dat was, kon hij zich niet herinneren—geeft aan hoeveel uren de telefoon actief werd gebruikt. De commissaris toetste het nummer in van Den Haag en kreeg de exworstelaar uit Luik aan de lijn.

'Ik heb hulp nodig,' zei hij.

'Jij vraagt, wij draaien, Sam.'

'Ik heb meer info nodig over de film met Al Pacino. Bezorg mij het boek van de film. Zoek op 't internet, met een beetje geluk valt het zo in je schoot. Ik heb ook een aantal kunstboeken over Salvador Dalí nodig met afbeeldingen van schilderijen in felle kleuren en misschien een boek over Jack de Ripper. Er bestaat een overeenkomst tussen de moorden van Jack de Ripper een eeuw geleden en de recente moorden naar het voorbeeld van Salvador Dalí: het zijn allebei kunstmoorden. Stuur de hele mikmak met een koerierdienst naar Hôtel du Canal in Perpignan. Noteer het adres. Je hebt iets om te schrijven bij de hand? Hôtel du Canal, Kamer 411, Perpignan, ter attentie van Jacques Kerouac. Dat ben ik, Kerouac, Jacques Kerouac. Tussen haakjes, wat voor weer is het in Holland?'

'Val me daar niet mee lastig, Sam.'

'Regent het?'

'Dat kon je wel denken, zeker?' zei de ex-worstelaar uit Luik.

Op de rand van zijn bed keek de commissaris somber naar het afgetrapte vloerkleed. Hij verlangde naar een frisse pint. Ik ben een Belg, dacht hij, geef mij een Jupiler en ik ben de gelukkigste mens op aarde. Het was niet eens elf uur. De tijd vliegt, dacht hij, behalve vandaag. Hij zuchtte en trok zijn Bermuda en sandalen aan—ik heb een detective in een korte broek nodig, had de grote baas van Europol gezegd—en liep de trap af naar de lobby van het hotel.

De nachtportier kwam van achter de incheckbalie en wees met zijn vinger naar het boek dat de commissaris had achtergelaten op het formica-blad en zei: 'Monsieur Kerouac, je vergat je boek.' Hij droeg een valhelm voor fietsers.

'Dat boek heb ik niet nodig,' zei de commissaris. 'Je mag het hebben, dan heb je iets om te lezen.'

Ik ben *Monsieur* Kerouac niet, dacht hij, nu niet, nooit geweest, en vanaf dit ogenblik ben ik dezelfde Sam van altijd, ik blijf mijzelf, wat mij betreft kan de grote baas van Europol de pot op.

'Van boeken val ik in slaap,' zei de nachtportier. 'Ik heb nooit in mijn leven een boek uitgelezen.'

'Hoe weet je dat je van boeken in slaap valt als je nooit een boek hebt uitgelezen?'

De nachtportier trok de schouders op.

'Kun je lezen?' vroeg de commissaris.

'*Hombre*, natuurlijk!'

'Wat lees je behalve boeken?'

'Mijn sportkrant, rekeningen voor het hotel, parkeerboetes, de gebruiksaanwijzing op dozen van Choco Pops en Rice Krispies en die stomme gezondheidswaarschuwing op mijn pakje sigaretten. FUMER TUE. VAN ROKEN STERF JE. Dat is zo dwaas. Mensen sterven toch ook als ze niet roken?'

De nachtportier keerde zich om naar de open keuken en boog zich over het gasfornuis. Zijn middagmaal sudderde op de gasvlam in een zwarte pan voor paella. Hij stak zijn sigaret in de vlam en zoog er de brand in. Aan het uiteinde van zijn jeans droeg hij metalen fietsklemmen rond zijn enkels.

De commissaris verliet het hotel. Aan de hand van zijn reisgids wandelde hij van de Avenue du Général de Gaulle naar de fontein—een muur van water—op de Place Catalogne. Zijn benen waren voos van vermoeidheid. Hij was doodmoe en de dag was niet eens halfweg. Een oude vrouw met een boodschappenmandje op wielen ging de Fnac binnen, op de voet gevolgd door de blinde straatmuzikant die met zijn witte stok tegen de rand van het voetpad tikte. *Tic-tac, tic-tac.* Zijn accordeon hing aan een riem over zijn schouder. De luie zon weerkaatste in tinten van blauw en roze in het glas van de uitstalramen. Oude mannen en vrouwen zaten op een bank, tussen de palmbomen, onder een felblauwe hemel zonder één enkele wolk. Met zijn *Lonely Planet* in de hand slenterde de commissaris naar Place Arago. In de Arabische wijk verkochten *les arabes* couscous en geurige kruiden. De commissaris passeerde een standbeeld in laarzen dat met een stenen zwaard zwaaide. Een zwerm groene parkieten scheerde rakelings over de kruinen van de bomen in het park.

Place Arago is voor Perpignan wat de Quai des Orfèvres is voor Parijs, met dit verschil dat er geen Brasserie Dauphine is, wel een hamburgerrestaurant van Quick, enkele eetterrassen op straat en een kleine, donkere bar-tabac met een gokkantoor van PMU, waar door paardensportliefhebbers en politiedetectives van de Technische Dienst werd gegokt op Franse en Engelse paardenrennen. Het plein is geplaveid met marmeren tegels en omzoomd met palmbomen langs een smal kanaal dat kaarsrecht door het centrum van de stad snijdt en er de oorzaak van is dat Perpignan op een heerlijk zonnige zomerdag op Venetië gelijkt. Het gerechtshof ligt achter een metalen hekwerk en is een overladen en 'keizerlijk' gebouw van marmer en steen met hoge, ronde zuilen en pilaren. Naast de trap naar de rechtbank zit een verweerde steensculptuur van Mozes met het boek van de Tien Geboden in zijn schoot. Aan een hoge vlaggenmast hangt een Franse vlag, met z'n blauw-wit-rode verticale banden slap en doelloos in de onbeweeglijke lucht. Vlakbij ligt het hoofdkantoor van de plaatselijke politie. Op het eerste gezicht is het een vervallen kantoorgebouw dat gekneld zit tussen lofts, magazijnen, een garage en de sombere, oude gevangenis van Perpignan die op een fort lijkt en dateert van enkele eeuwen geleden. De voorgevel van het politiekantoor was met stellingen volgebouwd. Agenten in blauw uniform liepen verveeld over en weer. Op het plein stonden politieauto's met roodvlammende sirenelichten die in stilte in het rond draaiden.

De hal was erg armtierig en de gang, bekleed met afgetrapte linoleum, werd opgefleurd door een gigantisch stadsplan van Perpignan en omgeving. Op een simpele stencil was een gebalde vuist afgebeeld. De duim wees omhoog: DETECTIVES, 2de VERDIEP. STILTE AUB. De commissaris volgde de doolhof van eiken trappen—met iedere stap die hij zette, kraakten de treden—tot op de hoogste verdieping, waar onder het dak de Moordafdeling van de *Police Judiciaire* was gevestigd. Een ronde klok boven een deur met het opschrift W.C. Heren wees tien minuten voor twaalf aan. In dit gedeelte van de wereld is het pas middag om 2 uur in de namiddag. Een smalle draaitrap schroefde zich omhoog naar een forensisch labo op zolder. Met zijn vertrouwde allegaartje van houten en metalen burelen en tafels in alle soorten en formaten geleek het politiekantoor van Perpignan op alle andere politiekantoren waar ook ter wereld.

Twee ventilatoren aan het plafond—zij leken op schroefbladen van een helikopter—sneden traag en ritmisch gonzend de hete, verschaalde lucht in dunne schijfjes.

Geen airco in Perpignan, dat wordt afzien, dacht de commissaris.

Het was er verstikkend heet.

Vier grote, hoge ramen—in dit klimaat zorgen grote, hoge ramen voor hitte en een verblindend licht—keken uit over een betonnen binnenplaats met schots en scheef geparkeerde auto's die door de politie in beslag waren genomen. Voor de rest lag de binnenplaats vol kapotte flessen, sigarettenpeuken, cassettelint dat verward zat in een onontwarbaar kluwen en rondslingerende vuilniszakken van plastic.

Renaudot zag er moe uit. Zijn oogkassen waren leeg als een mosselschelp. Hij zat aan een rommelig bureau in een hoek van het kantoor en spreidde een bruine papieren zak van McDonald's voor zich uit, terwijl hij uit een gigantische beker meeneemkoffie slurpte. Hij scheurde de zak open en haalde er een hamburger en frieten uit en stopte alles tegelijk in zijn mond. In het midden van zijn bureau stond een moderne computer van Dell tussen ingelijste familieportretten en foto's van een charmante oude hoeve in ruwe plaatselijke stijl.

Achmed Al Fatou stond naast de gorgelende waterkoeler. Hij hield een bekertje van Styrofoam onder het kraantje en liet dat traag vollopen met koel, plat water dat hij in één teug opdronk. Schouderholsters waren uit de mode. Hij droeg zijn dienstpistool—een .38 Sig-Sauer—in een holster op zijn linkerheup.

Met zijn zomers hawaïhemdje met vlinders en bloemen, open tot aan z'n navel, stapte de commissaris het kantoor binnen, zonder kloppen, zonder bellen, en vroeg: 'Wie is hier de baas?'

Renaudot keek verbaasd op. 'Voor Hawaï moet je in het reisagentschap hiernaast zijn,' zei hij en propte z'n mond vol frieten.

'Excusez-moi, ik zoek geen reisagentschap en Hawaï kan mij gestolen worden,' zei de commissaris en hij toverde zijn aanbevelingsbrief tevoorschijn. 'Ik neem aan dat u weet hebt van mijn komst. Ik ben verbindingsofficier van Europol, sectie Europese Misdaad, met de titel van Inspecteur Eerste Klas. Ik werd door Europol belast met de opdracht om de politie van Perpignan te helpen bij hun zoektocht naar een loslopende seriemoordenaar.'

'Je korte broek staat je beeldig. Net een clown op kousenvoeten,' zei Achmed Al Fatou.

'En wat vind je van mijn sandalen?' vroeg de commissaris.

'Hebben wij elkaar eerder ontmoet, Inspecteur Eerste Klas?' vroeg Paco Banana. Hij zat onderuitgezakt aan een bureau en slurpte aan een bekertje koffie.

'Dat zou me verwonderen. Trouwens, laat die Eerste Klas maar vallen, noem mij gewoon Inspecteur.'

'Je komt me bekend voor, Inspecteur. Ben je Fransman?'

'Ik ben Belg.'

'Alle Belgen die ik ken zijn valse Belgen,' zei Renaudot lachend. 'Hercule Poirot, Kuifje, le commissaire Maigret. In het echt bestaan zij niet.'

'Eerlijk gezegd, met een toerist van Europol hielden we geen rekening,' zei Achmed Al Fatou.

'Een zekere Kerouac zou ons een handje toesteken,' zei Paco Banana. 'Een schrijver, indien ik me niet vergis.'

'Ik ben Jacques Kerouac,' zei de commissaris.

'Kerouac? Nooit van gehoord. Ik lees alleen de Koran,' zei Achmed Al Fatou.

De commissaris slaakte een diepe zucht en schudde iedereen de hand, ook de politieagenten in hun blauwe uniform die de krant lazen en met de kaarten speelden. 'Jacques Kerouac bestaat niet meer,' zei hij. 'Ik was Jacques Kerouac, tot enkele uren geleden. Waarschijnlijk ben ik niet geschikt als undercoveragent, want zelfs de barman in het station van Perpignan trapte niet in de val.' Iedereen had een zweterige handdruk en de commissaris veegde zijn hand af aan zijn Bermuda. 'Ik ben wie ik ben,' zei hij. 'Ik werk voor Europol, sectie Europese Misdaad, vraag maar na in Den Haag, geen probleem. Ik wil jullie helpen om de seriemoordenaar te vinden en dat raadsel voor eens en altijd op te lossen. In de eerste plaats wil ik de lichamen van de slachtoffers onderzoeken en bestuderen. We moeten het waarom vinden dat leidt tot de moorden. De reden *waarom* iemand moordt. Vinden we het *waarom*, dan zetten wij een val op en zorgen ervoor dat de moordenaar in zijn eigen val loopt.'

'Wat doe je als er geen *waarom* is?'

'Er is altijd een *waarom* en voor alles is een reden.'

'Je spreekt uitstekend Frans,' zei Renaudot.

De commissaris glimlachte. 'Ik spreek Frans zoals Fernandel in een Franse film van dertig jaar geleden,' zei hij.

Het politiekantoor was versierd met overbelichte politiefoto's in zwart-wit van verdachten en arrestanten met glazige ogen en ongeschoren wangen. Zij keken dodelijk vermoeid in de camera na lange en afmattende ondervragingen. Tussen de foto's hingen *mug shots* of arrestatiefoto's van internationale beroemdheden die ooit met de politie in aanraking waren gekomen. De foto's waren op bleek papier uitgeprint van het internet. De commissaris herkende Amy Whinehouse (drank en drugs), Elvis Presley (bezit van verboden wapen), O.J. Simpson (verdacht van dubbele moord), Michael Jackson (kinderlokker), Bill Gates (een gevaar achter het stuur), Frank Sinatra (maffia), Hugh Grant (openbare zedenschennis), Nick Nolte (drugs), Steve McQueen (rijden onder invloed), Mel Gibson (openbare dronkenschap), Jane Fonda (drugs en weerspannigheid tegen de politie), Larry King van CNN (uitgifte van ongedekte cheques) en een jonge en verlegen Al Pacino die was opgepakt en aangehouden nadat de politie een pistool had gevonden in zijn auto. Hij zat drie dagen in de gevangenis.

Niemand is een onbesproken blad, dacht de commissaris.

Later bleek dat het pistool van Pacino een *speelgoedpistool* was.

Op een berichtenbord aan een andere muur waren aankondigingen vastgepind, met punaises, naast pornografische amateurfoto's die niets aan de verbeelding overlieten. De pornografische foto's waren door de politie in beslag genomen en dienden als 'bewijsmateriaal' indien de zaak ooit voor de rechtbank zou komen. Tussen de grote, hoge ramen stond een aquarium met kleine tropische visjes en waterplanten die zo groen waren, dat het leek of zij door een kunstenaar op het glas waren geschilderd. Dof zoemend borrelden luchtbellen in het aquarium. Er stonden ook enkele nieuwe TV's met een plasmascherm. Op de deur naar de toiletten, onder de ronde klok, hing een filmposter van Jennifer Lopez als Detective Karen Sisko in *Out of Sight* met een geladen shotgun in de aanslag op haar heup.

'Ik kom hier als collega. Ik kom jullie helpen,' zei de commissaris. 'Een seriemoordenaar met een bizarre voorliefde voor de kunst van Salvador Dalí maakt Perpignan onveilig. Samen kunnen wij dat monster lokaliseren en in de boeien slaan. Dat is mijn opdracht, en die kreeg ik van Europol.'

Renaudot stak een sigaret op. 'Ik neem aan dat je Amerikaanse whiskey drinkt, Inspecteur, zoals Humphrey Bogart?' vroeg hij met een rokersstem.

'Ik drink nooit whiskey,' zei de commissaris.

'Rook je Amerikaanse sigaretten?'

'Ik rook niet.'

'Draag je een regenjas met diepe zakken en een opstaande kraag?'

'Een versleten Burberry als het regent.'

'In Amerikaanse films drinken privé-detectives sloten Amerikaanse whiskey en roken Amerikaanse sigaretten en dragen een regenjas met diepe zakken en een opstaande kraag zoals Humphrey Bogart in al zijn films,' zei Renaudot.

'Ik ben geen privédetective en ik speel niet in een Amerikaanse film,' antwoordde de commissaris. 'Ik ben verbindingsofficier bij Europol—een politieofficier, net zoals jullie—en ik kom jullie helpen.'

'Wij hebben geen hulp nodig, Inspecteur.'

'Enkele meisjes uit Perpignan zijn vermoord, in stukken gesneden en gedumpt op een manier die volgens de pers doet denken aan schilderijen van Dalí,' zei de commissaris.

'Moordkunst, schrijven de kranten,' zei Renaudot.

'Moordkunst is van alle tijden,' zei Paco Banana. 'Kijk naar Goya, kijk naar de Guernica van Picasso. Eindeloze optochten van afgesneden handen en onthoofde slachtoffers. Kijk naar Damien Hirst met zijn doodshoofd van diamanten. Kijk naar al dat vergoten bloed bij Rubens. Het kan geen toeval zijn dat bloedrode verf in de wereld van schildersbenodigdheden bekendstaat als Rubensrood.'

'Hoe weet jij dat? Ben je zelf kunstenaar?' vroeg de commissaris.

'Nee, gelukkig niet.'

'Paco is onze huisexpert,' zei Achmed Al Fatou.

'Alles is kunst,' zei Renaudot. 'Je hebt de kunst van koken, van ijsschaatsen, de kunst van het neuken...'

'Kunst zou schoonheid moeten zijn,' zei Achmed Al Fatou.

'Het spijt me, Achmed, ik zie geen schoonheid in negentig blikken van zijn eigen stront die in de jaren zestig door een Italiaanse kunstenaar werden tentoongesteld,' zei Paco Banana. 'Ik zie geen schoonheid in een stoffige stapel Brillo-dozen van Andy Warhol. Wat is dat trouwens—Brillo?'

Een vent naar mijn hart, hij is eerlijk en rechtuit, dacht de commissaris.

'Dat weet ik toevallig. Brillo is een merk van staalwol om potten en pannen te schrobben,' zei hij.

'Staalwol? Is dat ook *kunst*?' vroeg een zachtmoedige agent in hemdsmouwen. Hij droeg een donkere bril in een zwaar hoornen montuur en sprak mechanisch en stijf, alsof hij op stelten liep. Zijn buik puilde over zijn broeksband. Hij had lang bruin haar tot op zijn schouders en zijn gelaat werd vuurrood wanneer hij glimlachte. Een witte blindenstok stond in een hoek van negentig graden tegen zijn stoel.

De commissaris zag geen ogen achter de donkere brillenglazen.

'Als Italiaanse stront *kunst* is, dan is staalwol óók kunst,' zei Achmed Al Fatou.

De zachtmoedige agent keek strak voor zich uit.

'Thomas is blind. Specialist in afluistertechnieken. Hij staat aan het hoofd van onze speciale afdeling blinde politieagenten,' zei Renaudot.

'Als een verdachte opbelt, luister ik mee. Aan de hand van de beltoon identificeer ik het gekozen nummer,' zei de blinde speurder.

'Drie jaar geleden kreeg Thomas een kogel in het hoofd en verloor het zicht in allebei zijn ogen,' zei Renaudot.

De blinde speurder glimlachte. 'Ik draag geen pistool en verdachten arresteren is niet aan mij besteed. Ik ben meer typist dan politieagent,' zei hij en begon verwoed te typen op een halfautomatische IBM Selectric met een toetsenbord in Braille-schrift.

'Geloof je echt dat je ons kunt helpen, Inspecteur...' zei Paco Banana.

' ... om de seriemoordenaar te vinden?' zei Renaudot.

'Jullie *kennen* de dader,' zei de commissaris. 'Daar ben ik van overtuigd. Negen kansen op tien staat zijn naam in een moorddossier. Wat weten we? Hij is een sadist. Hij is gek. Misschien komt zijn modus operandi—zijn manier van werken—niet overeen met de manier van werken zoals zij in de dossiers is beschreven. Soms past een moordenaar zijn modus operandi aan. Hij speelt een spelletje met de politie. Geloof daarom niet wat je ziet en hoort. In het hoofd van een seriemoordenaar is het één grote mestvaalt. Wie bereid is door zijn mest te ploeteren, krijgt hem vroeg of laat te pakken. Verwacht geen *gelukkige* afloop. Er zullen nog slachtoffers vallen. Oorlog loopt nooit gelukkig af—op het eind van de oorlog is iedereen dood—en wij zijn in oorlog met een seriemoordenaar. Vergeet het psychologische profiel van de meeste seriemoordenaars niet uit het oog: zij komen uit een welgestelde familie. Geld is geen zorg. Een seriemoordenaar moordt voor zijn plezier en niet voor geld. Hij ziet er goed uit, is intelligent en heeft een goede smaak. Zijn dagindeling is op het banale af: ontbijt, douche of bad, een beetje drugs, restaurantbezoek, wat klassieke of moderne muziek, bij voorkeur jazz, een bezoek aan de sauna en de fitness...'

'Een seriemoordenaar is een gepatenteerde leugenaar,' zei Renaudot. 'Hij liegt alsof het geschreven staat en gelooft zijn eigen leugens.'

De commissaris schudde het hoofd. 'Flauwekul,' zei hij. 'Het spijt me, Renaudot. Je *denkt* dat hij liegt omdat je zijn waarheid niet begrijpt.'

'Waarmee beginnen we, Inspecteur?' zei Paco Banana.

'Tracht zoveel mogelijk aan de weet te komen over de slachtoffers,' zei de commissaris. 'Hobby, seksleven, familie, waar werkten ze, waar genoten ze van, wat waren hun geheime kantjes... Hoe beter je de slachtoffers kent, hoe dichter je hun moordenaar op de hielen zit. Een stelling uit de kunstwereld zegt: om een kunstenaar te begrijpen, moet je naar zijn schilderijen kijken. Om de moordenaar te begrijpen, kijk je naar zijn slachtoffers.'

De blinde speurder krulde zijn haar om zijn vingers. 'Het eerste slachtoffer was Lorraine Pérès,' zei hij.

'Bij mijn weten werd haar naam nooit meegedeeld aan de pers,' zei Paco Banana.

'Slim. Seriemoordenaars lezen ook kranten. Zij knippen artikels uit en leggen een plakboek aan,' zei de commissaris.

Renaudot haalde een tabaksdoos uit zijn borstzakje en rolde een sigaret.

'Lorraine Pérès was vierentwintig jaar,' zei Paco Banana. 'Een plomp meisje met babyblond haar en een marmeren huid. Volgens de wetsdokter had zij tot drie dagen voor haar dood niets gegeten of gedronken. Een tonijnvisser stootte toevallig op haar lichaam, twee jaar geleden, op een rots in de Middellandse Zee. Het lichaam lag in de vorm van een kruis, met gespreide armen. De helft van haar gelaat was weggeslagen en hing met de huid aan het lichaam. In haar mond—wat er overbleef van een mond—zat een dode, bloedende rat.'

'Niet in stukken gesneden?' vroeg de commissaris.

'Nee.'

'Geen ontbrekende lichaamsdelen?'

'Nee.'

'Klopt niet met de modus operandi van de seriemoordenaar,' zei de commissaris.

'Twee weken later vonden hengelaars op zoek naar wormen haar kaaksbeen met vijf tanden op een hoop slachtafval nabij het plaatselijke slachthuis,' zei Renaudot.

'In ons dossier zit een kleurenfoto van een schilderij van Dalí uit 1923. Het schilderij hangt in een Amerikaans museum,' zei Paco Banana. 'Het stelt een meisje voor dat op haar rug op een rots in zee ligt—in de vorm van een kruis. Er zit een tweede foto in hetzelfde dossier, een gouache van Dalí—verf op papier—uit 1939 die zich in een privéverzameling bevindt. Een baby zet zijn tanden in een bloedende zwarte rat.'

'Wij hebben de schilderijen niet nodig, wij hebben het slachtoffer,' zei de commissaris.

Renaudot blies de rook van zijn sigaret in zwalpende ringen voor zich uit. 'Lorraine Pérès deed de straat, als zij kort bij kas was en geld nodig had,' zei hij.

'Een halftijds hoertje,' zei Achmed Al Fatou.

'Haar moeder werkt overdag. Zij is verpleegster,' zei Paco Banana.

'In Perpignan?'

'In een tehuis voor ouden van dagen in Figueres.'

'In Spanje, over de grens?'

'Ja.'

'Veel mensen uit Perpignan werken in Spanje. Omgekeerd komen zij uit Figueres en Girona in Frankrijk werken,' zei Achmed Al Fatou.

'Wie heeft de verpleegster voor het eerst ondervraagd?'

'Ik,' zei Paco Banana. 'In het bejaardentehuis. Iedereen kent haar als *Madame* Charlotte. Een bazig mens met een moeilijk karakter.'

'Zij werkt in Figueres. Het museum van Dalí is in Figueres,' zei de commissaris.

'Huh-mmm, ja.'

'Toeval,' zei Renaudot.

'Toeval bestaat niet,' zei de commissaris.

Renaudot trok zijn schouders op. 'Misschien niet,' zei hij.

'Salvador Dalí was knettergek,' zei een oudere politie-agent in een blauw uniform. 'Hij beweerde dat de aarde in twee is gesplitst, honderd miljoen jaar geleden, en dat het station van Perpignan de twee helften bij elkaar hield.'

'Daarom is Perpignan het middelpunt van de wereld,' zei de blinde speurder.

'Dat was een surrealistische grap,' zei Paco Banana.

De commissaris zuchtte. 'Volgend slachtoffer,' zei hij.

'Een callgirl van negentien jaar genaamd Francine Zola,' zei Renaudot. 'Zij genoot een opleiding als tekenlerares, maar deed liever de straat. Makkelijk verdiend geld, Inspecteur. Als zij de straat deed, droeg zij een chador om klanten in haar val te lokken. Zij deed zich voor als een ongehuwd Arabisch meisje—van ongehuwde Arabische meisjes wordt verondersteld dat zij maagd zijn—en helaas hebben sommige mannen een seksuele voorkeur voor maagden.'

'Ieder ongehuwd Arabisch meisje is maagd,' zei Achmed Al Fatou en wierp Renaudot een vernietigende blik toe.

'Waar werd Francine Zola voor het laatst gezien? In de hoerenbuurt?'

'Nabij het station. De hoerenbuurt ligt op wandelafstand van het station,' zei Paco Banana.

'Hoe lang geleden?'

'Twee maand.'

'Had zij vijanden?'

'Francine Zola was een tof wijf,' zei de oudere agent.

'Wat is het verband met de seriemoordenaar?'

'Haar vagina was uit haar lichaam gesneden en Francine Zola werd langs achter verkracht, in haar kont, met een stomp voorwerp, een dildo of de hals van een fles,' zei Renaudot.

'Er zijn meer aanwijzingen,' zei de oudere agent.

'Een schilderij van Dalí zelf,' zei Paco Banana.

'*Het station van Perpignan*. Het doek hangt in een museum in Duitsland,' zei de commissaris.

'In Keulen,' zei Paco Banana. 'Het Ludwig Museum. Ik reisde naar Keulen om het schilderij met eigen ogen te zien. Mijn foto's zitten in het dossier. *Het station van Perpignan* lijkt heel onschuldig, een lieflijk meesterwerk, vuilbruin van kleur en er staat weinig op. Een landbouwer links en zijn echtgenote rechts—zij hebben aardappelen gerooid—vouwen hun handen voor het avondgebed. Dalí heeft zichzelf centraal geschilderd. Hij springt als een gek omhoog en zweeft in het midden van het schilderij. Braaf, onschuldig. In werkelijkheid is *Het station van Perpignan* niet braaf en onschuldig maar grof en wreed en pornografisch. Het doek vertoont een lelijke snee in het midden, een *geschilderde* snee. In de rechterbenedenhoek buigt Gala zich naakt over een kruiwagen. Een man in zijn blote kloten staat op het punt haar in haar kont te neuken.'

'Dalí was de schilder van blote konten,' zei de blinde speurder.

'En daar was hij trots op,' zei Paco Banana.

'Een blote kont, oké, maar ik zie geen verband tussen een kruiwagen en Francine Zola,' zei de commissaris.

'Een plaatselijke metser vond het meisje in zijn achtertuin. Zij lag wijdbeens op een berg winteraardappelen in een oude kruiwagen,' zei Paco Banana.

'Derde slachtoffer?' vroeg de commissaris.

'Jennifer Adiou, twee weken geleden,' zei Renaudot. 'Een slank, mooi meisje van Noord-Afrikaanse ouders. Een *beu-*

rette. Zo noemen wij een dochter van Algerijnse ouders die in Frankrijk is geboren. Haar huid had de kleur van mokka. Je kent het type. Haar moordenaar moet door het dolle heen zijn geweest. Hakte hoofd en handen en voeten af en smeet de rest van het lichaam in de koffer van zijn auto en reed ermee naar Barcelona. Een softwarespecialist vond haar romp op het terrein van een oude cementfabriek nabij de autosnelweg. Het verkeer is moordend op die plaats en toch zijn er geen getuigen. Een buschauffeur stopte om te plassen en vond enkele lichaamsdelen in een sloot vlak bij Afrit 41 op de A9 ter hoogte van Perpignan-Noord.'

'Lichaamsdelen van Jennifer Adiou?'

'Precies.'

'Haar hoofd is spoorloos?'

'Hoofd, allebei haar voeten en handen.'

'Ik denk aan een Franse film die ik jaren geleden heb gezien, *Le Boucher* of *De Slager*, waarin drie slachtoffers buiten beeld in stukken worden gesneden in een rustig Frans dorp. Er bestaat weinig twijfel over de identiteit van de moordenaar: natuurlijk is het de dorpsslager,' zei de blinde speurder.

'Heb ik aan gedacht,' zei de commissaris.

'Nee, Inspecteur,' zei de oudere agent. 'Lorraine Pérès, Francine Zola en Jennifer Adiou zijn niet *met de hand* aan stukken gesneden. Hun moordenaar rolde hen door een machine met twee ronde zaagschijven die dertig centimeter van elkaar staan.'

'Een slagerswerktuig?' vroeg Achmed Al Fatou.

'Of een machine om houtblokken te zagen voor de open haard,' zei de commissaris.

'Zoiets. Ieder afgezaagd lichaamsdeel meet precies dertig centimeter,' zei Paco Banana.

Hoeveel mensen in Perpignan bezitten zo'n machine? vroeg de commissaris zich af.

'Als haar hoofd spoorloos is, hoe weet je dan dat het slachtoffer Jennifer Adiou is?' zei hij.

'Zij had een tatoeage op haar rug en een schoonheidsvlekje naast haar navel. De pers was daar niet van op de hoogte,' zei Achmed Al Fatou.

'Op het internet las ik een gruwelijk verhaal. Haar ingewanden lagen naar het schijnt in een kartonnen schoenendoos naast het lichaam,' zei de commissaris.

'Lever, darmen, nieren, hart, de hele hutsepot,' zei Paco Banana.

'In een schoendoos van Camper. Spaanse schoenen,' zei Renaudot.

'Uw woorden, Inspecteur, *tracht zoveel mogelijk te weten over de slachtoffers*,' zei de blinde speurder. 'Ik kijk naar de slachtoffers en wat zie ik? Waanzin, verbijstering, de verdorven geest van Salvador Dalí. Met een vriend van de kunstacademie knutselde Dalí een stomme film in elkaar. Een hand trekt in close-up het linkerooglid van een angstig meisje omhoog. Een scheermes snijdt haar oog middendoor. Twintig jaar geleden overleed Dalí. Ik hoop dat zijn geest hier niet rondspookt, Inspecteur. Dat zou onze ergste nachtmerrie zijn.'

'Samen in één lift met Paris Hilton, dat is *mijn* ergste nachtmerrie,' zei Paco Banana en hij kroop met zijn hoofd onder een bureau, zodat niemand merkte dat hij schudde van het lachen.

'Ik geloof niet in spoken,' zei Renaudot.

'Van geen enkel slachtoffer is een oog middendoor gesneden,' zei Achmed Al Fatou.

Renaudot zuchtte. 'Waarom hier?' zei hij. 'Waarom in Perpignan? Omdat de moordenaar *vertrouwd* is met de wereld van Dalí. Net zoals Dalí is hij ervan overtuigd dat Perpignan het kloppend hart is van het universum. Dat is de reden waarom hij hier moordt, in deze stad.'

'Ik zag de slogan toen ik deze ochtend van mijn trein stapte,' zei de commissaris. PERPIGNAN MIDDELPUNT VAN DE WERELD. In dikke vette letters. Hoeveel mensen weten dat de slogan hier op het perron is geschilderd—en dat Dalí er de geestelijke vader van is?'

'Samengevat...' zei de blinde speurder.

'... zoeken we een dader van het mannelijke geslacht,' zei Renaudot.

'... die verslaafd is aan de wereld van Dalí,' zei Paco Banana.

'... die Perpignan door en door kent,' zei Achmed Al Fatou.

'... en hier naar de hoeren gaat,' zei de blinde speurder.

'Wie zoveel informatie heeft, zit dicht bij een oplossing,' zei de commissaris. 'Misschien weten we meer over de moordenaar dan we zelf vermoeden. Alle slachtoffers tippelden in de hoerenbuurt. Er is geen vuurwapen gebruikt. De slachtoffers werden opengerukt als een blikje en leeggehaald en de inhoud werd weggesmeten. Puzzel alle elementen aan elkaar en de oplossing ligt voor de hand.'

'Eén stukje van de puzzel zijn we vergeten,' zei Paco Banana.

'Ik luister, Paco,' zei de commissaris.

'Er was een voetbalmatch op TV telkens wanneer de moordenaar toesloeg.'

'Er is altijd voetbal op TV,' zei Renaudot.

'Voetbal en moord zijn de spannendste sporten ter wereld,' zei de oudere agent.

'Voor de meeste mensen is moord geen misdaad,' zei Achmed Al Fatou. 'Vraag iedere hansworst met een sixpack en een bierbuik die zappend voor zijn televisietoestel hangt wat hij vindt van moord en hij zal je zeggen: eersteklas entertainment, en onmiddellijk zapt hij naar *Basic Instinct* en spat het bloed in het rond.'

'Een hoertje is een makkelijk slachtoffer,' zei de blinde speurder.

'Het is bijna onmogelijk een dader te linken aan de moord op een hoertje,' zei de oudere agent.

'Seriemoordenaars zijn eenzaten zonder familie,' zei Achmed Al Fatou.

'Je hebt gelijk, Achmed. Familie zou het verdacht vinden wanneer hij thuiskomt onder het bloed,' zei Paco Banana.

Renaudot stak de laatste frieten in zijn mond. Ze waren koud en droog, als oud stro.

'Ik hoor niets over een verdachte,' zei de commissaris.

'We *hebben* geen verdachte,' zei Achmed Al Fatou.

'Ik heb gelezen dat Jack de Ripper was opgepakt.'

Renaudot lachte. 'Jack de Ripper uit een of ander Zuid-Amerikaans land,' zei hij. 'Een dokter, een zekere Francisco Pancho Villa. Zes keer hebben we hem ondervraagd en geen enkele keer konden wij hem iets ten laste leggen, behalve dat hij een aantal voorwerpen ontvreemdde uit een plaatselijk hospitaal aan de Avenue Languedoc.'

'Welke voorwerpen?'

'Twee stethoscopen, scalpels die worden gebruikt bij operaties en bloedstollers en antidepressiva die uitsluitend op medisch voorschrift verkrijgbaar zijn.'

'De dokter is geen misdadig genie,' zei Achmed Al Fatou.

'Een klein boefje,' zei de blinde speurder, 'wat de Fransen *un semi sel* noemen, een sukkel die bij ongewenste zwangerschap wordt opgetrommeld om voor een illegale vruchtafdrijving te zorgen. De stethoscopen en chi-

rurgische instrumenten had hij nodig om zichzelf ge-
loofwaardig te maken. Weet je wat voor ons een echt
probleem is, Inspecteur? Volgens de Franse wet mag een
verdachte van seriemoord niet als seriemoordenaar worden aangepakt tenzij hij is veroordeeld of bekentenissen
heeft afgelegd. Met andere woorden, haal de fluwelen
handschoenen boven. Hij kan achtenveertig uur worden
vastgehouden zonder aanklacht en zodra hij is vrijgelaten, kan en mag hij niet voor dezelfde feiten opnieuw
worden opgepakt.'

'Nam het labo modderstalen van de schoenen van de
dokter—van al zijn schoenen?'

'Nee.'

'Werden zijn telefoongesprekken nagetrokken?'

'Nee.'

'Zijn e-mails?'

'We weten niet eens of hij een computer heeft,' zei
Renaudot.

'Pak hem op. Ik zal hem ondervragen,' zei de commissaris.

'We weten niet waar hij zit,' zei Achmed Al Fatou.

'Hij is een landloper en woont in een witte bestelwagen,' zei Paco Banana.

'Sporen van bloed in zijn bestelwagen?'

'Natuurlijk,' zei Renaudot. 'Zijn bestelwagen is zijn ope-
ratiekamer. Da's een echt bloedbad vanbinnen, HAHA-
HA! 's Nachts verricht hij er illegale abortussen.'

'Geen bloed van Lorraine Pérès, Francine Zola of Jennifer Adiou?'

'Nee.'

'Wat bewijst dat zij geen illegale abortus hadden,' zei de
blinde speurder.

'Toch niet 's nachts in een bestelwagen,' zei Paco Banana.

'Stuur een opsporingsbericht rond,' zei de commissaris. 'Speel de foto van de dokter door naar alle politieposten in Frankrijk en Spanje. Praat met iedereen. Voel alle zwervers, landlopers en drugdealers aan de tand...'

'Gewoonlijk duurt het weken voor we antwoord krijgen,' zei Achmed Al Fatou.

'Heeft geen belang. Mijn verblijf is gratis, alles op kosten van Europol. Ik blijf hier nog een tijdje. We doen wat we moeten doen,' zei de commissaris.

'De dokter heeft een advocaat in Perpignan,' zei Paco Banana.

'Meester Bourgeois. Iedereen noemt hem Tic-Tac. Meester Tic-Tac,' zei Renaudot.

'Kan ik hem spreken? Zonder mandaat? Zonder huiszoekingsbevel?'

'Natuurlijk. Hij houdt kabinet in de Rue du Maréchal Foch, vlak bij de Bretonse crêperie.'

'Ik zoek hem op. Vandaag nog, als het kan.'

'Seriemoordenaars zijn exhibitionisten, Inspecteur. Zij lopen graag met hun piemeltje te kijk,' zei Achmed Al Fatou.

De commissaris trok zijn schouders op. 'Nee, deze niet,' zei hij.

'Hoe ernstig nemen wij de kunstpiste, Inspecteur?' vroeg Paco Banana.

'Ik herinner mij de zaak van het monster van Montmartre,' zei de commissaris bedachtzaam. 'Een seriemoordenaar gekleed als vrouw sloeg tweeëntwintig Parijse vrouwen de schedel in, waarna hij hen wurgde met een rode jas. Tijdens het onderzoek bleek dat al de slachtoffers— alle tweeëntwintig!—thuis een poster hadden van het schilderij *Jongen in rode jas* van de Franse schilder Jean-Baptiste Greuze. Als je met dat verhaal vertrouwd bent, klinkt de theorie van moord ingegeven door een kunstwerk helemaal niet belachelijk. Theorie is natuurlijk geen praktijk. In theorie is de fantasie van Salvador Dalí buitensporig en gewelddadig, maar kan zij in de praktijk een rampzalig effect hebben op iemand met een zwak karakter?'

'Goede vraag,' zei Renaudot.

'Drie onopgeloste moorden,' zei de blinde speurder met een zure glimlach. 'Ieder jaar zijn er in Frankrijk honderd onopgeloste moorden. Jaar in, jaar uit. We hebben er zevenennegentig te goed.' Hij stak een reep chocolade in zijn mond en beet zijn vingers er bijna af.

'Afkloppen. Hout vasthouden,' zei de commissaris en sloeg zijn vuist op een leeg bureau. 'Een moordonderzoek is eenvoudig als je het principe van de ijsberg voor ogen houdt. Zeven achtste van een ijsberg is onzichtbaar en zit onder water tegenover één achtste dat boven het water uitsteekt. Vanaf nu werken we allemaal samen, zeven dagen per week vierentwintig uur per dag, tot we de zeven achtste van de ijsberg in kaart hebben gebracht. We mogen geen seconde verliezen. Hoe langer de moordenaar op vrije voeten loopt, hoe meer slachtoffers hij maakt. Misschien woont hij naast je deur en weet je niet eens dat z'n frigo vol vagina's en penissen zit.'

'Ik heb slecht nieuws, Inspecteur,' zei Renaudot.

Er rinkelden geen telefoons op deze warme, luie middag.

'Vannacht vonden wij een vierde slachtoffer, in Canet-Strand, vlak bij Perpignan, aan de rand van een zoutwatermeer. Onze medewerkers van het labo vonden één enkele haar, aan een ring die het slachtoffer droeg. Nergens een spoor van sperma.'

'Plak er een gezicht op, Renaudot. Naam? Leeftijd?'

'Cherry Leduc. Achtentwintig jaar.'

'Nummer vier. Vier is het begin van een epidemie,' zei de oudere agent.

'Ook een hoertje?' vroeg de commissaris.

'Ja.'

'Tipgevers?'

'Noppes.'

'Hoe ziet zij eruit?'

'Zwart, mooi en dom.'

'Wie vond het slachtoffer?'

'Een oestervisser uit Canet-Strand.'

'Komt hij in aanmerking als verdachte?'

'De man is tachtig jaar, Inspecteur.'

'Sporen van autobanden?'

'Te veel om op te noemen. Canet-Strand is overbevolkt in de vakantie.'

'Wat zegt de wetsdokter?'

'Twee dagen geleden vermoord.'

'Er zit logica in de gekte van de moordenaar,' zei de commissaris. 'Eerste slachtoffer: twee jaar geleden; volgende slachtoffer: twee maand geleden; derde slachtoffer: twee weken geleden; dit slachtoffer: twee dagen geleden.'

'We wachten op het volgende slachtoffer,' zei Renaudot.

'Cherry Leduc. Achtentwintig jaar. Zwart, mooi en dom. Hoe is zij vermoord?' vroeg de commissaris.

'Keel doorgesneden, Inspecteur, van oor tot oor, heel netjes, heel precies. Het werk van een maniak. Geen uiterlijke sporen van een gevecht op leven en dood. Dit wordt bangelijk, Inspecteur. Ik verneem van de zedenpolitie dat hoertjes een baksteen in hun handtas hebben, in de hoop dat zij de moordenaar kunnen afweren als hij zou toeslaan.'

'Amputaties? Lichaamsdelen die ontbreken?' vroeg de commissaris.

Renaudot dronk zijn koffie leeg en smeet de beker in een papiermand. Hij trok een lade open en nam er een pistool en een heupholster uit. Verwoed trok hij aan zijn sigaret. Hij blies de rook door zijn neusgaten, keek op zijn horloge en keek omhoog naar de klok boven de deur naar de W.C. Heren.

'Is het moordwapen teruggevonden?' vroeg de commissaris.

'Niet gezocht en niks gevonden,' zei Paco Banana.

'Ongetwijfeld zitten zijn DNA en vingerafdrukken op het heft.'

'Waarschijnlijk smeet hij zijn mes in het meer.'

'Water heeft geen invloed op vingerafdrukken,' zei de commissaris.

'Er staat een vingerafdruk op de schoen van het slachtoffer,' zei Achmed Al Fatou.

'De rechtbank is daar niks mee, met een vingerafdruk op een schoen, zei de commissaris. 'Iedere slimme advocaat toont in de rechtbank aan dat de vingerafdrukken afkomstig zijn van de schoenverkoper in de winkel waar zij haar schoenen kocht. Het moordwapen is ons enige houvast. Stuur duikers in het meer of bagger het leeg.'

'Het meer baggeren?' zei Renaudot. 'Weet je wat dat kost, Inspecteur? Wie gaat dat betalen? Jij? Europol?'

'Waar is het slachtoffer op dit ogenblik?' vroeg de commissaris.

'In het lijkenhuis van het Institut Médico-Légal.'

'Kan ik haar zien?'

'Het lijkenhuis is hiernaast,' zei Renaudot. 'Binnen tien minuten begint de forensisch patholoog met de lijkschouwing.'

'Eerst een koffietje, Inspecteur?' vroeg Paco Banana.

'Hmmm, heerlijk,' zei de commissaris. 'Zwart, zonder melk, zonder suiker.'

Een lijkenhuis is een slachthuis. In een slachthuis worden karkassen van dode dieren uitgebeend en versneden tot verkoopbare stukken. In het lijkenhuis zijn het kadavers van mensen die worden opengesneden en ontdaan van de ingewanden. Waar zit het verschil? Er is geen verschil. In een slachthuis wordt overtollig slachtafval—hart, lever, nieren—verwerkt tot bloedpens en braadworst terwijl in het lijkenhuis ingewanden van mensen onder de microscoop worden onderzocht en genummerd, waarna zij terug in de lege buikholte worden gesmeten en het kadaver met een grove steek wordt dichtgenaaid en in de koelkast geschoven. De autopsiezaal was gevestigd op de eerste verdieping van het Institut Médico-Légal achter een deur met het opschrift VERGADERZAAL, hoewel er nooit werd vergaderd. Het was er rustig en zonnig. In het midden van de zaal stond een stalen autopsietafel met een verhoogde rand en kraantjes en afvoerkanalen om bloed en uitwerpselen weg te wassen. Een wasbak aan het hoofd van de tafel was uitgerust met een dubbele afvalvernietiger voor rommel en rotzooi. De rest van de autopsiezaal stond vol zware, vreemdsoortige aquariums met lichaamsdelen die leken op gestroopte konijnen. De lichaamsdelen dreven in een oplossing van water en azijnzuur met de geur van nagellak.

De forensisch patholoog was een hoofd groter dan de commissaris. Zijn haar was witter dan Persil en zijn snor stond recht overeind, alsof hij geen snorharen onder zijn neus had maar tandenstokers. Hij leunde achterover in een oude draaistoel van zwart leer—de enige veer onder de stoel kraakte en kreunde—en loerde over de rand van zijn bril. Zijn witte stofjas zat onder bloedspetters. Hij droeg geen hemd onder zijn stofjas maar een gele broek met halflange pijpen die bijna op zijn enkels hingen. Zijn blote borst, onder de stofjas, was naakt op een enorme massa grijs krulhaar na, die leek op staalwol van Brillo.

'Wij zouden er goed aan doen de hulp in te roepen van de Goede God,' zei Renaudot. 'Dit jaar is het misdaadcijfer in ons departement met 8,3 procent toegenomen—inclusief verkrachting en overvallen—terwijl de toename nationaal slechts 2,5 procent op jaarbasis bedraagt...'

'... met een *afname* van 2,2 procent in de regio Parijs...' zei Paco Banana.

'... volgens een statistiek van het Observatoire National de la Délinquence dat alle Franse misdaden in kaart brengt,' zei Renaudot.

'Dat de Goede God ons de weg mag wijzen,' zei de forensisch patholoog en maakte een kruisteken.

Een hydraulische lift trok een lijkzak uit de koelkast. Cherry Leduc was niet afgekoeld tot +4 graden Celsius, wat de exacte temperatuur is waarop de ontbinding van een lijk afneemt en de verrotting vertraagt. De lijkzak werd op een metalen draagbaar op wieltjes gelegd en rustig en zonder veel komaf, zoals een ziekenbed in een hospitaal, naar het midden van de zaal gerold. In zijn vorige leven als hoofd van de moordbrigade bij de gerechtelijke politie had de commissaris meer dode mensen gezien dan hem lief was. Hij was gewend aan de dood en het zicht en de geur van een lijk schrokken hem niet af. Een assistent van de wetsdokter nam x-stralen dwars door de lijkenzak, waarna de zegels werden verbroken en Cherry Leduc op haar rug op de stalen autopsietafel met een verhoogde rand werd gelegd. Haar keel was van oor tot oor overgesneden en haar mond was één bloederige brij. Er dropen sappen uit, en geronnen bloed, en een waterige vloeistof. De lichaamssappen kolkten naar het afvoerkanaal. Onder de huid van het slachtoffer wriemelden en krioelden gelige rijstkorrels, alsof een doos Rice Krispies was leeggeschud over het dode lichaam.

Rice Krispies wriemelen en krioelen niet, dacht Paco Banana.

'Maden,' zei de assistent. 'Larven. Jonge vliegjes. Zij doen zich te goed aan het vet onder de huid. Maden zijn verzot op vet.'

De linkervoet van het meisje zag blauw en haar zwarte huid was grijs en doorzichtig geworden.

'Bacteriën,' zei de assistent. 'Als wij sterven, eten de bacteriën in ons lichaam niet langer mee van wat wij hebben gegeten—soep, een biefstukje, een appel—maar eten zij ons op tot er niets meer te eten valt en ook de bacteriën afsterven.'

Hij sneed de kleren van het lichaam van het slachtoffer en stopte haar bloes—die met bloed was doordrenkt—en één blauwe schoen met hoge hak in een plastic zak en reinigde het lichaam met een natte spons en schoof een rubberen baksteen onder haar hals, waardoor haar borst naar voren puilde en de armen naast het lichaam vielen, wat het werk van de forensisch patholoog vergemakkelijkte. De relaxte houding zou hem helpen om het lijk in één vloeiende beweging open te leggen. Haar siliconenborsten waren leeggelopen en hingen als slappe theezakjes links en rechts van haar lichaam, dat een slagveld was van diepe, bloederige messteken, en haar verminkte mond gaapte wijd open. Lippen en buik waren pafferig en opgeblazen—en plots, tegen alle verwachtingen in, liet het dode lichaam een knalharde wind.

Achmed Al Fatou moest ervan kotsen.

'In een dood lichaam hopen zich ontbindingsgassen op. Cherry laat een beetje gas langs achter ontsnappen. Niets om je druk over te maken,' zei de assistent rustig.

Een tweede assistent knipte plastic zakken door, die rond de handen van het slachtoffer waren geknoopt, en schraapte een vette smurrie van onder haar vingernagels en keek ernaar onder de microscoop.

'Krabde zij de ogen van haar aanvaller uit?' vroeg Paco Banana.

'Dat weten we binnen enkele dagen, met een beetje geluk,' zei de tweede assistent. 'DNA-onderzoek is belangrijk en we hebben er succes mee, maar het blijft één onderzoeksmethode van vele. Als het slachtoffer zich heeft verdedigd en zij haar aanvaller—zelfs al is het King Kong—de ogen heeft uitgekrabd, dan vind ik stukjes van zijn ogen onder haar vingernagels. Eén enkele huidcel, meer heb ik niet nodig. Vind ik één kleine huidcel, dan is hij de sigaar. Tegenwoordig kennen de mensen dat van CSI en The X-Files op televisie.'

'Hou je wafel, man, een autopsie is geen televisiespelletje,' zei de forensisch patholoog op strenge toon.

Hij zette een hoofdtelefoon op, met het mondstuk tegen zijn kin, murmelde enkele testwoorden in het apparaat om er zeker van te zijn dat de bandopnemer behoorlijk werkte, en ging in één ruk door met een volledige beschrijving van het lichaam en een opsomming van bijzondere kenmerken: tatoeages (geen), geboortevlekken (geen, althans niet zichtbaar), tanden in de onderkin (valse), waarna hij algemeenheden ten beste gaf die zelfs een blinde kon zien: ras (halfbloed of, als je politiek correct wil zijn, 'dubbelbloed' zoals dat tegenwoordig heet), geslacht (vrouwelijk), haarkleur (rood; geverfd), kleur van de ogen (bruin) en vermoedelijke leeftijd (tussen 25 en 30 jaar).

'Vooraan op het lichaam: verscheidene inkervingen tussen 6 en 7 centimeter breed en 10 tot 12 centimeter diep.

Geteld van links naar rechts zijn er achttien inkervingen en messneden op lichaam, armen, benen en handen. Ik tel drie messteken aan het hoofd. Uiterlijk werden de geslachtsorganen niet geraakt.'

Achmed Al Fatou nam een telefoongesprek aan, in het Arabisch.

'Spreek je ook Urdu?' vroeg de commissaris.

Urdu is de officiële taal van Pakistan.

'Nahin, nee,' zei Achmed Al Fatou in Urdu.

Onmiddellijk belde zijn mobieltje opnieuw.

Jongens jongens toch, waar zijn we mee bezig?

De tweede assistent keek door het elektronisch oog van een biologische microscoop naar huidstalen die hij van de steekwonden had geschraapt. In ieder staal herkende hij de allerkleinste metaaldeeltjes, die zonder twijfel afkomstig waren van het moordwapen.

'Een ijzeren mes,' zei hij. 'Zuiver ijzer, geen legering.'

'Wanneer iemand met een mes wordt gestoken, blijven in de steekwonde moleculen van het metaal achter,' zei de forensisch patholoog.

'Een dolk?' vroeg de commissaris.

'Nee, Inspecteur, geen dolk. Een dolk is gekarteld. Het moordwapen is een glad mes.'

'Misschien een scalpel van een chirurg?' vroeg Paco Banana. Hij dacht aan de dokter uit een of ander Zuid-Amerikaans land.

'Een scalpel? In geen geval,' zei de assistent. 'Het moordwapen is geen dolk, geen scalpel en geen gewoon, alledaags keukenmes. Hakmessen, keukenmessen, uitbeenmessen van zuiver ijzer, dat wordt tegenwoordig niet meer verkocht. Messen van Victorinox en Solingen hebben een lemmet van roestvrij staal in plaats van zuiver ijzer. De moordenaar gebruikte een oud mes met een krom lemmet, zoals bij een Japans zwaard. Hou er gewoon je duim tegen en het lijkt of je door warme boter snijdt.'

'Een Japans zwaard? Een *samoeraizwaard*?' vroeg Renaudot.

De forensisch patholoog trok paarse vinylhandschoenen aan. Met een scalpel met het breedste blad maakte hij de zogenaamde 'Y-snede' in de borst van het slachtoffer, zo breed en diep mogelijk, van schouder en schouder naar het midden tot op het borstbeen in één vloeiende beweging naar het schaambeen helemaal onderaan. Het schaambeen van het slachtoffer was overwoekerd met een echt braambos—het wildste, donkerste schaamhaar dat hij in zijn beroepsleven had gezien. Hij sneed overtollig vlees en spieren weg en gleed met zijn scalpel rond haar slappe theezakjes en ritste haar borst open alsof hij de rits van zijn broek naar beneden trok—

De afvoerkanalen vingen overtollige smurrie op.

Paco Banana zocht een pakje sigaretten in zijn borstzakje.

'Mag ik roken?' vroeg hij.

'Een jaar geleden ben je gestopt met roken,' zei Renaudot.

'Ik begin opnieuw. Trouwens, dit zijn kruidensigaretten.'

'Ze ruiken naar marihuana,' zei Achmed Al Fatou.

—en schilde de halsspieren en het zachte nekweefsel van het lichaam, zoals de schil van een appel, en trok de huid over het dode gelaat alsof hij een condoom binnenstebuiten keerde en maakte twee diepe sneden aan weerskanten van haar ribbenkast. Met de hulp van een ouderwetse beenzaag met een houten handgreep zaagde hij haar borstkas door en trok de ribben open en maakte ze los van het skelet op dezelfde manier als waarop hij thuis de twee helften van een keukenkast openzette en plots, geheel onverwacht, knetterden haar lichaamsgassen alsof er een bliksem was ingeslagen en de borst van het meisje brak open zoals een geiser of een werkende vulkaan en spuwde zoals een vulkaan de allermooiste rozen metershoog als lava in de lucht, koraalrozen, purperen rozen, witte en gele rozen, alle soorten rozen, zoveel rozen had niemand ooit eerder gezien, zij vlogen in alle richtingen door het lijkenhuis, honderden, duizenden rozen met lieflijke, sappige namen als Erotica, Zwarte Schone, Goldfinger, Belle Amour, Rosa Bella, Ingrid Bergman en de geurigste roos van allemaal, Love Story, en Champagne Cocktail en Romeo en Altissimo, aantrekkelijke rozen, charmante rozen, bijzondere rozen, met de kleur van rauw vlees, met de kleur van rijpe perziken, met de kleur van wilde zalm, rozen voor Valentijnsdag, Engelse rozen, romantische rozen, rozen in alle soorten, de beste en mooiste rozen in heel de wereld, noem maar op, witte rozen, rode rozen, klimrozen, Chinese rozen, heesterrozen, treurrozen, en hun zachte fluwelen bloemblaadjes dwarrelden als een waterval naar beneden, in perfecte slow motion, fonkelend als sneeuwvlokken, alsof het dode meisje besloten had om haar afscheid van het leven te vieren met de universele taal van de mooiste bloem op aarde, de bloem van de liefde. Het was de kleurrijkste confettiparade die iemand ooit had gezien en toen de vulkaan van rozen tot rust kwam, bedekten bloemblaadjes in alle kleuren van de regenboog niet alleen de antiseptische autopsiezaal maar ook het marmeren, opgezwollen en doorkerfde meisje op de tafel van roestvrij staal, een meisje dat even dood en koud en mysterieus was als gesmolten lava.

'Oh-Goede-God!' riep de forensisch patholoog.

'Cool, mannen, cool,' zei Paco Banana.

De forensisch patholoog schudde zijn Persil-witte haar. 'Ik zit veertig jaar in dit vak en voor het eerst zie ik de schoonheid van een misdaad,' zei hij.

De commissaris stond tot aan zijn enkels in een dik tapijt van rozenblaadjes.

Als dit geen surrealisme is, dan weet ik het niet meer, dacht hij.

'Renaudot, wie kan met een computer overweg?' vroeg hij.

'Paco is onze computergek,' zei Renaudot.

'Ik ben verslaafd aan het internet,' zei Banana. 'Google is mijn God. Windows, Mac, Solaris, ze hebben voor mij geen geheimen, zelfs het Chinese Linux is een fluitje van een cent. Geef mij een PC en een internetverbinding en ik leg de hele wereld aan je voeten, Inspecteur.'

'Aan het werk, Paco, zet je computer aan en zoek voor mij uit of deze fontein van rozen gelinkt is aan de kunst van Salvador Dalí.'

'Waarom Dalí?' vroeg de forensisch patholoog. 'Waarom niet Picasso of Chagall of wie dan ook die met een verfborstel overweg kan en even beroemd is als Dalí?'

'Vraag dat aan het samoeraizwaard,' zei de commissaris.

'Doodsoorzaak: meerdere steekwonden,' zei de forensisch patholoog uit de hoogte.

'Ik moet je iets vertellen, Inspecteur,' zei Paco Banana.

'Ik luister, Paco.'

'Ik was verslaafd aan heroïne.'

'Paco zat ervoor in de gevangenis, in Spanje,' zei Renaudot.

'Maak je geen zorgen, Inspecteur,' zei Paco Banana. 'Ik ben afgekickt. Vandaag ben ik zo clean als een fluitje.'

'Zet je computer aan, Paco, we hebben geen tijd te verliezen,' zei de commissaris.

Een uur nadien stapte de commissaris uit het lijkenhuis in de felle namiddagzon en zette zich aan een ronde metalen tafel voor twee personen op het terras van de donkere bar-tabac met gokkantoor voor paardenwedrennen tegenover het gerechtshof. De bar was vuil en lag vol papiertjes. Overal stonden gekleurde gokformulieren in plastic houdertjes. Tegen de verste muur met zicht op het plein en in iedere hoek van de bar hingen televisieschermen waarop de paardenrennen live en rechtstreeks via satelliet te volgen waren. Alle schermen toonden tips en statistieken van paarden en jockeys voor de eerste races van de dag op de renbanen van Chantilly, Les Sables-d'Olonne, Cagnes-sur-Mer en Goodwood. De start op de renbaan van Goodwood was voorzien voor 3 uur 05 stipt. Tien gokkers lurkten aan hun sigaret alsof hun leven ervan afhing, terwijl een hondje keffend tegen hun benen omhoog sprong en aan hun broekspijpen trok.

'Met dit weertje, Inspecteur, wat zou je denken van een fruitige chardonnay?' vroeg de *patron* met een glimlach.

'Liever een koude Coke,' zei de commissaris.

Zwetend als een rund, met een grote bruine sigaar in zijn mond, stormde de eerste assistent van de filmregisseur naar het goklokaal. Zijn gelaat had de kleur van gekookte hesp en de wallen onder zijn ogen waren diep en donker. Hij was gekleed in een blauwe blazer met een klein strohoedje, waardoor hij als twee druppels op Telly Savalas in *Kojak* leek, met dit verschil dat hij niet op een lolly zoog maar aan een sigaar. Bladerend in de *Paris-Turf*— het lijfblad voor gokkers op paardenwedrennen in Frankrijk—las hij vluchtig de quoteringen in kleine lettertjes en zette zijn geld in op drie paarden die in willekeurige volgorde als eerste zouden binnenkomen. Geen van de paarden waar hij op gokte had ooit een prijs gewonnen.

Blazend van opwinding staarde de eerste assistent van de filmregisseur naar de televisiemonitors. De jockeys trokken zich in het zadel. De paarden waren nerveus. Zij maakten wilde bokkensprongen en schudden met hun hoofd en lieten hun flanken sidderen, en ineens op alle televisieschermen tegelijk denderden negen paarden over de renbaan terwijl de speaker opgewonden commentaar gaf.

'In de buitenbaan, nummer zeven, Kunta Kinte!'

'Vooruit, nummer zeven, steek dat oud wijf voorbij, klootzak!' riep een klein oud ventje zonder tanden naar het scherm.

'Ik heb ingezet op nummer zes, niet op nummer twee zoals gewoonlijk,' zei een rustige gokker.

'Sla er met de zweep op, klootzakken, harder, harder!' riep de eerste assistent van de filmregisseur en hij hield zijn vingers gekruist in de hoop dat zijn gekruiste vingers hem geluk zouden brengen.

De paarden galoppeerden naar de finish en kwamen in de laatste rechte lijn na minder dan twee minuten en het klein oud mannetje zonder tanden sprong op en neer en trok zijn haar in vettige plukken uit zijn schedel en zwaaide met een opgerolde Paris-Turf naar de schermen.

'ZES! ZES! ZES!' riepen de gokkers.

'Die fucking klootzak van een jockey is omgekocht. Hij zit niet eens deftig op zijn paard!' riep de eerste assistent van de filmregisseur zo hard hij kon en verslikte zich haast in zijn sigaar.

'Nummer zeven is een geboren verliezer,' zei een jongeman met een metalen brug over zijn tanden en een zwarte bril met grote glazen, waardoor hij op Harry Potter leek. 'Twee weken geleden zette ik in op nummer zeven. Al mijn geld kwijt. Nummer zeven is een kreupel bastaardpaard.'

'Smoel houden!' brulde iemand die achteraan in het gokkantoor stond.

'Hou je grote stinkende bek dicht!' riep de eerste assistent van de filmregisseur.

Harry Potter lachte en het geraas en gevloek en getier werd luider en wilder tot de spanning ondraaglijk werd— en van de ene seconde op de andere was alles voorbij en daalde een diepe stilte over de bar-tabac, een stilte die ieder ogenblik als een zeepbel uit elkaar kon spatten.

De gokkers schuifelden zo snel mogelijk weg van de schermen, met gebogen hoofd, en scheurden hun gokformulieren aan stukken en papiersnippers dwarrelden op de vloer.

De eerste assistent van de filmregisseur slaakte een ijzige kreet.

'Fuck! Duizend dollar naar de kloten!'

Vijftien minuten voor de start van de derde race van de dag op de renbaan van La Sable-d'Olone.

'Dit is een klotesport. Zodra je begint met gokken, is er geen houden meer aan,' zei Harry Potter.

'Je adem stinkt, Potter, een schijthuis ruikt beter,' zei de eerste assistent van de filmregisseur en trok aan de weke huid onder zijn kin.

Hij leunde tegen de zinken tapkast, stak voor de zoveelste keer zijn half opgerookte sigaar aan, trok zijn portefeuille uit de binnenzak van zijn blauwe blazer en met een klein ondeugend lachje om zijn mond legde hij vers geld op de tapkast en keek op de schermen naar de pronostiek voor de volgende race.

Achter een politieversperring aan de overkant van het plein brachten technici van de filmmaatschappij een geprefabriceerde set in gereedheid voor de volgende filmopname. De set was een kopie van een vissersdorpje aan de

Middellandse Zee en was ineengeflanst met bordkarton, triplex, spaanplaat en schuimrubber en in felle pastelkleuren geschilderd, de ene laag over de andere. Mensen renden over en weer met notitieboekjes en klemborden. Er werd een geluidsmuur gebouwd met 'wilde muren' die onafhankelijk van elkaar konden bewegen. De filmregisseur besprak in het kort enkele aanpassingen aan het scenario met dubbelgangers die geschminkt en opgedoft klaarstonden om erin te vliegen. Er werden weinig woorden aan vuil gemaakt, het was tenslotte een eenvoudige shot met een minimum aan dialoog. De Filmacteur haalde diep adem. Omdat fel licht een probleem is, waren zijn oogleden aan zijn wenkbrauwen vastgekleefd, zodat hij niet met de ogen kon knipperen tegen de felle zon. De cameraman zette met gekleurd krijt merktekens en afstanden op het voetpad. Omdat 'natuurlijk' daglicht om 8 uur 's ochtends ander licht is dan hetzelfde daglicht om 5 uur 's middags, wanneer bomen en gebouwen lange, donkere schaduwen werpen, worstelden de belichters op de geprefabriceerde set met lichttorens. 's Zomers een film draaien in het zuiden van Frankrijk heeft één voordeel: je hoeft nooit op een helderblauwe hemel te wachten, dacht de filmregisseur.

Een assistent zei: 'Waar is de kunstmatige rook?'

'C'est vrai. We zijn onze rookpotten vergeten,' antwoordde de filmregisseur.

Hoewel in principe de filmregisseur en de eerste assistent van de filmregisseur baas zijn op de filmset, was het de tweede assistent van de filmregisseur—tegen alle logica in is hij *niet* de assistent van de eerste assistent van de filmregisseur—die als een schoothondje met z'n walkietalkie achter de filmsterren aan liep en hen geen ogenblik uit het oog verloor, zelfs wanneer zij gewoon een luchtje gingen scheppen. Spoedde de Filmacteur zich naar het toilet, dan ging de tweede assistent mee naar het toilet. Kneep de Filmacteur zijn ogen dicht, voor een dutje tijdens de siësta, dan kneep de tweede assistent mee zijn ogen dicht. Ging de Filmacteur een luchtje scheppen, dan ging de tweede assistent mee een luchtje scheppen.

Om de zaken niet nodeloos ingewikkeld te maken, was er ook een tweede tweede assistent van de filmregisseur en zelfs een extra-tweede tweede assistent van de filmregisseur.

'Waar is Dalí?' vroeg de filmregisseur.

'Dalí wordt op de set gevraagd!' gilde de *tweede* tweede assistent van de filmregisseur door zijn megafoon. Zij was een onooglijk meisje met een bril met een veel te groot montuur van schildpad. Zij droeg een wit trainingspak en afgetrapte sandalen.

Het werd heel stil op de set—zelfs de sirenes op politieauto's hielden de adem in—en in de griezelige stilte tilde een massieve kraan de filmcamera tot ver boven het kunstmatige vissersdorp. De opnameleider hield een klapbord met de titel van de film, de naam van de filmregisseur, het nummer van de scène en het nummer van de opname voor het oog van de camera. De oude clochard duwde traag een winkelwagentje van een supermarkt voort, dat was volgeladen met lege wijnflessen en plastic zakken van Auchan en Caprabo, dichtgeknoopt met een dubbele lus en gevuld met vuile kleren en rommel die hij op straat had gevonden en meegenomen: lege colaflesjes, roestige vijfduimers, een half setje speelkaarten, een oud TV-toestel zonder antenne, één pantoffel, een pop zonder armen, vergeelde exemplaren van de *Presse Régionale* en de *Paris-Match*, een kapotte zakdoek, twee balpennen, een handvol wegwerpaanstekers en een onwaarschijnlijke hoeveelheid opgerookte en half opgerookte sigarettenpeuken.

'Komaan Sal, laat zien wat je kunt,' zei een productieassistent op fluistertoon. Zij bladerde nerveus in het draaiboek.

'Scène eenenzeventig—Eerste opname,' zei de tweede assistent van de filmregisseur.

'Stilte gevraagd,' zei de filmregisseur.

'Camera klaar,' zei de cameraman.

'Geluid klaar,' zei de geluidstechnicus.

' ... en... ACTIE!' blafte de filmregisseur, net zoals een onderofficier in het leger.

Met een luide *klap* sloeg de opnameleider de klapper op het klapbord om het begin van een nieuwe scène aan te kondigen en—

SALVADOR DALÍ

[Gekleed in een onberispelijk Engels maatpak. Hij draagt een roze pruik met krulspelden in het haar, 'zoals een huisvrouw in New York', volgens de kunstenaar, en zegt met een rollende 'r':] Ieder*rre* ochtend wor*rr*dt Dalí wak-ke*rr*...

'Je vergeet te ACTEREN!' riep de filmregisseur.

'Laat je gaan. Laat alle gedachten los. Maak je vrij,' zei de tweede assistent van de filmregisseur.

SALVADOR DALÍ

... Ieder*rre* ochtend wor*rr*dt Dalí wakke*rr* in blijdschap omdat Dalí de enige echte Salvado*rr* Dalí is...

'Luister goed, poepjanet, en ik herhaal het voor de laatste keer: wil je 't doen zoals ik je *zeg* dat je 't moet doen?' gilde de filmregisseur.

—medewerkers van de filmstudio met een tijdelijk contract stelden alles in het werk om de toeschouwers op afstand te houden.

SALVADOR DALÍ

... Iederrre ochtend worrrdt Dalí wakkerrr in blijdschap omdat hij de enige... omdat Dalí de enige... de enige echte Salvadorrr Dalí is en vrrragen wij ons af: 'Welke wonderrrbarrre zaken gaat Salvadorrr Dalí vandaag verrrwezenlijken?'

'FUCK!' riep de filmregisseur. Hij was niet te spreken over de opname.

De eerste assistent van de filmregisseur kwam uit het goklokaal, trok zijn broek op tot onder zijn oksels en plofte met de *Paris-Turf* in zijn schoot op de enige lege stoel aan de ronde metalen tafel voor twee personen naast de commissaris. Hij veegde zweet van zijn voorhoofd en dronk zich moed in met een uitstekende chablis, lekker koel, uit een wijnglas dat de Fransen *un ballon* noemen omdat het mooi rond en egaal is.

'De logistiek bij deze film is heel moeilijk, met alle kostuums uit de jaren zestig,' zei hij.

In plaats van met een vaste camera te werken, bediende de camera-assistent—hoeveel assistenten waren er in totaal? Iederéén was assistent—zich van een kleine draagbare camera. Hij filmde uit de losse pols, om aan de film een documentaire draai te geven. De Filmacteur was zenuwachtig en beefde in zijn schoenen. Logisch, zelfs van A naar B gaan is moeilijk in een film en vraagt veel voorbereiding. Opdat hij mooier zou overkomen op het witte doek, werd hij langs achter belicht, zodat zijn silhouet zich donker aftekende tegen de blauwe hemel. In zijn zware blokschoenen—die hem tien centimeter groter maakten—stapte hij naar zijn merkpunt in het midden van het plein en maakte een vreemd danspasje en trok met zijn schouders en kronkelde zijn hals alsof hij de kriebels had, en ineens toverde hij zijn warmste glimlach tevoorschijn en in een wolk van speeksel ontploften vijf woorden van zijn lippen.

SALVADOR DALÍ

[Een open blik kaviaar in de hand. Hij schept de kaviaar in zijn mond. Zijn beroemde snor wipt op en neer en zijn roze pruik met krulspelden in het haar wordt bijna van zijn hoofd geblazen door de kracht van een windmachine:] Dalí is ve*rrr*zot op... kaviaa*rrr*!

'Wacht even—dit is niet slecht,' zei de filmregisseur.

De pot op, we houden dit erin, dit is een sleutelscène, dacht de assistent-regisseur.

Met zijn buitensporige acteerstijl, zijn komische gelaatsuitdrukking, zijn omhoog krullende snor die was ingewreven met bessenconfituur en bijenwas en zijn trotse, uitpuilende schelvisogen kreeg de Filmacteur de lachers op zijn hand en hoewel de filmregisseur om stilte had gevraagd, begonnen de toeschouwers spontaan te applaudisseren.

Eén man was niet tevreden: de assistent van de producer.

Zijn stem trekt op niets, dacht hij, zo'n stem kunnen we niet gebruiken. We huren een stemdubbelganger om zijn tekst in te spreken op de geluidsband.

Een toeschouwer riep: 'Lieve God, Pacino! Ik vrees dat ik in zwijm ga vallen!'

Gala wachtte haar beurt af op een klapstoeltje onder een parasol die verkleurd was door de zon. Zij knabbelde op een mini-Marsreep die zij uit een mandje vol mini-repen van Mars, Snickers, Bounty, Twix, Lion en Milky Way viste. Op een dienblad lagen Joodse bagels (ontdooid, ingevoerd uit Amerika), koffiekoeken, drie soorten cake en de heerlijkste Franse en Catalaanse taartjes.

Zij liet haar zonnebril zakken naar het topje van haar neus.

'Wie denkt de filmregisseur dat hij is? *Fucking* Steven Spielberg?' zei ze tegen niemand in het bijzonder.

Het viel de commissaris op dat zij wallen onder de ogen had.

'Voor een eersteklas acteur als Pacino is deze film een buitenkans,' zei de assistent die verantwoordelijk was voor stunts en speciale effecten.

'Gala stopt *zoetigheid* in haar mond!' riep een kleedster met afschuw.

'*Fuck*, zij eet dag en nacht rijst om slank te blijven. Zij is mager als een graat. Laat haar voor één keer snoepen van een Milky Way,' zei de regieassistent.

'Jouw beurt, Gala,' zei de filmregisseur rustig. 'Doe een beetje gek en breng wat humor in de film. Van het verhaal hoef je je niets aan te trekken.'

GALA

[Ziet er stralend uit in de namiddagzon. Met een vettig Russisch accent:] Kaviaa*rrr*... smaakt naar kieken-st*rrr*ont!

De filmregisseur keek met een half oog naar zijn monitor.

'Wonderbaarlijk!' zei de eerste assistent van de filmregisseur.

'Gala is niet de eerste de beste,' zei de *tweede* tweede assistent van de filmregisseur vol bewondering.

'Nu is het aan jou, Dalí,' riep de filmregisseur. 'Zeg je tekst precies zoals in het scenario en ZOEN dat klotewijf van je!'

De Filmacteur was zo zenuwachtig dat hij zijn tekst vergat. Hij mompelde iets onverstaanbaars.

'Is dit een film met ondertitels?' vroeg de tweede assistent van de filmregisseur.

Gala was ijzig en onweerstaanbaar. Haar ruitvormige gelaat met hoge, volle jukbeenderen, een smalle kin en een hoog voorhoofd werd omlijst door een pruik van donker, glanzend haar. Vals of niet, met haar wellustige mond leek zij als twee druppels op Catherine Zeta-Jones.

Ik geef het toe, filmsterren uit Hollywood zijn de mooiste vrouwen ter wereld, dacht de commissaris.

'Catherine Zeta-Jones draait een formidabele tong,' fluisterde Michèle. 'Zij tongzoent Antonio Banderas in *Zorro* en Brad Pitt in *Ocean's Twelve*.'

'Zwijg me daarover, ik wil Antonio Banderas en Brad Pitt eender wanneer een tong draaien,' zei de tweede assistent van de filmregisseur.

'In *Zorro*? Of in *Ocean's Twelve*?'

'Maakt mij niet uit.'

'Arnold Schwarzenegger draait de beste tong in heel Hollywood,' zei Michèle.

'CUT!' riep de filmregisseur.

'Ik ben niet tevreden,' zei de productiemanager.

'Het verhaal moet strakker,' zei de regieassistent.

'Maak je geen zorgen. Wat niet goed is, doen we opnieuw,' zei de filmregisseur.

Dalí stapte uit het zicht van de camera. Met tientallen tegelijk stormden de filmtechnici naar het vissersdorpje van bordkarton en braken het in een mum van tijd af en maakten de set klaar voor een nieuw decor. De zon zakte achter de horizon. De crew mopperde en in sneltempo werden op een andere plaats spotlights neergepoot.

Enthousiaste reporters van de nieuwsagentschappen krabbelden hun notitieboekjes vol.

De productiemanager keek omhoog en speurde de hemel af.

'We halen het niet,' zei de tweede assistent van de filmregisseur.

Alle kleur trok weg uit de hemel.

'In plaats van drie close-ups doen we er slechts één,' zei de filmregisseur.

'Eén close-up volstaat,' zei de cameraman.

Hij richtte zijn camera op de acteurs.

'Worden alle films zo gemaakt?' vroeg de commissaris. 'Ik dacht dat het sprookjesachtiger zou zijn.'

Alsof het kraantjeswater was, nam de eerste assistent van de filmregisseur twee slokken van zijn chablis. 'Sprookjesachtig? Blah blah blah. Niks geen sprookje,' zei hij en leunde achterover. 'In een kostuumfilm is ieder detail belangrijk. Je mag niet zomaar een blikje soep op een keukenkast zetten—het moet het *juiste* merk soep zijn.'

'Is dit een film over *soep*?' vroeg de commissaris.

Het kabinet van de advocaat in de Avenue du Maréchal Foch, een brede boulevard met stijlvolle oude gebouwen met smeedijzeren balkons op de gevel aan de straatkant, zat geklemd tussen een Argentijns restaurant en een winkel die postkaarten, gedroogde zeesterren en snorkeluitrusting verkocht. De commissaris drukte op de bel. Binnen klepperde een klokje. Een massief eiken deur met metalen sloten en grendels en houten luiken vol antiek houtsnijwerk— gewoon rotzooi, in de ogen van de commissaris—leidde naar een binnenplaats met marmeren pilaren en een klaterende fontein. Op de binnenplaats hing de geur van Ambre Solaire, lookworst met veel look en weinig worst en *chipirones* of baby-inktvisjes gebakken in frituurolie. De commissaris beklom een houten trap naar de eerste verdieping. De trapleuning was gepolijst mahonie. Door een wijdopen dubbele deur belandde hij in een reusachtig kantoor met stenen kerkramen, een lambrisering van oud eiken en boekenkasten die tot het plafond vol oude boeken en eerste drukken staken. In het midden van de plankenvloer, op een zalmroze oosters tapijt, stond een moderne designlamp.

Een vrouw van achter in de dertig hield de commissaris tegen in de deuropening.

'*Vous désirez?*' vroeg zij.

—Wie zoek je?

'*J'aimerais voir Maître Tic-Tac.*'

—Ik wil Meester Tic-Tac spreken.

'*Il est occupé.*'

—Hij is bezig.

'*J'attends.*'

—Ik wacht.

'*De la part de qui?*'

—Wie zal ik aanmelden?

'Europol.'

Vous êtes un flic?'

—U bent van de politie?

'Ik ben verbindingsofficier bij Europol. Mijn mandaat als Inspecteur Eerste Klas geeft mij het recht in veertien landen in Europa op te treden.'

'Un instant...'

—Een ogenblikje...

Op de grote, zware conferentietafel—er stonden twee stoelen met gedraaide poten voor—lagen de juridische dossiers zo hoog opgestapeld, dat zij Meester Tic-Tac aan het zicht onttrokken. Zuchtend trok hij zich overeind uit een oude, versleten draaistoel van kastanjebruin leer en stak zijn hand uit. Een hartelijke man, midden vijftig, met slaperige ogen en een buikje. Zijn adem rook naar dure wijn. Hij zei dat hij net terugkwam van zijn lunchuurtje en een kwartiertje had geslapen in zijn draaistoel. Zijn hoofd was kaal, op enkele donkere krullen in het midden van zijn glanzende schedel na, alsof zijn schaamhaar op de verkeerde plaats groeide. Terwijl hij een handvol witte muntjes van het merk Tic-Tac in zijn open mond wipte en er smakkend op zoog—ineens begreep de commissaris waar hij zijn bijnaam aan dankte—trok hij zijn das naar beneden en knoopte de boord van zijn hemd los. Zijn jas hing over de rug van zijn stoel. Is dit allemaal echt? vroeg de commissaris zich af. Of wordt hier een komische opera opgevoerd? In zijn fleurige hawaïhemdje, in korte broek en op sandalen voelde hij zich niet op zijn plaats in het kabinet van de advocaat. Aan de muren van het kabinet hingen vergrote zwart-witfoto's in vergulde lijsten van de beroemdste filmsterren van het witte doek: Spencer Tracy vijftig jaar geleden als de Oude Man in *The Old Man and The Sea*, Jeff Chandler in *Broken Arrow* en Richard Widmark als Harry Fabian in *Night and the City*. Er waren meer zwart-witfoto's: John Wayne, Glenn Ford, Gary Cooper, Alan Ladd, Jack Palance. Helden uit mijn jeugd, dacht de commissaris. Op de conferentietafel stonden ingelijste diploma's van de Universiteit van Barcelona en de Sorbonne in Parijs.

De commissaris floot tussen zijn tanden.

Meester Tic-Tac haalde zijn schouders op en zei: 'Diploma's van mijn vader. Gelukkig kan ik ze gebruiken, wij hebben dezelfde voornaam. Ik ben nooit naar de Sorbonne geweest en één keer in de week rijd ik naar Barcelona voor een heerlijke maaltijd in Via Veneto, dat mijn favoriete restaurant is. Ik wist dat ik strafpleiter zou worden toen ik Gregory Peck aan het werk zag in *To Kill a Mockingbird*, maar om eerlijk te zijn, het kostte mij bloed, zweet en tranen om met de kleinste onderscheiding een diploma te behalen aan de Universiteit van Perpignan.'

De commissaris liet zich op een van de stoelen met gedraaide poten vallen.

Onder de tafel chambreerde een ontkurkte fles rode wijn.

'Waar kan ik je mee van dienst zijn, Inspecteur?' vroeg de advocaat.

'Ik zoek informatie over Francisco Pancho Villa. Als ik het goed begrijp is de dokter uit Zuid-Amerika uw cliënt,' zei de commissaris.

De advocaat zuchtte. 'Francisco Pancho Villa. Allemaal roddel en slecht nieuws,' zei hij.

'Is hij cliënt?'

'Arme man. De politie laat hem niet met rust.'

''Misschien staat hij bij iemand in het krijt.'

'De Mexicaan staat bij *mij* in het krijt, Inspecteur, voor veel geld. Ik verdedig hem nu twee maand, vanaf het ogenblik dat hij werd aangehouden en ondervraagd, wanneer was dat, negen, tien weken geleden. Sedertdien heeft hij me geen cent betaald, niets, *nada*, zilch, *ni una sola peseta*, maar that's life, neem ik aan.'

'Je loopt een financieel risico.'

'Het is een risico om geen risico te lopen, Inspecteur.'

'Toch laat je Francisco Pancho Villa niet vallen als cliënt?'

'Nee, Inspecteur. Waarom zou ik? In het leven moet je eerlijk zijn tegenover jezelf en *met* jezelf en de dingen doen waarvan je denkt dat ze gedaan moeten worden.'

'Dat begrijp ik niet.'

'Niets is wat het lijkt, Inspecteur. De politie maakt jacht op de verkeerde man. Jij zou dat moeten weten, als ervaren officier van politie. De stomme flikken van Perpignan doen mij ongelooflijk veel tijd verliezen. Geloof me, Francisco Pancho Villa is onschuldig. Je moet hem zien, hij lijkt op een paddenstoel met een kanjer van een pruik op zijn kale hoofd. Is zo'n man een seriemoordenaar? Nee, Inspecteur. Ik geef toe, de man is ijdel, maar de politie onderzocht zijn bestelwagen en vond niets: geen sperma, geen bloed, geen haar, geen DNA en geen vingerafdrukken van de slachtoffers.'

'De politie beweert dat Francisco Pancho Villa een zwerver is. Een schooier. Hoe zal hij ooit genoeg geld bijeenschrapen om zijn advocaat te betalen?'

'Ik maak mij geen zorgen. Hij hoeft mij niet *persoonlijk* te betalen. Zijn tijdelijke werkgever is mijn beste klant. Hij is ervan overtuigd dat Francisco Pancho Villa zo onschuldig is als Sneeuwwitje en draait in het slechtste geval op voor alle kosten.'

'Wie zegt dat Sneeuwwitje onschuldig was,' zei de commissaris. 'Zij had toch iets met de Zeven Dwergen—of vergis ik mij?'

De advocaat glimlachte. 'Nee, je vergist je niet,' zei hij.

'Waarom werd de Mexicaan opgepakt?'

De advocaat trok zijn wenkbrauwen op. 'Hij werd *verkeerdelijk* opgepakt. Iemand vond het verdacht dat hij de ochtend na de verdwijning van het tweede slachtoffer zijn bestelwagen uitwaste. Een forensisch onderzoek van de bestelwagen bracht inderdaad sporen van bloed aan het licht—zijn eigen bloed en bloed van onbekenden. Hij beweert dat hij geen scheerspiegel heeft en zich sneed bij het scheren. Best mogelijk. Bloedsporen op zijn kleren bleken sporen van dierlijk bloed. Heel logisch allemaal: toen hij zonder geld zat, werkte hij als hulpslager in de lokale vleesmarkt. Francisco Pancho Villa is arts van opleiding, Inspecteur, hij is niet bang van bloed. Enfin, het politie-onderzoek stotterde voort. Er werd een hypnotiseur bij gehaald, zonder resultaat. Mijn cliënt heeft recht op een schadeloosstelling. Als de politie niet betaalt, breng ik de zaak voor de rechtbank. Weet je, mijn cliënt is een geval apart. Hij woont alleen. Hij zwerft door de straten van Perpignan. Af en toe stopt hij om met jongens en meisjes te kletsen. Hij brengt de nacht door in zijn smerige bestelwagen die vol kleren ligt en waarvan de ramen met kranten zijn dichtgeplakt. Om te voorzien in zijn onderhoud, neemt hij de ongewoonste jobs aan: buitenwipper in een disco, butler op een kasteel, fruitplukker in het seizoen, hulpslager, tuinman... Hij heeft geen alibi voor de moord op Lorraine Pérès en Jennifer Adiou, maar toen het tweede meisje werd vermoord—Francine Zola, een pareltje, Inspecteur, een schoonheid met een tatoeage van een duivel op haar kont—zat mijn cliënt voor een diefstalletje van niemendal in de gevangenis.'

'Welke reden geeft de Mexicaan voor zijn verblijf in Frankrijk?'

'Hij zegt dat hij het zelf niet weet. Dat blijft eeuwig een mysterie,' zei de advocaat.

'Mysteries bestaan niet voor de politie,' antwoordde de commissaris. 'Voor de politie bestaan alleen misdaden en misdadigers. De rest is van geen tel.'

'Ik heb een knotsgek ideetje, Inspecteur,' zei de advocaat. 'We zouden dringend een scanner moeten uitvinden waarmee we in de hersenen van een misdadiger kijken, net zoals we de donkere hoeken van een grot verlichten met een fakkel of een looplamp. Misschien kunnen we met zo'n scanner zijn gedachten lezen en ingrijpen voor de misdadiger afdwaalt naar het slechte pad.'

'Als uw scanner werkelijkheid wordt, heeft geen enkele advocaat nog klanten,' zei de commissaris.

Meester Tic-Tac lachte schaapachtig. Hij stopte de kop van zijn pijp vol tabak en zoog de brand in de tabak en pufte de rook tussen de spleten van zijn bruine tanden. De rookwolkjes kwamen er in schokjes uit, zoals bij een motor die slecht start. Met een plat Catalaans accent riep hij zijn secretaresse en vroeg om een espresso en bestudeerde de nagels van zijn vingers, en toen de secretaresse na enkele minuten de espresso bracht, op een schoteltje met suiker en een koekje, stootte hij per ongeluk het kopje om en morste de helft in zijn schoot. De secretaresse slaakte een kreetje en bette de espresso op met een gesteven zakdoek die zij uitwrong in het schoteltje.

'Ook een espresso, Inspecteur?' vroeg zij.

'Nee, dank je, liever niet.'

Stel dat ik een beetje mors, dacht hij, wat dan?

Ik zie haar komen, met haar zakdoek.

'Een glas limonade? Of koude thee?'

'Nee nee, dank je, ik heb geen dorst.'

'Geen kwaad woord over de slachtoffers, Inspecteur, maar zij waren geen lieve engeltjes,' zei de advocaat. 'Lorraine Pérès was verslaafd aan XTC en slikte pilletjes alsof het aspirine was. Zij had een affaire met een drugsdealer. De familie van Francine Zola is trouw aan de islam, maar het arme meisje dronk goedkope wijn en rookte Franse sigaretten en droeg leren jasjes. Misschien is Al Qaida verantwoordelijk voor haar dood. Het was bitter koud, de nacht van haar verdwijning. Zij nam altijd dezelfde weg langs de flatgebouwen in de smalle Rue Courteline tot aan het station. Ongeveer halfweg moet zij de Avenue Julien Panchot zijn overgestoken waar lifters aan autostop doen. Misschien reed zij met iemand mee. In elk geval, niemand heeft haar levend teruggezien.'

'Werd zij verkracht?'

'Is dat van belang, Inspecteur?'

'Ik wil alles weten—het beste en het slechtste.'

'Heb je de politiedossiers gelezen?'

'Heu... ja.'

Had ik geen tijd voor, maar dat hoef jij niet te weten, dacht de commissaris.

De advocaat dronk het bodempje espresso uit. 'Ja, zij werd verkracht. Haar geslachtsdelen werden geamputeerd en zij overleed na een steekwonde in het hart. Misschien was het een rituele moord of een duivelsmoord. Toen verdween vlak bij het station het volgende jonge, mooie meisje met lang bruin haar. Jennifer Adiou, het derde slachtoffer. Het leek of haar borsten er met een bijl waren afgehakt en haar aars was vakkundig met een scalpel uit het kontje gesneden.'

'Volgens de politie komen de verminkingen overeen met afbeeldingen op sommige schilderijen van Dalí,' zei de commissaris.

'Dalí is de moordenaar niet. Toegegeven, Inspecteur, hij was een kunstenaar met een moordverbeelding, maar Dalí is dood,' zei de advocaat. 'Als je de politiedossiers aandachtig bestudeert, kom je tot één conclusie: de zogenoemde Dalí-moordenaar is een blanke man van Europese afkomst, tussen dertig en veertig jaar, zonder crimineel verleden, charmant, aantrekkelijk, smaakvol gekleed en welopgevoed. Dat is ook het profiel van Hannibal Lecter, Inspecteur, en Hannibal Lecter—het spijt me—bestaat alleen op het witte doek in *The Silence of the Lambs* en in de boekjes. Hannibal Lecter bestaat niet in het echt. Zegt de naam Thomas de Quincey u iets, Inspecteur?'

'Huh... nee... niet echt... niet dat ik weet.'

'Thomas de Quincey schreef een opstel over moord...'

'Nooit van gehoord.'

'... in 1827 of zo.'

'Lang geleden. Da's oud vuil,' zei de commissaris.

'Inderdaad, Inspecteur, lang geleden, geef ik grif toe. Shakespeare is ook oud vuil en toch worden zijn toneelstukken over de hele wereld opgevoerd.'

'Ik ben geen expert in Shakespeare,' zei de commissaris.

'Wie wel, Inspecteur, wie wel? Vandaag zijn de mensen vertrouwd met de strapatsen van Paris Hilton en Lindsay Lohan, om er twee te noemen, maar heeft iemand Paris Hilton en Lindsey Lohan ooit in een toneelstuk of een serieuze film gezien? Ik heb mijn twijfels, Inspecteur. Hun naam staat gegrift in ons geheugen maar druk je op het juiste knopje, dan zie je gewoon een maagdelijk wit blad. Vergeet Lindsay Lohan, Inspecteur. Vergeet Paris Hilton. Tracht je in te leven in de wereld van Shakespeare en Thomas de Quincey. Wat laatstgenoemde betreft, je moet zijn opstel over moord echt lezen.'

'Uit 1827 of zo. Da's echt opgewarmde kost.'

'Het opstel werd een paar eeuwen geleden op papier gezet, toen er geen sprake was van film of TV, maar filosofie en moord zijn van alle tijden, Inspecteur, en Thomas de Quincey leest vandaag even vlot en is even modern als twee eeuwen geleden. Het spreekwoord zegt: Hoe ouder de viool, hoe mooier de muziek.'

'Waar vind ik het opstel?'

'Op het internet, zonder twijfel.'

'Renaudot—je kent Renaudot, neem ik aan?—stelt een aanhoudingsbevel op voor uw cliënt,' zei de commissaris. 'Hij zegt dat uw cliënt zich schuldig maakt aan vruchtafdrijving. Dat is een ernstige beschuldiging, waarop gevangenisstraf staat.'

De advocaat blies rookwolkjes in de lucht en vouwde zijn handen. 'Renaudot is van lotje getikt,' zei hij. 'Een uitstekend politieman en toch van lotje getikt. Hij zou beter zwijgen. Mijn cliënt is dokter van beroep. In plaats van in een dokterskabinet oefent hij zijn beroep uit in de laadbak van een bestelwagen. Wat is daar mis mee? Hij is geen heilige—wie wel?—maar bestempel hem alsjeblieft niet als de plaatselijke zwakzinnige. Hij stopt de foetussen niet in de microgolf en draait ze niet in de soep. In dit land is vruchtafdrijving niet tegen de wet, Inspecteur, het is hier geen misdrijf. Ik ben niet bij de politie, gelukkig maar, ik ben raadsman, een goede raadsman, al zeg ik het zelf. Een goede raadsman *ruikt* het wanneer een cliënt naast de kwestie praat of liegt—net zoals een goede politieman, is het niet? Francisco Pancho Villa heeft nooit tegen mij gelogen. Een opsporingsbevel is niet nodig, wij weten waar wij hem kunnen vinden. Het is niet mijn job om de seriemoordenaar te vinden, Inspecteur. Het is mijn job om te bewijzen dat mijn cliënt niets met deze bizarre moorden te maken heeft en daar heb ik mijn handen mee vol, neem dat van mij aan. Een zwerver houdt zich niet aan afspraken, Inspecteur. Hij heeft geen agenda, zelfs geen horloge. Waarom heeft een zwerver een horloge nodig? Hij eet wanneer hij honger heeft en slaapt wanneer hij zich slaperig voelt. Mijn cliënt is overal en nergens. Neem van mij aan, Inspecteur, dat een levenslange gevangenisstraf hem niet afschrikt—geen benzine kopen, geen huishuur betalen, gedaan met dure supermarktrekeningen en dokter, tandarts en al de rest gratis—maar dat betekent niet dat hij een seriemoordenaar is, en indien hij er toch een zou zijn, dan ben ik George Clooney en zeg nu zelf, lijk ik op George Clooney? Overigens—wat mij betreft is de cirkel van mijn leven rond. In *To Kill a Mockingbird* verdedigt Gregory Peck als dorpsadvocaat een neger die valselijk wordt beschuldigd van verkrachting. Als dorpsadvocaat verdedig ik een Mexicaan die valselijk wordt verdacht van seriemoord. Wat vind je van mijn filmsterren, Inspecteur?'

Wat een vreemde man, dacht de commissaris, binnen dezelfde seconde brengt hij het gesprek van abortus op George Clooney en op zijn ingelijste filmsterren aan de muur.

'Geloof het of niet, Meester, lang geleden droomde zelfs ik ervan om filmster te worden,' antwoordde hij. 'Dat was nadat ik in onze plaatselijke bioscoop *Blackboard Jungle* had gezien, met Glenn Ford in de hoofdrol. In die tijd hadden alle films een eigen Vlaamse titel. Ik herinner mij de Vlaamse titel van Blackboard Jungle alsof het gisteren was: *De kiem van het geweld*. Glenn Ford was mijn grote voorbeeld. Hij leek op mijn vader.'

'*Blackboard Jungle*. Schitterende film met een schitterende acteur,' zei de advocaat.

'Wie? Mijn vader?'

'Nee, Glenn Ford.'

'Praten wij over film...?'

'Waarom niet?'

' ... of is seriemoord ons onderwerp van gesprek?'

'Ik zie geen verschil, Inspecteur. Jij wel?'

'Hollywood werkt in Perpignan aan een film over Dalí...' zei de commissaris.

'Niet alleen in Perpignan,' grinnikte de advocaat. Hij keek op zijn horloge en wreef met zijn wijsvinger over zijn gepolijste conferentietafel. 'De hele crew verhuist naar Barcelona voor een opname achter gesloten deuren: een theekransje, een orgie of noem het Dalí's beroemde circus van de seks. We zijn voorzichtig, anders krijgt de film het etiket 'Kinderen Niet Toegelaten' en is hij verboden voor iedereen onder zeventien jaar. 'Kinderen Niet Toegelaten' is de doodsteek voor een film. Dan denken de mensen dat het *porno* is en maakt geen enkele krant of radiozender of televisiestation er reclame voor. Na Barcelona vliegt de hele retteketet naar een filmstudio in Los Angeles. Slechts een klein stukje van de film wordt hier ter plaatse gefilmd, Inspecteur, anders swingen de kosten de pan uit en betaalt de producer niet *een* maar *twee* crews, een in Europa en een in Amerika.'

'Je bent goed op de hoogte van de ins en outs van de filmbusiness,' zei de commissaris.

'Dank je, Inspecteur. Ik ben *beroepshalve* op de hoogte. Ik ben ook de raadsman van Windows Entertainment in Europa. Windows Entertainment is de productiemaatschappij achter de Dalí-film. Ik ben aangesteld als revisor van de boekhouding en wat plaatselijke onkosten en uitgaven betreft, hou ik zoveel mogelijk de vinger op de knip. Deze film wordt een klapper, Inspecteur. Ik ruik een Oscar.'

'Wordt in het Dalí Museum in Figueres gefilmd?'

'Wij hebben niet om samenwerking gevraagd. Wij weten dat het museum niet *wil* samenwerken. Op de keper beschouwd is dit een film over valse schilderijen van Dalí. Als decor hebben wij geen *echte* maar *valse* schilderijen nodig en die hangen bij mijn weten niet in het museum. Sommige Catalanen kijken een beetje vies naar deze film. In Spanje, bedoel ik. Hoewel het scenario is geschreven met het oog op verfilming ter plaatse, hebben zij liever niet dat in Catalonië wordt gefilmd. Politiek was Dalí zo rechts als de pest en zijn schilderijen zijn geestelijke porno maar in Catalonië is hij een nationale held.'

'Ben jij Sigmund Freud—of wat?' vroeg de commissaris.

'Was Sigmund Freud zo rechts als de pest?' vroeg de advocaat lachend.

'Is het een probleem voor de film dat je niet in de geboorteplaats van Dalí filmt?' vroeg de commissaris.

'Johnny Depp filmde From Hell over Jack de Ripper in Praag in plaats van in London en geen mens merkte het verschil.'

'Zeg mij eens, Meester, vanwaar komt uw fascinatie voor film?'

De advocaat trok de schouders op. 'Film is altijd mijn grote liefde geweest,' zei hij. 'Ik werk voor Twentieth Century Fox. Mijn leven staat in het teken van showbusiness. Indien ik ervoor zorg dat Europese films hun financiering rond krijgen, staat mijn naam op de aftiteling als uitvoerend producer. Een van mijn cliënten als showbusinessadvocaat is Milos Forman, die Amadeus en One Flew Over the Cuckoo's Nest heeft gedraaid. Ik zocht hem op in zijn hotel, tien uur in de ochtend, en hij nuttigde een ontbijt van bruin brood met gestoofde kool en Tsjechisch bier. Heb je Amadeus gezien, Inspecteur? Je hoeft niet van Mozart te houden om het een schitterende film te vinden. Hout afkloppen, maar ik vermoed dat je van deze film zal houden, zelfs al weet je niks nul komma nul over Salvador Dalí. Zijn lange haar, zijn priemende ogen en zijn beroemde snor zijn internationaal even bekend als Hitler, Hitchcock, Mickey Mouse of Ghandi met zijn kale kop en flaporen. Iedereen kent Dalí, in de hele wereld. Zijn naam is zijn handelsmerk, zoals bij Coca-Cola en McDonald's. Als kunst trekken zijn erotische fantasieën op niks, maar ze zijn goud waard als commerciële rotzooi.'

Uit een kamertje vlakbij klonk het eentonig *plink-plink* van de secretaresse die op een oude schrijfmachine tikte.

'Wil je nu een kopje koffie, Inspecteur?' vroeg zij.

'Latte? Espresso? Cappuccino?' zei de advocaat.

'Espresso. Zwart, zonder melk, zonder suiker,' zei de commissaris.

Hij zweette onder zijn oksels.

De advocaat balde zijn vuisten. 'In het politiedossier las ik de analyse van een aantal kunstkenners,' zei hij en tikte nerveus met een bril op de conferentietafel. 'De politie zoekt alles—echt *alles*—over de moordschilderijen van Dalí. Zijn de schilderijen een blauwdruk van de moorden of zijn de moorden een blauwdruk van de schilderijen? Moeten we de seriemoordenaar in het filmmilieu zoeken? Misschien—maar misschien ook niet. We zullen het nooit weten. Seriemoord is een fenomeen van alle tijden, Inspecteur, en film geeft de geest van deze tijd weer, maar de politie weet beter dan ik dat een seriemoordenaar geen film nodig heeft om toe te slaan. Voor een seriemoordenaar speelt het geen rol of zijn slachtoffer een preutse lellebel is of een maagd met een chador in de hoerenbuurt van Perpignan. Hij slaat toe, zo eenvoudig is het, en we weten nooit van tevoren waar en wanneer. Een seriemoordenaar denkt niet zoals jij en ik en nooit zullen we weten *hoe* hij denkt.'

'Zelfs God weet dat niet.'

Meester Tic-Tac rekte zich uit.

Nu komt het, dacht de commissaris.

'In veel films, vooral in thrillers, bestaat zoiets als de Mac-Guffin,' zei de advocaat. 'De term is van Alfred Hitchcock en verwijst naar iets of iemand die op een dood moment in de film het verhaal van de ene scène naar de volgende stuwt. Het is gewoon een gimmick om zonder problemen het einde van de film te halen. Om het onderzoek naar de seriemoordenaar op het goede spoor te krijgen, Inspecteur, vrees ik dat je een MacGuffin nodig hebt.'

'Ik ben van de oude stempel. Ik heb een klavertjevier nodig,' zei de commissaris.

De advocaat kronkelde zich uit zijn draaistoel en liep rond de conferentietafel en schudde zonder ophouden de hand van de commissaris, met gebogen hoofd, alsof hij in bewondering stond voor zijn dure en perfect gepoetste schoenen.

'Wat doe je morgen, Inspecteur?' vroeg hij. 'Windows Entertainment geeft een kleine party in de tuin van het Flamingo Park Hotel, om de laatste draaidag in Perpignan te vieren. Begint op het middaguur. Je bent van harte welkom.'

De commissaris schoof zijn stoel achteruit. 'Zul jij er zijn?' vroeg hij.

'Dat is de bedoeling.'

'Kan ik mijn tijdelijke assistent meebrengen?'

'Wie mag dat zijn?'

'Paco Banana. De jongen is gek op computers. Ik heb hem vandaag voor het eerst ontmoet, op het politiekantoor.'

'Paco wordt je rechterhand?'

De commissaris knikte.

'Uitstekende kracht,' zei de advocaat.

'Is er een kledingvoorschrift voor de tuinparty?' vroeg de commissaris.

'Geen das, geen vlinderdas...'

'Er zit geen kostuum in mijn reiskoffer,' lachte de commissaris.

' ... en sandalen evenmin, Inspecteur, het spijt me.'

De commissaris keek naar zijn voeten en merkte dat zijn tenen door zijn sokken staken.

De Filmacteur wachtte uren in de schaduw. In de hitte van de late namiddag zweette hij uit al zijn poriën. Hij was zoals steeds gekleed in zwarte verkreukelde kleren waarvan het leek dat zij overschotjes waren van het Leger des Heils maar die in werkelijkheid de kleren waren die hij al veertien jaar droeg. Hij had niet de moeite genomen om zich te scheren. Stoppels van één dag bedekten zijn kin en wangen. Zijn haar was ongekamd. Met zijn vingers harkte hij het achteruit. Ik maakte een fout, dacht hij, ik was niet zorgvuldig, het spijt me, het zal niet meer gebeuren. Hij trok zijn revolver vanachter zijn broeksband op de manier van Tony Montana in *Scarface* en hield zijn adem in terwijl hij in stilte tot tien telde. De revolver was een .38 Smith & Wesson met het vertrouwde merkteken S&W op een loop van zes centimeter, waardoor hij het wapen snel kon trekken zonder dat het aan zijn kleren bleef haken. Zes schoten na elkaar, zonder herladen. Een schot is een schot is een schot—lawaai, pijn, bloed en dood—en ieder schot klinkt hetzelfde. De Filmacteur was niet groot van gestalte. Hij was klein en donker en slank en heel beweeglijk. Dankzij gekleurde contactlenzen had hij donkere, bruine ogen, die gloeiden van koorts wanneer hij zich kwaad maakte. Hij maakte zich niet kwaad. Hij voelde zich goed en gelukkig. Het was uitstekend schietweer. De aders in zijn hals zwollen van spanning.

Hier houdt de oude clochard halt, dacht hij, precies op deze plaats. Eerst schijt hij in een hoekje en pist zoals iedere dag behalve op zondag in een van de plasbakken en daarna wast hij zijn kont aan de fontein.

De zachte, warme hemel tintelde van genot. Er stond een heldere avondzon. De opkomende mist was verdwenen achter de bergen in de verte. Aan het einde van de straat werden sinaasappelen en watermeloenen verkocht aan een kar op wielen. Een man met lang wit haar verkocht groene parkieten en een andere man in een witte stofjas offreerde een zelfgemaakte liefdesappel op een stokje aan een oude vrouw die net zoals de Filmacteur van onder tot boven in 't zwart was gekleed.

'*Gracias, Monsieur,*' zei de oude vrouw half in het Frans en half in het Spaans.

'*De nada, Madame.*'

Graag gedaan, Mevrouw.

Als de natuur roept, gehoorzaamt het lichaam. De oude clochard moest dringend plassen. Niet binnen een halfuur, niet binnen tien minuten, hij moest nu plassen, nu onmiddellijk, op de kasseien op de binnenplaats van het museum. Hij dronk een slok goedkope wijn, lachte zijn tandeloze mond bloot—met zijn mond wijd open—en liet de lege fles in zijn supermarktwagentje vallen. Het slordige plakkaat met de tekst IK HEB HONGER. EEN BEETJE KLEINGELD AUB bengelde nog steeds rond zijn hals, hoewel hij helemaal geen honger had. Zijn kleren hingen erbij in rafels en lompen en zijn grote voeten staken in zeer oude, zeer afgeleefde pantoffels die hij uit een vuilnisbak had opgevist. De handgemaakte krokodillenleren schoenen had hij omgeruild voor een literfles goedkope landwijn. Hij neuriede een oude hit van de Bee Gees die allang uit de mode was en achter zijn supermarktwagentje met het afval en bric-à-brac van de welvaartsmaatschappij strompelde hij naar de openbare toiletten.

Hij komt, dacht de Filmacteur.

Het blauwzwarte wapen lag losjes in zijn hand. Hij kromde zijn vinger om de trekker.

De oude clochard likte aan zijn nicotinevingers. Hij kneep zijn ogen tot smalle spleten en zei met barse stem: 'Hé daar... Ik ken je. Ik HERKEN JE! Dacht ik het niet... jij bent... Dustin Hoffman! Wat doe jij hier?'

De Filmacteur schudde het hoofd en zei kortaf: 'Dustin Hoffman is ouder én kleiner dan ik.'

Iedereen vertelde hem dat hij als twee druppels op Dustin Hoffman uit *Midnight Cowboy* en *Dog Day Afternoon* leek, hoewel hij van zichzelf vond dat hij helemaal niet op Dustin Hoffman geleek. Trouwens, Hoffman speelde niet eens mee in *Dog Day Afternoon*. De dreumes van een duim hoog die in de film op klaarlichte dag een bank berooft is niet Dustin Hoffman maar Al Pacino.

Ik ben die zever-van-mijn-kloten over films en filmsterren spuugzat, dacht hij.

Natuurlijk, hij had *Dog Day Afternoon* op TV gezien, jaren geleden, misschien zelfs twee keer, maar hij herinnerde zich alleen dat Pacino een beetje onnozel deed en ATTICA! ATTICA! ATTICA! ATTICA! riep terwijl de mensen op straat uit de bol gingen van vreugde. Wat is Attica, in godsnaam? Een gekkenhuis? De Muppet Show? Een nieuwe smaak van roomijs? Hoffman heeft ook een grote neus, da's waar, en bruine ogen, ook waar, maar hij is geen mooie jongen zoals Pacino en nooit in zijn leven heeft hij een bank gekraakt voor geld, want geld is geen probleem, echt niet, hij zwemt in het geld, waarom zou hij een bank kraken?

Het was bijna negen uur op de avond.

Op de achtergrond klonk zacht, zoemend verkeer en op de Place de la Loge tussen de bloemenstalletjes speelde een ouderwetse hippie een liedje van Beethoven op zijn kazoo. In de verte rommelde een zomerse storm met luid klappende donderslagen.

'Waar heb je dat ding voor nodig?' zei de oude clochard en wees met zijn vuile nicotinevinger naar de S&W. Hij had een kleine tatoeage op zijn bovenarm, van een vlinder met open vleugels en een lichaam als een doodshoofd.

De Filmacteur bracht zijn revolver in de aanslag. Hij

keek in de bange, slaperige ogen van de oude clochard—de bange, slaperige ogen van vee in het slachthuis—en sissend als een ratelslang haalde hij de trekker over.

'Jeeeeeezus Chriiiiiiistus!' riep de oude clochard.

—en alles spatte uiteen in een bonte knal van kleuren, rood en oranje en geel, de oude clochard voelde een verschroeiende pijn in zijn hoofd toen de eerste kogel links in zijn keel drong en zich een weg boorde naar de onderkant van zijn schedel en met een oorverdovende knal spatten zijn hersenen uit zijn hoofd en een geiser van bloed sprayde tegen de gezandstraalde muren van het oude gebouw. Eerlijk gezegd, een tweede kogel was voor niks nodig, na enkele seconden was de oude clochard zo goed als leeggebloed, maar omdat hij vijf kogels overhad, kon hij net zo goed zijn trommel leegschieten en de Filmacteur haalde opnieuw de trekker over, zonder met zijn ogen te knipperen. De tweede kogel verbrijzelde het kaaksbeen van de oude clochard, links van zijn neus boven de neusvleugel, en deed zijn tanden klapperen van schrik en een dikke vette donkerbruine straal spoot zoals in een vertraagde film uit zijn mond en zweefde als een wolk van kots en bloed en slijm boven zijn hoofd. Een wreed, duivels lachje krulde zich om de lippen van de Filmacteur. Geniet ervan, dacht hij. Geniet van elke seconde. Ja—het was misdadig. Ja—het was ziekelijk. Ja—waanzin, dat was het. Misdadige, ziekelijke waanzin—en toch, toch was het mooi. Vlees en bot en hersenpulp kleefden aan de stenen muren. Toen de derde kogel hem tussen de schouderbladen trof, flipflopte de oude clochard. Indien hij geleefd zou hebben, hij zou dezelfde pijn hebben gevoeld als wanneer iemand hem met een voorhamer op de borst had geslagen. Hij voelde geen pijn. Hij was niet meer van deze wereld. *Als een clochard sterft, staan er geen kometen aan de hemel;*

het is de hemel zelf die de dood van de prins eert. Shakespeare in *Julius Caesar.* Snel na elkaar ontploften drie schoten. De oude clochard viel traag en theatraal met zijn gelaat in de lange rij herentoiletten, smack in de goot voor de afvoer van urine, alsof hij een figurant was in *The Godfather*, en zijn bloed en hersenen gorgelden naar het riool van Perpignan.

De Filmacteur rukte een vod uit het supermarktwagentje en kuiste het bloed van zijn gelaat. Hij snoot zijn neus maar wat hij ook deed, de misselijke stank van het pissijn kreeg hij er de eerste twee, drie uur niet uit.

'De clochard ligt hier mooi,' zei de Filmacteur. 'Vreemd dat ik nooit eerder een dode *man* heb gezien. Vader natuurlijk, maar vader *sliep* gewoon. Hij was koud en stijf en sliep. Dat was ook mooi.'

Hij stapte over het dode lichaam en rommelde in het supermarktwagentje tot hij de plastic boodschappentas van Auchan vond—er zat een afgesneden hand in, met een mokkakleurige huid. De hand was in oude sokken gerold. Het was de rechterhand van Jenny Adiou, de mooie universiteitsstudente van Noord-Afrikaanse ouders die nooit was aangekomen in Collioure, waar zij in het weekend hotelkamers poetste—en met de boodschappentas onder de arm liep hij over de oude binnenplaats van het museum naar de Place de la Loge en mengde zich tussen toeristen en plaatselijke bewoners, die nietsvermoedend de laatste, aangename uren van de dag volmaakten, en wandelde onder de bomen tot aan het kanaal. Een acrobaat jongleerde met gekleurde ballen. Aan de brug over het kanaal keek hij over zijn schouder, eerst links, dan rechts, en knoopte de boodschappentas aan de trekker van zijn revolver en liet het zware pak in het donkere, onbeweeglijke water glijden en zag tevreden hoe de revolver en de boodschappentas met een plechtstatige werveling naar de bodem verdwenen. Onmiddellijk rukten karpers en brasems de tas open.

Enkele ogenblikken later zat de Filmacteur op een terras onder een gaanderij. Hij wenkte de kelner en bestelde champagne en strekte zijn benen. Nu pas voelde hij hoe moe hij was. Er zaten vijf, zes zuipschuiten in de bar op dat uur. Met de ogen knipperend staarden zij ingespannen naar een aantrekkelijke vrouw van misschien vijfentwintig jaar op een barkrukje aan het eind van de lange bar. Zij had mooie, hoge jukbeenderen, lange wimpers zoals een vrouwelijke kameel en sproeten op de brug van haar neus.

In de CD-speler zat een CD van Fleetwood Mac.

De kelner keerde terug met een fles gekoelde champagne—

'Ik trek een fles Dom Hoe-Heet-Hij-Ook-Alweer open,' zei hij.

'Heb je Brut Rosado van Perelada in huis?'

De kelner geloofde zijn oren niet. 'Brut Rosado is geen champagne maar cava—een simpel bubbelwijntje uit Catalonië,' zei hij. 'Je vroeg champagne. Dom Hoe-Heet-Hij-Ook-Alweer is echte champagne met de smaak van honing, de koning onder de champagnes. Catalaanse cava en andere bubbelwijn is rotzooi in vergelijking met Dom Hoe-Heet-Hij-Ook-Alweer.'

'Ik ben filmacteur. Ik blijf in mijn rol,' zei de Filmacteur. 'Een fles Brut Rosado graag.'

'Brut Rosado van Perelada was de lievelingsdrank van Dalí.'

'Precies daarom.'

De aantrekkelijke vrouw nipte aan een cognacglas. Zij was elegant gekleed in een korte, strakke rok en visnetpanty's en had lavendelkleurige ogen en kort, glanzend zwart haar, coupe Cleopatra met de kleur van middernacht. Haar parfum had een prettige, frisse geur.

Coco, van Chanel, dacht de Filmacteur.

'Hi, Al,' zei ze—*Al* zoals in Al Pacino.

De Filmacteur glimlachte.

'Ik heb al je films gezien,' zei ze.

'Echt waar?'

'De meeste zelfs tweemaal.'

'In de bioscoop en op TV?' vroeg de Filmacteur.

'Precies. Je was geweldig als Modigliani.'

De Filmacteur glimlachte en zei: 'Modigliani, dat was ik niet, liefje, dat was Andy Garcia. Toffe film, Parijs rond de eeuwwisseling, de romantische schilders uit die tijd, alles erop en eraan, maar de film was een flop.'

'Oh, dat vind ik zo spijtig. *Przepraszam.*'

'Maak je geen zorgen, de meeste mensen denken dat ik iemand anders ben,' zei de Filmacteur en keerde zich om en het was duidelijk dat hij niet de echte Al Pacino was.

Een van de zuipschuiten—een bouwvakker—luisterde aandachtig mee en wachtte het juiste moment af om zich in het gesprek te mengen. 'Andy klootzak Garcia is de half-broer van Pacino, dat zou jij moeten weten, driedubbel gedraaide steenezel!' gilde hij.

De bouwvakker was ongeschoren en zag er vies uit in een frommelige trainingsbroek en stoffige laarzen. Zijn haar was lang, vettig en achterover gekamd. Hij had de platte neus van een bokser of een straatvechter en droeg een vuil T-shirt met de tekst CREADO EN EL PEOR BAR-RIO DEL MUNDO in rode Spaanse letters. *Gemaakt in de slechtste buurt ter wereld* in schoon Vlaams. Zijn linkeroog zag blauw en was dichtgemept en de bovenste helft van zijn gelaat was gezwollen door de drank.

De Filmacteur knikte. 'Je hebt gelijk,' zei hij. 'In *The Godfather* III is Andy Garcia precies tweeënhalf uur de half-broer van Pacino.'

'The Godfather is een maffiakeutel,' zei een andere zuip-schuit.

'Pacino is oud,' zei de aantrekkelijke vrouw van vijfen-twintig. 'Jij bent jonger dan Pacino.'

'Allemaal make-up, liefje,' zei de Filmacteur. 'Pacino was vijftig jaar en werd geschminkt alsof hij er zestig was toen hij *The Godfather* III draaide. Nu is hij een eind in de zestig en wordt geschminkt zodat het lijkt alsof hij weer vijftig jaar is.'

Hij nam de druipnatte fles *Brut Rosado* uit de ijsemmer en keek er liefkozend naar.

'Drink je een glas mee, liefje?' vroeg hij.

—en de aantrekkelijke vrouw met veel make-up en veel schmink lachte bij het horen van het vertrouwde *poppp* en *whooshhh* van de kurk die door de lucht vloog. Het weer in het zuiden van Frankrijk dicht bij de Spaanse grens was aangenamer dan thuis in Polen, en wat de mannen be-treft—hun lul was korter dan thuis en hun zaadlozingen waren navenant, maar aan de andere kant zat er meer geld in de portefeuille van Franse en Spaanse mannen.

De Filmacteur bracht een toost uit. Zij nipten van de champagne.

'Op je gezondheid, liefje,' zei hij.

'Dziekuje—Dank je,' antwoordde zij in het Pools.

Zij tikten hun glazen tegen elkaar en de Filmacteur drukte een zoentje op haar vingers.

'Ik zal je iets vertellen. Wist jij dat de originele *coupe* voor champagne gemodelleerd is naar de tetten van Madame de Pompadour?' vroeg hij.

'Wie is Madame de Pompadour?' zei ze.

Hij zuchtte. 'Hoe heet je, liefje?'

'Isabella,' zei de Poolse vrouw. 'Vrienden noemen mij Sabella.'

'Sabella is mooi. Wat doe jij hier, Sabella?' vroeg de Film-acteur.

'Lach niet, ik acteer.'

'O ja... in welke film heb ik je gezien?'

'Ik deed t-t-t-televisie, t-t-t-thuis, v-v-v-vijf jaar gele-den.' Zij had een zachte, hese stem. Zij sprak geen perfect Frans en na één glas champagne—vergeet de cognac niet—struikelde zij over haar woorden.

Sabella keek over de rand van het glas naar de Filmac-teur. Het is aan hem om de eerste stap te zetten, dacht zij. Zij had mooie benen en maakte er dankbaar gebruik van. Haar gebeeldhouwde lichaam was in een korset gesnoerd om slanker te lijken. Zij stak een sigaret op. Gitanes Blon-des. Een Franse sigaret. Zij was verzot op Franse sigaret-ten. Hij schonk champagne in. Zij brachten de glazen aan hun lippen en hij zoende haar met zijn natte lippen en het leek of er hartjes waren getekend in de lucht, zoals in een tekenfilm, en de hartjes ontploften als ballonnetjes en deden *pop! pop! pop!* en hij zoende haar nog eens en nog eens.

'Je hebt een mooie mond, Sabella,' zei de Filmacteur.

Hij is een vogel voor de kat, dacht zij.

'*Dziekuje.* Weet ik.'

'Echt waar?'

'Ja. Ik verdien mijn brood met mijn mond.'

'O... hoezo? Zing je? Zit je in de reclame?'

'In de reclame? Nee, ik zing niet en zit niet in de recla-me. Ik werk in de afzuigindustrie. Mijn mond is ernaar gezet om mannen af te zuigen, gewoonlijk 's nachts. Ik ben een callgirl, makker. Ik doe geen sm en geen fistfucking en klaarkomen in mijn gelaat en seks met dieren is er ook niet bij.'

'Wat is sm?' vroeg de bouwvakker aan zijn makkers.

'Makkelijk, sm is de afkorting van smeerlapperij.'

Op dat ogenblik kantelde de vloer onder de Filmacteur. Zijn aders zwollen en plots stonden zijn armen vol kippenvel. Zijn tenen krulden in zijn schoenen en zijn tanden ratelden in zijn mond. Ik neem haar ziel tot mij, dacht hij. Ik eet haar hersenen in botersaus. Ik bijt erin zoals in de verboden vrucht. De haren in zijn hals kwamen overeind. Zijn gelaat kleurde paars en boosheid nam de overhand en hij stak zijn kin vooruit en perste zijn lippen op elkaar. Hier eindigt de lange jacht, dacht hij.

'Als je niet Andy Garcia bent en je bent Pacino niet, hoewel je verdomd goed op Garcia en Pacino lijkt, wat doe je dan voor de kost?' vroeg Sabella en zij vlijde zich dicht tegen de Filmacteur en blies de rook van haar sigaret in zijn gelaat.

Hij leunde voorover en zoende haar wang en ineens stak hij zijn tong in haar mond.

'Ik doe slechte dingen,' zei hij en staarde naar haar zilveren vingernagels. 'Voor de rest ben ik een goed mens. Ik hou van planten. Ik hou van dieren in de vrije natuur. Als kind kweekte ik schildpadden, kanaries en konijnen. Ik weet alles over rozen en wilde paddenstoelen en ik ken de naam van alle vogels in de Pyreneeën. Ik hou van alle bloemen en alle dieren.'

'Hou je ook van mensen?' vroeg Sabella.

'Mensen?' zei hij. 'Nee, waarom zou ik?'

Alles daarna ging zo snel, dat het in een zucht voorbij was. Zij reden naar een banlieue aan een kruispunt vlak bij de Middellandse Zee met vervallen flatgebouwen van dertien verdiepingen in een wijk berucht om kapotte liften, ratten, junkies, pederasten, uitgebrande auto's en een hoog misdaadcijfer. Stenen huizen tussen verlaten flatgebouwen lagen erbij als ruïnes, met gapende, lege ramen en roestige kettingsloten en ingezakte daken. Er waagde zich overdag geen enkele taxi. De buurt leek op een oorlogsgebied, met verloederde garages en vervallen magazijnen en dichtgetimmerde huizen die te koop stonden en overal—tussen stalen balken, steenslag en stortafval—lagen lijken van Noord-Afrikaanse vluchtelingen die hier waren aangespoeld nadat hun boot met man en muis was vergaan. Midden in de wijk, tussen vervallen flatgebouwen, was een multicultureel feest aan de gang met dans en muziek en exotische gerechten uit Afrika, Turkije, Latijns-Amerika en Sri Lanka. Daklozen hadden op straat een onderkomen gevonden en maakten een barbecue op een leeg olievat met de letters SHELL op de zijkant. Het gerucht deed de ronde dat de wijk zou worden ontruimd om plaats te maken voor een nieuw wooncomplex met gevangenisachtige flats voor de sukkels van deze wereld.

'Woon je in dit schijthuis?' vroeg Sabella.

'Hier ben ik geboren, dit was vroeger het centrum van de vleesverwerkende industrie,' zei de Filmacteur. 'Hier groeide ik op. Een schande, ik weet het, maar dit is mijn thuis. Vroeger was hier het Aards Paradijs.'

Zijn huis was een vierkant, fabriekachtig gebouw van een verdieping aan het eind van een stoffige zandweg en een oprit van witte kiezel. Voor de poort waarschuwde een bord dat het PRIVÉDOMEIN was en GEEN TOEGANG VOOR ONBEVOEGDEN. Tussen de bomen stond een tweede bord met de tekst *Private Weg—Eigen Risico*. Videocamera's en een gesloten televisiecircuit hingen aan betonnen palen in de vier hoeken van de ommuurde tuin. Het huis was uitgerust met een draadloos alarmsysteem. Op het grasperk regelde een tuinman de sprinklerkoppen en waterde zijn planten. De tuinman glimlachte en maakte een beleefde buiging. Hij was kort en gezet met stevige schouders en een gebronsd, verweerd gelaat en donker glanzend haar. Zijn haar was kunstmatig haar: het was een toupet die veel te groot was voor zijn kleine hoofd. Hij zag er Mexicaans uit of Spaans uit het diepe zuiden en droeg een groene overall op een jeanshemd en sandalen zonder sokken. Op de oprit stond een witte bestelwagen. Op het dak van de bestelwagen prijkte een geel licht met het woord TAXI in zwarte letters. Witte vlinders wervelden als sneeuwvlokjes rond exotische rozen en treurrozen en stokrozen in aarden potten, maar op de exotische rozen en de treurrozen en de stokrozen bloeide geen enkele bloem.

De ramen stonden wijd open. Sabella slaakte een diepe zucht. Zij had alle trucs uit haar seksuele trukendoos bovengehaald. Zonder resultaat. Hij wilde en deed zijn best—hoe lang? een uur? twee uur?—maar het lukte niet. Hij kon geen stijve krijgen. Zijn tong danste over haar naakte lichaam, urenlang, tot zijn tong even slap was als zijn penis. Dat folietje zou hem een pak geld kosten. Kan hem weinig schelen, dacht zij, hij zit er dik in en wordt er niet armer van. Reed in een dure auto. Woonde in een groot huis met vreemde, dromerige schilderijen. Dure auto en groot huis en schilderijen of geen schilderijen, zij werkte als callgirl en zou haar uren in rekening brengen. Zij lag naakt op haar rug op het grote bed, het driehoekje van haar kruis netjes getrimd en bijgeschoren, met de lakens op een hoopje tussen haar benen aan het voeteneind van het bed. Overal in de slaapkamer stonden spiegels. Aan het plafond hing een ventilator. De muur achter het bed werd ingenomen door een reusachtige poster uit de jaren zestig. Een aantrekkelijk jong koppel wandelt in het midden van een ondergesneeuwde straat. Geparkeerde auto's aan weerskanten van de straat. De jongeman houdt zijn hoofd schuin naar zijn vriendin. Bob Dylan in een dun jasje van suède. Hij stopt zijn handen diep in de zakken van zijn jeans tegen de kou. Het meisje glimlacht en vlijt zich tegen hem aan.

Sabella zocht haar zwarte panty met een zoom van rode kant. De panty lag onder het bed. Zij keek uit het raam naar een landschap als een postkaart. Aan de strandzijde van de straat, onder een glinsterende hemel, kleurde de Middellandse Zee groenig met een witte rand van opspattend schuim. Op het strand lagen plezierbootjes op trailers. Een vissersboot snokte langs de kustlijn. Meeuwen krijsten hun longen kapot. Sabella draaide haar hoofd naar rechts en zag hoge cipressen, wiegend op de zachte avondwind, en steile bergen die zich loom wentelden in de warme nacht. Het TV-toestel stond aan, zonder geluid. Met haar linkerhand speelde zij met de afstandsbediening, met haar wijsvinger op de knoppen, in de andere hand hield zij een aansteker. Zij zapte van kanaal naar kanaal en zocht haar sigaretten. De luie ventilator aan het plafond kreeg de warme lucht niet in beweging. Sabella luisterde naar een kanarie in een kooitje en naar het tsjirpen van krekels verder weg. De voet van de bergen kleurde paars. Zij staarde van de rusteloze zee naar de sterrenhemel. De vissersboot verdween uit haar gezichtsveld. De kamer geurde naar rozen en sigarettenrook en toen de Filmacteur in de deuropening stond, spiernaakt, zwetend als een rund, rolde zij op haar zij en glimlachte in het vale licht van het flikkerend televisiescherm.

'Zeg me dat ik goed ben in bed, Sabella,' zei hij.

'De beste,' zei Sabella.

'Dacht ik ook,' zei hij.

'Hoe heet je ook alweer?' vroeg zij.

'Alpa Chino,' zei hij.

Stomme naam, dacht zij.

'*Wat betekent een naam?*' zei de Filmacteur. '*Wat wij een roos noemen, zou met een andere naam even heerlijk ruiken.* Shakespeare. De balkonscène in *Romeo en Julia*. Alpa Chino is een betere Pacino dan Pacino ooit zal zijn en een betere Dalí dan Dalí ooit is geweest.'

Sabella begreep er niets van. 'Wie is Dalí?' vroeg zij.

'Zag je ons gisteren op TV? Na het nieuws? Pacino in de rol van Dalí? Ik ben Pacino's dubbelganger. Ik ben zijn handen en dus de handen van Dalí. Ik ben zijn rug. Soms ben ik zijn *kont*, haha-haha-haha.'

'Je bent stuntman?'

'Ik ben *dubbelganger*. Een stuntman doet stunts. Ik ben filmacteur. Ik acteer in een film. Ik ben de Alpa Chino van Al Pacino.'

'Wat is je *echte* naam? De naam waarmee je geboren bent?'

'Wat een vraag. Wie is daarin geïnteresseerd?'

'Je speelt mee in die Hollywood-film, is het niet, waarover in de krant werd geschreven? Het is geen grap, wat je daarnet zei, dat je filmacteur bent?'

'Ik lieg *nooit* en maak *nooit* grappen.'

'Zie je Pacino op de filmset—de *échte* Al Pacino?'

'Hij is een rukker,' zei de Filmacteur.

'*I love him.*'

'Lach mij niet uit, Sabella,' zei de Filmacteur en sperde zijn ogen wijd open van woede en razernij zoals een kater in het donker. 'Wie met mijn voeten speelt, leeft niet lang. BANG BANG! Ik ben Pacino in de film. Pacino is Dalí maar in werkelijkheid wordt de rol van Pacino door iedereen ingevuld die doet wat Pacino niet kan of wil doen. Gevaarlijke stunts, zijn broek laten zakken voor de camera. Er is één Dalí in deze film en er zijn veel Pacino's. Begrijp je mij, Sabella? Pacino past voor intieme, erotische liefdes-scènes. Oké, geen probleem, voor erotiek hebben we *neuk-dubbelgangers*. Dalí was een manische masturbeerder, van 's ochtends vroeg tot 's avonds laat. Pacino werd acht-maal voor een Oscar genomineerd. Stel je voor dat hij zich afrukt op het witte doek en klaarkomt in slow motion! Ondenkbaar. In geen miljoen jaren. Ik weet niet of er mas-turbatie in de film zit, Sabella, maar als iemand zich af-rukt, zal het niet de Godfather zijn die aan zijn lul trekt. De producer huurt een dubbelganger in—een *rukdubbel-ganger*—en die *rukdubbelganger* ben IK, Sabella. IK ben de *echte* Pacino. IK! IK! IK! Heb je dat goed begrepen?'

'Ik wil het niet weten. Waarom vertel je dit?'

'Omdat je 't niet verder zal vertellen, m'n liefje.'

'Hoe weet jij dat?'

'Ik ben ervan overtuigd.'

Vroeg in de ochtend. Donker buiten. Sabella luisterde naar het gefluister van sproeiwater op het grasperk. De echo van klaaglijke wereldmuziek uit Afrika, Turkije, Latijns-Amerika en Sri Lanka verdwaalde als een exotische song in de slaapkamer. Zij hoorde een vreemd geluid, vreemd, vreemd, een geluid dat zij niet kon thuisbrengen in het vreemde huis, en toen zij opkeek, sprong de Film-acteur als een schicht op haar af, zijn atletiekschoenen uit *88 Minutes* fluisterend over de vloer, precies zoals in de film, hij greep haar Cleopatra-kapsel en zette een mes tegen haar keel dat even groot en even scherp was als een samoeraizwaard en trok haar hoofd achterover en sneed in één vloeiende beweging haar hals door, ter hoogte van de halsslagader tot onder haar kin, en rozig, roodbruin, zwart bloed spoot uit haar keel en hij klemde het mes met twee handen boven zijn hoofd, zoals Anthony Perkins in

Psycho, het schijnsel van de maan flikkerde op het lemmet, in een uiterste krachtinspanning plofte en plofte en plofte hij het mes in het vlezige gedeelte tussen haar ribben naast haar borstbeen, centimeters van haar hart, en de spiegels in het grote, vreemde huis spatten vol roodbruine bloeddruppels die als bloedende tranen naar beneden gleden.

Zij kreeg de gelegenheid niet om vergiffenis te vragen.

Sabella siste en gorgelde in het Pools en liet tweemaal een Poolse wind, verlamd van angst en pijn. Alle oppervlakkige aders in haar lichaam waren doorgesneden en toch bleef de hoofdader bloed pompen naar de hersenen dat er schuimend langs haar mond uitkwam. Zij stak haar tong uit en stikte in haar eigen bloed en haar eigen speeksel in haar eigen keel. Bloed stroomde van haar lichaam op het bed op haar schoenen op de parketvloer onder het bed.

'Ken jij de vier woorden die in het Spaans het meest worden gebruikt, Sabella?' vroeg de Filmacteur.

Stilte. Geen antwoord.

'*Amor, dolor, sufrir, morir*,' zei hij.

Liefde, pijn, lijden, sterven.

Geen antwoord.

'Het worden nachtopnamen, Sabella,' zei hij.

De Filmacteur wrikte de afstandsbediening tussen haar vingers uit en zapte naar een sportkanaal en kwam op Al Jazeera en keek in de doodse stilte naar het laatste kwartier van een match tussen de nationale voetbalteams van Koeweit en Bahrein. Op wonderlijke wijze scoorde een plaatselijke speler een hattrick in de tweeëntachtigste, vierentachtigste en tweeënnegentigste minuut.

Ik ben bloed, dacht de Filmacteur, *Sanguis sum* in het Latijn.

De slaapkamer was gedrenkt in bloed, rozig bloed, rood-

bruin bloed, zwart bloed, bloed met de kleur van peper-
koek, van vloeibare stront—en plots, geheel onverwacht,
galmde Wagner's *Lohengrin* als een orkestrale mist door de
bloedkamer, pompeus en hoogdravend en heroïsch en
adembenemend mooi. De Filmacteur klampte zich vast
aan een dik boek met alle toneelstukken van Shakespeare.
Passages waren vet onderstreept. *De dood heeft mij lief. Ik verdedig mij, zelfs tegen zijn pesterige zeis,* uit *Antonius en Cleopatra.*
Hij keek naar Sabella en bewonderde de rijpheid van haar
lichaam. Opnieuw een zonde waar geen vergiffenis voor
bestaat, dacht hij. Zijn gedachten gleden weg. Hij leek
hopeloos, verloren, hij wendde zijn blik af, weg van zoveel
bloed, zijn ogen schoten vol tranen en hij bracht zijn handen voor zijn ogen en keek tussen zijn vingers naar het
donker buiten, naar het zwakke schijnsel van de maan en
de schaduwen van de palmbomen en de sterren boven de
Middellandse Zee, naar alles, alles tegelijk, en huilde hys-
terisch. Ik ben een moordmachine, herhaalde hij, keer op
keer, een eenmansmoordmachine, ik ben een moderne
Godfather. Ik ben Tony Montana, ik ben Satan-de-Dui-
vel. Ik doe wat ik doe. Ik kom tijd te kort—te kort—te
kort. Hij hijgde zwaar. Hijgen, hijgen. Tijd te kort—te
kort. De wereld stinkt, dacht hij, de wereld is een slagveld,
dacht hij, de wereld is rot—rot—rot, dacht hij en zijn hele
lichaam schokte onbedaarlijk. Zijn ogen waren gezwollen. Hij sperde zijn neusvleugels wijd open en hapte naar
adem, met een wild, woest, bonkend hart. Zijn gelaat was
nat van tranen—ijstranen, zoals gewoonlijk.

Hij sleepte het dode lichaam naar de koelkamer in de
kelder, waar alles intact was en even goed functioneerde
als in de tijd toen zijn vader de koelruimten had omgetoverd in een schrijn ter ere van Salvador Dalí.

'Geloof het of niet, Sabella,' fluisterde de Filmacteur, 'je sekspartner doden is de natuurlijkste zaak van de wereld. Spinnen doen het, sprinkhanen ook.'

Hij trok zijn valse bakkebaarden van zijn wangen.

Aan de lopende band, tussen karkassen van runderen en kalveren en schapen, ondersteboven zoals zandzakjes, ieder karkas een meter van elkaar, hingen mooi opgemaakte, perverse meisjes die hij in bordelen had bezocht sedert zijn vader hem had achtergelaten met een bloeiend vleesbedrijf en een grote zwarte leegte in zijn ziel die nooit zou genezen. Koude lucht wervelde als een windhoos tussen de karkassen. De Filmacteur legde het hoofd van Sabella in zijn schoot en stak een lepel in de ene en daarna in de andere oogkas. Twee ogen rolden als lavendelkleurige knikkers over de vloer. Hij haakte een vleeshaak in de vorm van een 'S' in haar aars en hing de haak aan een windas en trok de handgreep naar zich toe en de lopende band kwam zuchtend in beweging, waarna hij met een jankend geluid als een buitenboordmotor de dubbelbladige elektrische zaag voor het ontbenen en vierendelen van vlees opstartte, een zaag met twee ronde zaagschijven zoals bij een houtzaagmachine, en rolde het dode lichaam door de machine en zaagde haar middendoor in de lengte—geen bloed meer, Sabella was leeggebloed, enkel een spray van beenderstof die op stuifmeel leek—en legde de twee helften naast elkaar zoals nieuwe schoenen in een schoenendoos en rukte een deel van de ingewanden uit het lichaam—longen, milt, alvleesklier, de lever niet, die hield hij voor later, en ook het hart niet met de vette, witgele buis van de aorta, zoals de slurf van een olifant—en smeet ze in een vergaarbak die alles fijnhakte en vermaalde tot vloeibaar vlees dat via een transportband naar de worstenkamer werd geleid en in worstenvellen gepompt en gekookt en gedroogd om als hotdogs en Bi-Fi-worstjes en salami te worden verkocht en de rest van het menselijk afval, al het overschot, inclusief haar zilveren nagels en zwartgeverfd Cleopatra-kapsel, werd door de mangel gehaald en gekookt op hoge temperatuur tot kleine, stinkende schilfers die vacuüm werden verpakt en verkocht aan dierenvoedingfabrikanten. Zij maakten er op hun beurt kattenvoer en hondenkorrels van. *Laten wij offers brengen zonder slagers te zijn. Laten wij doden, onverschrokken, zonder woede.* Shakespeare in *Julius Caesar*. De Filmacteur stopte de lavendelkleurige ogen van Sabella in een glazen bokaal met vloeibare silicone en schreef haar naam op het deksel, in grote klassieke letters met krullen en kronkels aan het eind van iedere letter, en zette de bokaal in zijn koelkast, naast andere bokalen met andere lichaamsdelen, waaronder de linkerhand van Jenny Adiou met een diamanten ring aan de ringvinger.

Hij hijgde. Hij balde zijn vuisten. Aders zwollen in zijn hals en op zijn voorhoofd. Zijn droevige bruine ogen waren droeviger en bruiner dan ooit. Zijn bebloede vingers woelden zijn haar los en ineens stapte hij in zijn rol en sperde zijn ogen wijd open en rolde zijn rrr'en zoals in het Spaans, met lillende tong, en legde de nadruk op iedere lettergreep en wierp er Catalaanse klanken tussen, zoals Dalí, en orakelde over zichzelf in de derde persoon en riep—

'Dalí is volmaakt!' riep hij. 'Weerrr een jong, mooi meisje geofferrrd op het Altaarrr van de Kunst! Haarrr dood is het voorrrnaamste onderrrwerrrp van gesprrrek terrr werrrreld! Nooit krrrijgt de werrrreld genoeg van Dalí!'

Hij trok een muurkast open. Zij stond vol oude, roestige spraybussen. Hij zocht een container met zwarte verf uit en posteerde zich een halve meter van de reusachtige graffiti die wijlen zijn vader ter ere van Salvador Dalí in felle kleuren op de muur had geschilderd en drukte een vinger op het ventiel en sprayde in één vloeiende beweging een 'D' en een 'A' en een 'L' en ten slotte een 'I' dwars over de graffiti en zette een krachtig accent op de 'I' en trok een wilde streep onder de handtekening en tegelijk met zijn zwel-zwel-zwellende erectie kwam de muurschildering tot leven en maakten de nachtmerries van Dalí zich los uit de graffiti, eerst de sprinkhanen, dan de handen, afgehakte handen, en de schijtende ezels en brandende giraffen en uitgerukte tongen en rijmelende dichters en zwarte ratten—en toen, in het diepste donker van de nacht, met de dageraad in het verschiet, rukte de Filmacteur zich kronkelend en kreunend af, tot een monsterlijke kreet uit zijn keel omhoog schoot, zoals in een derderangsfilm, en een piepklein wolkje sperma met de geur van zure melk en de kleur van roereieren gulpte in de palm van zijn hand.

Mijn record, dacht de Filmacteur.

Morgen sta ik in het Guinness Book of World Records.

Hij droeg de teil met slachtafval uit het huis naar het lege olievat met de letters SHELL op de zijkant en smeet de glibberige organen in het smeulende vuur en de ingewanden krulden en sudderden in hun eigen vet en schroeiden aan de buitenzijde, zoals het vel van een gebraden kip, hij schraapte zijn keel, hoestte en viste een orgaan uit het vuur dat op een rubberen bal leek en knaagde erop, kauwde erop, knorrend van genoegen, knaagde, kauwde, hij was verlekkerd op de zoete, bedwelmende smaak die hij vergeleek met de smaak van struisvogelfilet, sappig, mals en *saignant*, en een geelgroene straal spoot uit de rubberbal en droop van zijn kin.

Dat smaakt... huh... vreemd... Wat zou het zijn? vroeg hij zich af.

'Shit!' zei hij onverstoorbaar.

Een zachte bries waaide over zee. De branding streelde het strand. De nacht was mooi en helder, met sterren en strepen en een scharlakenrode rand zoals op een abstract schilderij.

Alles was doodstil.

Alleen de zeemeeuwen miauwden als katjes.

Twaalf juli was een heerlijke, zonovergoten dag met een zachte, poederblauwe hemel. Perpignan schittert in de zomer (het kan er bitterkoud zijn in de winter). Een politieauto met het woord POLICE in witte letters op de portieren en het dak hield de wacht aan de ingang van het Flamingo Park Hotel, dat voor de gelegenheid was omgetoverd tot een klein Disneyland met een weelde aan zonnebloemen, witte camelia's, roze poinsettia's, trompetbloemen, siererwtjes en rode en gele lelies. Fans trachtten een glimp van de acteurs op te vangen en verdrongen zich achter langharige veiligheidsagenten met een .38 in een holster op hun heup. Overal liepen politieagenten undercover in geruit hemd en een halflange broek tot onder hun knieën. Een stoet vrachtwagens van de filmmaatschappij blokkeerde de parking en alle zijstraten. Zij waren geladen met elektriciteitskabels, rekwisieten, zandzakjes, camera's, het bordkartonnen vissersdorp en verlichtingsapparatuur. De commissaris had voor de gelegenheid zijn afgeleefde ribfluwelen broek aangetrokken en een wit T-shirt met de tekst HOLLYWOOD dat hij in een souvenirshop op Hollywood Boulevard had gekocht toen hij voor de eerste en enige keer op werkbezoek was in Los Angeles. In plaats van open sandalen droeg hij zijn nieuwe bruine Docksides. Paco Banana—buiten adem, dampend van het zweet—arriveerde ietsje te laat, op een skateboard, in een losse jeans waarvan het kruis tussen zijn enkels hing. In de bomen zaten fotografen die zonder ophouden foto's namen, hoewel er niets te beleven viel. Paparazzi in het wit trachtten in het hotel te komen door zich uit te geven voor keukenhulpje van de cateringmaatschappij. Geflankeerd door een dubbele rij citroen- en sinaasappelboompjes in kleipotten wandelden de commissaris en zijn 'tijdelijke assistent' over de rode loper door de lobby van het hotel naar de patio en de eucalyptustuin met zijn knoestige, eeuwenoude olijfbomen en heerlijke grasperken die straalden van geluk.

Iedereen was er, zelfs Madame Pipi-Kaka.

'Wie is Madame Pipi-Kaka?' vroeg Paco Banana.

'Een filmsnolletje dat tijdelijk de kost verdient als poetsvrouw. Zij kuist het toilet van de vedetten,' zei een klankman.

Een politiehelikopter bromde boven hun hoofd.

Het hartvormige zwembad glinsterde van de chloor. De eerste assistent van de filmregisseur spartelde tot aan zijn oksels in het water, zoals een zeeleeuw in het bad in de Zoo. Hij rookte een kanjer van een sigaar en werd vertroeteld door tien of twaalf filmsnolletjes. Gala keek er met afgrijzen naar en drapeerde een witte zijden foulard voor haar ogen. Haar kindersokjes waren ook wit en dat was heel charmant. Zij droeg groene schoenen en bruine oorringen van barnsteen die als nootjes aan haar oren bengelden en had een hoed op van bleek, groen stro met de kleur van vers hooi.

'Oh, wat een lieve sokjes!' zei Paco Banana.

'Ik ben zo blij dat je m'n sokjes mooi vindt,' zei de valse Catherine Zeta-Jones en staarde naar haar voeten.

De commissaris genoot van het stralende zonlicht op het middaguur.

'Heb je 't niet te WARM in je ribfluwelen broek?' vroeg

een kleedster. Zij sprak het woord in hoofdletters uit, alsof het de titel van een film was.

Een elegante en verlegen man met blauwe ogen in een ijsroomkleurig kostuum liet zich in een strandstoel vallen en deed zich smakkend te goed aan sandwiches met kaas en hesp en kreeftsla. Hij droeg zwarte sokken, witte schoenen van zeildoek en een gedeukte Indiana Joneshoed met een slappe rand die als een zonnescherm voor zijn ogen hing.

'Blijf niet te lang zitten, Charlie, als je lang zit, krijg je kreukels in je broek,' piepte zijn echtgenote. 'Als je toch blijft zitten, kruis dan je benen niet over elkaar.' Zelf was zij gekleed in een adembenemend crèmekleurig ensemble.

'Charlie is onze producer,' fluisterde de regieassistent eerbiedig. 'Hij is heel belangrijk in Hollywood. Charlie verkocht voor anderhalf miljard dollar zijn aandelen in een internetbedrijfje aan eBay. Hij verhuisde van Silicon Valley naar Hollywood en besloot films te maken. Volgens *Variety* is hij een man met toekomst. Hij is zo bijdehand dat hij acteurs zelf opbelt. Zal ik je een geheimpje verklappen? Hij woont in het huis, weet je nog, waar Quentin Tarantino *Pulp Fiction* filmde en Uma Thurman per ongeluk een overdosis opsnuift nadat zij een zak heroïne vindt en denkt dat het cocaïne is. John Travolta zit te schijten op 't WC en leest een boek.'

Het was een goed bewaard geheim dat de producer in zijn vrije tijd met behulp van lucifers schaalmodellen ineenknutselde van de Eiffeltoren, de Taj Mahal en het Atomium.

Een dienster met een forse boezem kwam met een dienblad met glazen uit de keuken en riep vrolijk: 'Martiiiiiiini voor iedereen! Wodka! Gin-tonic!'

'Er is ook Cinzano! Voor de vrouwen!' zei de producer grijnzend en zette een zonnebril met donkere spiegelglazen op zijn neus.

'Ik wil je iets vragen, voor we in de drank vliegen,' zei z'n echtgenote.

'Je mag me alleen iets vragen als ik niet verplicht ben om te antwoorden,' zei de producer en keek op zijn horloge.

'Wat zou je denken van een lekkere witte chardonnay fumé?' vroeg de dienster met de forse boezem.

Alleen het geklingel van ijsblokjes in glazen was hoorbaar.

De geur van kamperfoelie hing als parfum in de lucht. Het zou nog veertig minuten duren voor de zon op zijn hoogste punt zou staan.

Paco Banana nipte aan een droge Martini met twee olijven.

'Ik ben assistent van de kabeldragers,' zei een klein Joodje die zichzelf aan iedereen voorstelde en handen schudde.

'Wat is een kabeldrager?'

'Iemand die kabels draagt.'

Wéér een assistent, dacht de commissaris.

Twee veiligheidsagenten en een undercoveragent van dienst grabbelden een opdringerige fotograaf bij zijn nekvel en smeten hem met fototoestel en al in het zwembad. Voor hij in het water viel, leek hij op een schoolmeester in bruine blazer en grijze broek. Toen hij uit het water kwam, was hij een natte handdoek. Rond het zwembad en boven een dansvloer draaiden langzaam stroboscopische lampen en discoballen in het rond en zorgden met hun flikkerkleuren voor de ideale partystemming. Genodigden dansten cheek-to-cheek op muziek van Philippe Meyer en zijn Swing Band de France. Vijf saxofoons, vijf trombones, zes trompetten, een contrabas, een piano, een gitaar en drums, zoals altijd bij een swingband. Benny Goodman, Glenn Miller, Artie Shaw, het soort muziek dat zelfs op de Noordpool ijs doet smelten. Philippe Meyer was een dubbelganger van Elvis Costello. Een klodder slijmerig speeksel, zo wit als melk, droop van zijn kin, zoals bij alle saxofonisten. Hij veegde zijn mond af en oefende zijn vingers op de toetsen.

'Test, test, *intro* nummer drie,' zei hij.

De pianist streelde zachtjes zijn klavier.

De zangeres sloot haar ogen en beet in de microfoon.

'Klaar? Een twee drie,' zei de bandleader.

Hij knipte met zijn vingers en blies enkele luie noten.

Met de trommelstokjes losjes tussen zijn vingers ratelde de drummer op zijn trommels, *boombedeboom-boomboom*, alsof hij nooit anders had gedaan, *boombedeboom-boomboom*, en saxofonisten en trompettisten stonden op, staken hun instrument in de lucht, saxofoons links, trompetten rechts, en bliezen enkele noten die klonken als *doewadie-dididi-damdididoe* en gingen weer zitten en klopten het speeksel uit hun instrument.

Beleefd applaus.

'Ta-de-da-ta-POWWW!' zei de bandleader en stak triomfantelijk zijn vuist in de lucht.

Meester Tic-Tac en de filmregisseur waren in druk gesprek. Zij hadden het over astronomie en astrologie en andere onderwerpen die te hoog zijn gegrepen voor een normaal mens. De advocaat was gekleed in een onberispelijk pak. De filmregisseur daarentegen droeg een oud T-shirt van het leger met gaten op de schouders, een bruine hangbroek en flip-flops vol verfvlekken. Hij had zijn sombrero in zijn kamer gelaten en zijn kale schedel glansde in de zon.

'Toen *Schindler's List* in New York in première ging, zat ik tussen het publiek,' zei de filmregisseur. 'De film was ten einde en ik stapte op de roltrap naar beneden. De roltrap was een Schindler, gemaakt in Duitsland. Is dat geen toeval? Of is het noodlot? Dat zou ik graag weten.'

Meester Tic-Tac glimlachte en veegde met een mouw het zweet van zijn gelaat en kapte een gin-tonic achterover.

Figuranten, productieassistenten en stagiairs in maagdelijk wit maakten er op het tennisterrein een *partieplaisir* van toen de bal in een onwaarschijnlijke lus over het net krulde en met een klein pufje van rood stof binnen de achterlijn viel en terugkaatste en als een raket helemaal naar Roland Garros vloog. Onder een zonnetent speelde een assistent van de regieassistent een partijtje schaak met een veiligheidsagent. De lawaaierige samenscholing van kwetterende groene parkieten in de bomen van het park stoorde niemand.

De eerste assistent van de filmregisseur waggelde uit het zwembad en bestelde een Bloody Mary met een selderstengel.

Een dom blond dienstertje zei op verveelde toon: 'Wat is selder?'

'Alle drank op kosten van het huis!' riep de producer.

'Wie denkt dat films worden gemaakt dankzij de filmregisseur is niet goed bij zijn hoofd,' zei Meester Tic-Tac. 'Films worden gemaakt omdat boekhouders en advocaten *willen* dat films worden gemaakt.'

'Tja, met deze film schiet ik de hoofdvogel af,' zei de filmregisseur.

'Ik maak mij zorgen,' zei de producer. 'Er is te veel dialoog weggevallen die volgens mij opnieuw in de film moet, eventueel als voice-over.'

'Wat is voice-over?' vroeg het domme blonde dienstertje.

'Voice-over is een stem buiten beeld,' zei de producer. 'De stem geeft commentaar op het verhaal. Voice-over is filmtaal en helaas, poezeloesje, filmtaal is Engels.'

'Shakespeare gebruikte nooit voice-over,' zei de filmregisseur.

'Shakespeare is passé. Wie ligt er wakker van Shakespeare?' zei de producer.

'Ach, film is gewoon bedrog,' zei de filmregisseur. 'Wij filmen het huis van Dalí in een studio in Hollywood in plaats van bij Dalí thuis in Spanje en zelfs de verandering van de seizoenen bootsen wij in de studio kunstmatig na.'

'Er zitten veel grappen in de film, vooral over seks,' zei de producer. 'Het scenario is heel komisch. Ik was er meteen verliefd op. Het blijft een onwaarschijnlijk verhaal en Stan-de-Man is een schrijver uit de duizend. Deze film kan op het Filmfestival van Cannes in de prijzen vallen. Zeg nu zelf, als ooit één kunstenaar populair was, dan toch zeker Dalí? Als we winnen in Cannes, is ons broodje gebakken en zijn we binnen voor de regen.'

'Ik ben geen liefhebber van filmfestivals,' zei de filmregisseur.

'In principe heb je gelijk,' zei de producer. 'Aan de andere kant moeten we denken aan de internationale verkoop. We draaien geen kungfufilm die iedereen wil zien. Kom, ik beslis, we schrijven onze film in voor Cannes.'

'Ben je honderd procent voorstander?' vroeg de filmregisseur.

'Ik twijfel niet.'

'Dan hebben we iemand nodig die voor ondertiteling zorgt,' zei de eerste assistent van de filmregisseur. 'Dalí spreekt abracadabra zoals de elfen in de films van Harry Potter.'

'Ik ben tevreden over de film,' zei de producer. 'Er gaat

kracht van uit en er zit drama achter. Ik voelde het in mijn botten toen ik het script las en ik voel het in mijn botten tijdens de filmopnamen.'

Een tekenaar zat in het gras en schetste een portret van de valse Catherine Zeta-Jones. Zonlicht zorgde voor kleine gouden aureooltjes aan haar slapen. De aureooltjes leken op heiligenkransjes. Zij zat onbeweeglijk stil, met haar handen om haar knieën, en keek naar de bomen en de tennisspelers en lachte haar valse tanden bloot en keek vol bewondering naar een smash die niet zou misstaan tijdens het dubbelspel op Wimbledon. Twee uur. De middagzon was zo heet, zij brandde als een laserstraal. De valse Catherine Zeta-Jones zag er stralend uit, zoals gewoonlijk. Zij sloeg haar ogen neer op een ingestudeerde, theatrale manier, zoals zij dat op de filmschool had geleerd, en even leek het of zij echt genoot van het verrukkelijke, honingkleurige mediterrane licht en het gekwetter van de vogels in het park.

De tekenaar dankte haar en glimlachte schuchter.

'Zij is een beetje gek,' zei hij toen hij dacht dat niemand hem kon horen.

'Alle vedetten van de film zijn een beetje gek,' zei de kabeldrager.

'Zwijg mij over filmvedetten,' zuchtte de producer. 'Als wij filmen op locatie, zoals nu, hebben zij recht op een hotelkamer van duizend dollar per nacht plus drieduizend dollar zakgeld—cash! Met een stand-in en een aantal dubbelgangers stel je ze niet tevreden, zij eisen ook een persoonlijke fitnesstrainer, een chauffeur, een kok, een persoonlijke schminkster, een eigen kapper, een persoonlijke haarkleurder en—niet lachen, alsjeblieft—een persoonlijke butler, al was het maar om hun schoenen te poetsen. Allemaal reizen zij eerste klas, net zoals de vedette zelf, en slapen in dezelfde vijfsterrenhotels.'

'Pacino is geen filmvedette—hij is een legende,' zei de filmregisseur.

'Wanneer zou hij met pensioen gaan?'

'Een legende gaat niet met pensioen. Zijn ras sterft uit, zoals de dinosaurus uitsterft.'

Een flauw briesje temperde de hitte van de zon. Zakenmensen en financiers van de film—mannen met diepe zakken—waren in zo'n levendig gesprek met een aantal figuranten, dat zij geen oog hadden voor de schoonheid van de tuin en het park en de mensen.

'Het is hier kloteheet,' zei de producer. 'Ik krijg geen adem en kan niet denken. M'n hersenen smelten.'

'Kom Charlie, we gaan naar het strand,' zei z'n echtgenote met een flauw stemmetje.

'Waar is Al?' vroeg de filmregisseur en bedekte zijn kale schedel met de groene strohoed van de valse Catherine Zeta-Jones.

'Al is op zijn kamer. Hij bestudeert documentaires en oude TV-opnamen en kilometers filmjournaal uit de jaren vijftig en zestig. Hij wil authentiek overkomen op film en tracht uit te vissen hoe Dalí sprak, met wie hij sprak en waarover hij sprak, hoe hij stapte, hoe hij ging zitten en opstond, of dat nu in Parijs was, in New York of bij hem thuis in het vissersdorpje van Cadaqués. Een bodyguard trekt de wacht op voor zijn hotelkamer.'

'Wie is onze beste dubbelganger voor Pacino?' vroeg de producer.

'Pacino zelf,' zei de filmregisseur. 'Een betere Pacino dan Pacino is er niet.'

'Maak dat de directie van Paramount wijs,' zei de producer. 'Voor de rol van Michael Corleone in *The Godfather* aarzelde de filmstudio om met een beginneling in zee te gaan. De studio wenste een acteur met een stevige staat van dienst, iemand zoals Warren Beatty of Jack Nicholson. Zelfs Dustin Hoffman en Robert Redford kwamen in aanmerking. Misschien heb je gelijk, misschien is er geen betere Pacino dan Pacino, maar toch was het puur geluk dat Pacino de rol kreeg die hem in één klap wereldberoemd maakte.'

'Pacino die acteert, dat is hopeloze aanstellerij,' zei de kabeldrager.

'Hij flirt met de camera,' zei de filmregisseur, 'dat wil zeggen, hij speelt hetzelfde verschillende keren en iedere keer op een andere manier. Dat is grandioos en daarom is hij de beste.'

'Denk je dat er een Oscar in zit voor Pacino?'

'Wie weet. Een Oscar krijg je niet voor de film in zijn geheel, wel voor sterke, doorslaggevende scènes die over heel de wereld een gevoelige snaar raken. Misschien wordt dat de hotelscène in Barcelona.'

'Op internet gaat het gerucht dat Pacino een rolletje vertolkt in de volgende James Bond,' zei de producer. 'De rol van de slechterik aan het hoofd van een bende terroristen.'

'Salvador Dalí in de armen van James Bond? Geloof ik nooit. Pacino houdt niet van dat soort films,' zei de kabeldrager.

'Hadden we voor de rol van Gala niet beter Penélope Cruz ingehuurd in plaats van onze valse Catherine Zeta-Jones?' vroeg de filmregisseur.

'Penélope Cruz? Vreselijk, vreselijk,' zei de producer en grijnslachte als een haai. Zijn tanden waren zo wit, dat hij ze waarschijnlijk in een wittetandenfabriek had gekocht.

'Zij is heel sexy. Toen Woody Allen haar interviewde voor een rol in *Vicky Cristina Barcelona* schoot zijn broek in brand,' zei de filmregisseur.

'Zijn broek staat altijd in brand,' lachte de kabeldrager.

'Pacino heeft één groot probleem. Hij zwijgt niet over Shakespeare,' zei de producer. 'Shakespeare zit in zijn bloed. Zegt hij drie woorden, twee keer zit er iets van Shakespeare tussen. *Afhankelijkheid is hees en mag niet hardop spreken.* Wie is hees? Waarom? *Afhankelijkheid?* Wie begrijpt zoiets? Als je hees bent, zuig dan op een pastilletje van Vicks. *Indien ik duizend zonen had, raad ik hun als eerste levensregel aan om schrale drankjes af te zweren.* Wie heeft duizend zonen? Wat zijn schrale drankjes? Pacino speelt de rol van Shylock in *De koopman van Venetië*, nog zo'n ouderwetse film van Shakespeare. Heb ik op DVD gezien. Na vijf minuten viel ik in slaap en dat is uitzonderlijk, want ik leid aan slapeloosheid.'

'Acteurs zijn zeikerds. Ze zitten van onder tot boven vol azijn maar dat maakt hen zo grappig en populair,' zei een assistent van de montage.

De filmsnolletjes trokken zich druipnat uit het zwembad en sloegen hun natte haar achterover in hun hals alsof zij een rol speelden in een reclamespotje voor zeep of bronwater. Zoals echte vedetten uit Hollywood lanterfantten zij rond het zwembad, heel aantrekkelijk en heel onschuldig, en zochten verkoeling onder de bomen. De valse Catherine Zeta-Jones wandelde in de schaduw van een parasol naar een petanquebaan in de tuin en speelde nerveus met het kwastje aan het handvat. Hagedissen glipten in alle richtingen, alsof zij vreesden voor hun leven. Op een buffettafel stond een schaal met kiwi en gesneden kumquat—kleine sinaasappeltjes die met schil en al worden opgegeten—maar zij stond op een streng dieet van rauwe wortelen en trok haar neus op voor de mini-hors-d'oeuvres, gegrilde visjes, kippenbilletjes in lookboter, hamburgers op zijn Amerikaans, risotto van asperges met

verse truffel, aardbeien met slagroom en andere lekker-
nijen en maakte haar tong nat in een glas Cristal-cham-
pagne uit Californië die tegen de prijs van 300 dollar per
fles was ingevoerd. Ingevoerd in het land—Frankrijk—dat
champagne heeft uitgevonden, dat vonden plaatselijke
reporters een goeie grap waarover zij een lekker stukje konden schrijven.

Beroemd zijn is *heerlijk*, dacht de valse Catherine Zeta-
Jones.

'Wanneer vertrekken we naar Barcelona?' vroeg de producer.

'Morgen, hoop ik—hoewel, ik vind het gewoon een stom
idee,' zei de filmregisseur. 'Waarom filmen we in Spanje
wat zich in werkelijkheid afspeelt in New York?'

Het scheelde niet veel of de producer verloor zijn zelf-
beheersing. 'Heb je dat verhaal over *American Gangster* gelezen?' zei hij sissend. 'Het productieteam stelde voor
om Madison Square Garden af te huren voor een weder-
samenstelling van de boksmatch om de wereldtitel tussen
Ali en Joe Frazier. 350.000 dollar voor vier minuten film.
"Geen sprake van," zei de producer van *American Gangster*
en trok naar een hockeystadion dat hij voor een appel en
een ei kreeg. Het hockeystadion ziet er op film beter uit
dan Madison Square Garden en vergeet niet, het kostte niks,
nada, nougatbollen. De Californische kust in Amerika ziet
er identiek hetzelfde uit als de Spaanse kust aan de Middellandse Zee. Prachtige vergezichten, een fantastisch
strand, verbluffend mooie landtongen en geen verkeer
buiten het toeristenseizoen. Hang een Spaanse vlag aan
een vlaggenmast, plant wat Spaanse of tweetalige weg-
wijzers in het landschap en geef oude auto's een Spaanse
nummerplaat en je filmt net zo lief in Californië als in het
noorden van Spanje. Het interieur van Dalí's strandhuis

in Spanje hebben wij i-den-tiek tot in het kleinste detail nagebouwd in een loods in Hollywood. Alle kasten in de nagebouwde keuken zijn volgestouwd met authentieke Spaanse specialiteiten in flessen en blikken met een Spaans etiket, er ligt Spaans stokbrood, droge worst, Spaanse tomaten, olijfolie, peper, zout en teentjes Spaanse knoflook—hoewel alle kasten *dicht* zijn en er niet één moment in de film is waarin één kast wordt geopend. Om een lang verhaal kort te maken, we hebben geen geld om het St. Regis Hotel in New York te betalen dus filmen we in het Ritz Hotel in Barcelona. In het huis van Dalí kunnen we evenmin filmen—en niet omdat het nu een museum is. Het is te klein, te kneuterig, met trapjes en gangetjes zoals in een bijenkorf. Er is geen plaats voor al het filmmateriaal. Daarom filmen we in een namaakstudio. Dat is de Amerikaanse manier van werken en ik voel me daar goed bij.'

Aandachtig volgde de commissaris de gesprekken, met zijn hoofd een beetje schuin.

Die ochtend in zijn hotel, onder het traag druppende water in de enige douchecel aan het eind van de gang, had hij zijn hand uitgestoken naar een handdoek en ving in de spiegel een glimp op van zichzelf. Zijn gelaat zag rood als een kreeft—

'Oh shit!' vloekte hij.

—alsof hij te lang in kokend water had gelegen. Niks om trots op te zijn. Hij vroeg de nachtportier of er post was aangekomen voor kamer 411, ter attentie van Jacques Kerouac. (De TV stond aan, op een nieuwsuitzending in het Catalaans.) Eén enkel pakketje, in bubbelplastic, zonder retouradres. De nachtportier keek argwanend naar het pakketje en hield het tegen zijn oor en schudde ermee.

'Wat zit er in?' vroeg hij. 'Een tijdbom?'

'Brusselse wafels,' zei de commissaris.

Paco Banana rookte een kruidensigaret en hield de sigaret in zijn mond terwijl hij praatte. Een dikke, zoete rookpluim krulde naar de hemel. De askegel was zo lang, dat niemand begreep waarom de as er niet afviel.

'Kennen wij elkaar?' vroeg de producer en stak zijn hand uit.

'Mijn naam is Sam, achternaam Doet-Er-Niet-Toe, Inspecteur Sam Doet-Er-Niet-Toe,' zei de commissaris.

'Doet-Er-Niet-Toe, Sam Doet-Er-Niet-Toe zoals in Bond, James Bond?' vroeg de producer.

'Min of meer.'

'Volgens Meester Tic-Tac werk je als verbindingsofficier voor Europol. Een politiedetective dus?'

'Ik heb een kortfilm gedraaid over de eerste *officiële* politiedetective,' zei de filmregisseur.

'Interessant. Wie was dat?' vroeg de commissaris.

'Sun Tzu in China,' zei de filmregisseur. 'Toen een vermoord lichaam in een bergdorp werd gevonden, kwam Sun Tzu tot de conclusie dat de moord was gepleegd met een sikkel en eiste dat de dorpsbewoners hun sikkel zouden tonen. Het was een warme dag, zoals vandaag, en vliegen zwermden naar één sikkel—op het lemmet zaten microscopische sporen van bloed. De eigenaar van de bloederige sikkel bekende dat hij de moordenaar was en Sun Tzu werd benoemd tot officiële politiedetective aan het hof van de Chinese keizer.'

'Wij leiden het onderzoek naar de seriemoordenaar van Perpignan,' zei Paco Banana.

'Veel geluk,' zei de producer.

'Laat de dader nog een tijdje op vrije voeten lopen,' zei de filmregisseur.

'Brengen de moorden de goede naam van Dalí niet in diskrediet?' vroeg de commissaris.

'Fuck de goede naam van Dalí,' zei de filmregisseur met een boosaardig lachje. 'De zogenaamde Dalí-moorden zijn een godsgeschenk: gratis publiciteit voor onze film. Hoe meer slachtoffers, hoe meer publiciteit. We moeten stoelen vullen in de bioscoop, Inspecteur.'

'Vroeger was er kunst, vandaag is er moord,' zei de producer. 'Zo zie ik het. Iedereen is vertrouwd met *Batman*, *Spider-Man*, *The Matrix*, *Indiana Jones*... Het publiek is dol op steeds hetzelfde en toch anders en na iedere aflevering wil de filmliefhebber meer—en meer—en meer van hetzelfde. Iedere aflevering eindigt met een cliffhanger, wat geen bevredigend slot is, vanuit dramatisch oogpunt, want een cliffhanger *verhoogt* de spanning in plaats van de spanning weg te nemen. In het hoofd van een seriemoordenaar neemt de spanning ook na iedere moord toe en dat drijft hem naar de volgende moord, precies zoals de filmliefhebber met de belofte van meer—en meer—en meer van hetzelfde na *Ocean's Eleven* en *Twelve* wordt gelokt naar *Thirteen* en *Fourteen* en *Fifteen* en *Sixteen*.'

'Ik ben geen psycholoog,' zei de commissaris, 'maar wat je zegt is juist.'

De filmregisseur glimlachte en zei: 'Edward Bunker. Zegt de naam je iets, Inspecteur? Hij zat achttien jaar in San Quentin voor fraude en diefstal. Op zeker ogenblik stond hij Nr. 1 op de lijst van Meest Gezochte Personen van de FBI. Bunker schreef in de gevangenis boeken en filmscenario's. Ik werkte met hem aan *Straight Time* met Dustin Hoffman in de hoofdrol, over een inbreker in voorlopige vrijheid die zijn leven wil beteren. Ik vroeg of er een overeenkomst is tussen een kunstenaar en een misdadiger.'

'Wat antwoordde hij?'

'Dat zij allebei gedragsgestoord zijn.'

'Bunker kan het weten, hij is zelf kunstenaar én misdadiger,' zei de kabeldrager.

'De naam zegt mij iets. Speelde hij een rolletje in *Reservoir Dogs*? Ik vermoed van wel,' zei de producer.

'De rol van Mr. Blue,' zei de filmregisseur. 'In *Reservoir Dogs* heb je Mr. White, Mr. Orange, Mr. Blonde, Mr. Pink, Mr. Blue—Edward Bunker—en Mr. Brown.'

'Mr. Brown is Tarantino zelf,' zei Paco Banana.

'Ik denk niet dat de Dalí-seriemoordenaar een Chinese sikkel gebruikt,' zei de filmregisseur.

'Nee,' zei de commissaris, 'hij moordt met een Japans samoeraizwaard.'

'Heb je *Cruising* gezien, Inspecteur?' vroeg de assistent voor speciale effecten. 'Een film met Pacino, minder bekend, over sm en homoseks. Speelt zich af in een seksclub voor homo's. Je ziet geen enkele hetero in die film—behalve de hoofdrolspeler en de moordenaar. Een homo in een leren pamper wordt voor de camera *gefistfuckt* in zijn kont.'

'Trucage en speciale effecten,' zei de echtgenote van de producer.

'Oh nee, niks van aan, alles gebeurde in 't echt.'

'Toen verliet ik de zaal,' zei de producer, 'dat was erop en erover.'

'De moordenaar in *Cruising* was ziek in zijn hoofd,' zei de filmregisseur. 'Hij werkte zijn ziekte uit op homo's. De seriemoordenaar van Perpignan is volgens mij ook ziek. Hij werkt zijn ziekte uit op onschuldige meisjes. Zijn leven is een videospelletje. Hijzelf is de held en zet de rest van de wereld voor schut. Volgens mij zoekt hij erkenning en roem. Hij wil zijn kop in kleur op de cover van *Paris-Match* en *Time*.'

'Je hebt gelijk,' zei Paco Banana. 'Videospelletjes folteren, moorden, verkrachten en verminken. Maar wat is de nuchtere werkelijkheid? Dat de vermoorde vrouwen voor het laatst werden gezien aan het station van Perpignan waar jullie een film over het leven van Salvador Dalí draaien.'

'Een film is geen videospelletje,' zei de producer.

'Moord is ook geen videospelletje,' zei de commissaris.

'Waarom doet hij wat hij doet en wanneer slaat hij opnieuw toe, dat is de vraag,' zei Paco Banana.

'Bedoel je daarmee dat de moordenaar een *homo* is?' vroeg de assistent voor speciale effecten.

'Misschien *beseft* hij niet dat hij homo is,' zei Paco Banana.

'Hier is mijn visitekaartje. Mijn telefoonnummer staat erop,' zei de commissaris en deelde visitekaartjes van Europol uit aan de producer, de filmregisseur en de andere leden van de crew.

In het zachte namiddaglicht leken de lange, roze heuvels in de verte, met hun fijne rondingen, op het naakte lichaam van een vrouw. Schaduwen werden langer. De avondschemering viel. Het werd snel nacht. Zelfs 's nachts was de hitte klam en ondraaglijk.

'Nummer dertien. *Tu-doe-tu-doe-tu-doe*. Begin zachtjes,' zei de bandleader.

Hij blies op zijn saxofoon. De zangeres knipperde met haar wimpers en hapte in de micro.

IT'S VERY CLEAR

OUR LOVE IS HERE TO STAY

NOT FOR A YEAR

BUT EVER AND A DAY

(Billie Holiday)

'De champagne smaakt héééééérlijk,' riep de valse Catherine Zeta-Jones.

De nacht was donker en onheilspellend, zoals gewoonlijk.

De week vloog voorbij. Dag na dag was de hemel even onvoorstelbaar blauw, zonder één enkele wolk. In het politiegebouw vlak bij Place Arago kreeg de commissaris een klein, vierkant kantoor zonder ramen ter beschikking dat een van drie speciale ondervragingskamertjes was en geklemd zat tussen de WC Heren en de detentiecellen. Een opberghok voor emmers en bezems, dacht de commissaris. Er stond een metalen bureau met drie houten stoelen zonder leuning. In één muur zat een doorkijkspiegel. Het kantoor werd schaars verlicht door één lamp van 25 watt met een groene lampenkap achter gaas. Aan de binnenkant van de deur kleefde een poster van het rugbyteam van Perpignan. De spelers droegen gouden shirtjes. Paco Banana zat voor zijn laptop. Hij voerde leeftijd, geslacht, fysieke uiterlijkheden en financiële situatie van de slachtoffers in op DataDetective—een nieuw softwareprogramma voor de analyse van misdrijven—in de hoop dat het programma verbanden zou blootleggen en een oplossing zou aanreiken, eventueel met statistieken en grafieken.

'Dit lijkt een gigantische sudoku,' zei hij.

De commissaris zat op een stoel die zo wankel was, dat hij kraakte en bijna middendoor brak onder zijn gewicht. Hij bestudeerde een lijst met namen van daders van seksmisdrijven die sinds kort uit de gevangenis waren vrijgelaten. Alle Dalí-dossiers lagen links op een hoge stapel op zijn bureau. Ieder slachtoffer had een eigen papieren dossier dat zo complex was, dat het was opgesplitst in tientallen subdossiers. In totaal waren er zestig dossiers en subdossiers. Zij hadden de kleur van inpakpapier en bevatten uitgetikte, ondertekende en afgestemde processen-verbaal van ondervragingen, rechtbankverslagen, politiefoto's en polaroidfoto's, computerfiles op CD, prentkaarten en chromo's met de afbeelding van schilderijen van Salvador Dalí en unieke zwart-witfoto's van Dalí en Gala op het plein voor het station van Perpignan. De politieverslagen waren getypt met enkele interlinie, zonder leestekens en zonder hoofdletters, en stonden vol schrijffouten. Namen waren verkeerd gespeld. Zelfs de naam van Dalí werd verkeerd geschreven—Dallí, met dubbele ll, of Dali zonder accent op de i. Vreemde woorden waren dubbel onderstreept of gesplitst in lettergrepen, om er de aandacht op te vestigen. Er zaten verslagen van kunstexperts in, met een studie over en een ontleding van de schilderijen van Dalí. Franse *gendarmes* en officieren van de Guardia Civil in Spanje bevestigden dat zij schilderijen in het museum in Figueres hadden bestudeerd om na te gaan of het mogelijk was dat de seriemoordenaar zich daarop had geïnspireerd. De commissaris stelde vast dat iedere hint, iedere aanwijzing, iedere vingerwijzing met betrekking tot Dalí serieus werd genomen. Hij nam een postkaart uit een dossier. Plots rinkelden alle telefoons tegelijk en werd nerveus op de deur geklopt. Buiten adem en lijkbleek wankelde Achmed Al Fatou in het provisoire kantoor.

'Osama... is... dood,' stotterde hij.

'Osama? Dood?'

'BOEMMM *kaputt. Finito.* Er wordt voor een terroristische aanslag gevreesd.'

'Geloof ik niets van. Onmogelijk,' zei Paco Banana.

'Niets is *onmogelijk*,' zei de commissaris.

Kauwend op een grote blubber kauwgum kwam Renaudot in het kantoor. 'Als Osama niet dood is, waar zit hij dan?' vroeg hij.

'Misschien in Perpignan,' zei Paco Banana lachend.

'Ja, wie weet—misschien is Osama onze seriemoordenaar,' zei Renaudot.

'Osama is dood,' zei Achmed Al Fatou.

Renaudot schudde het hoofd. 'Osama is een slimme kloot,' zei hij. 'Er is meer nodig opdat slimme kloten zouden sterven.'

Wat is dat met die mensen? dacht de commissaris. Hij had zijn opdracht in Perpignan aangenomen om de Heilige Oorlog te ontlopen en nu zag het er naar uit dat hij opnieuw het slachtoffer zou worden van terreur en rassenrellen. Ik hou me niet met politiek bezig, dacht hij, ik ben *politie*officier verdomme, ik ben geen soldaat. Oorlog en vrede in Bagdad kunnen mij gestolen worden.

Achmed Al Fatou zuchtte. 'Paco, vind *jij* dat politieke terroristen misdadigers zijn?' vroeg hij.

'Een medemens doden is *altijd* een misdaad, zelfs in naam van God of Allah of Klein Pierke,' zei Paco Banana.

'Maak jezelf niets wijs, Achmed,' zei Renaudot. 'Osama is geen filmster en Al Qaida is geen filmvijand van bordkarton. Al Qaida is voor de westerse wereld wat de nazi's in de jaren dertig waren voor Europa. Er vielen twintig miljoen doden vóór de nazi's werden gestopt. De wereld is een zwijnenstal en een zwijnenstal moet af en toe worden uitgekuist. Voor Al Qaida van het toneel verdwijnt, zullen opnieuw twintig miljoen doden vallen.'

Wat moet dat geven, straks, als de nieuwe lidstaten uit het vroegere Oostblok toetreden tot de Europese Unie? vroeg de commissaris zich af. Alle oud-communisten en ex-nazi's en afstammelingen van Djenghis Khan? Eten we dan allemaal khachapuri met rauwe eieren, lavash met sesamzaad en kebab met ruskie pierogi?

De oudere agent zette alle TV's aan.

'De dood van Osama zou officieel zijn,' zei hij.

'Op welke zender was dat?'

'Al Sahab.'

'Wie is Al Sahab?'

'Al Sahab verzorgt de public relations van Al Qaida,' zei Achmed Al Fatou.

'Een goede reden om er geen woord van te geloven,' merkte Renaudot op.

'Wat zegt CNN?' vroeg de commissaris.

'Niets, op dit ogenblik. Alles is van horen zeggen. Een gerucht,' zei Paco Banana.

'Hoe ernstig is de vrees voor een terroristische aanslag?'

'Zeer ernstig.'

'Niveau Twee?'

'Nee.'

'Meer?'

'Niveau Vier.'

'Dat is zééérnstig,' zei de commissaris.

'Aandacht, mannen. Door al die politieke poppenkast vergeten we bijna dat we met een nieuw moordslachtoffer zitten,' zei Renaudot. Hij bolde zijn wangen op en blies een grote roze kauwgumballon.

'Zwijg erover!' riep Achmed Al Fatou.

'Niet wéér een hoertje, hoop ik,' zei de commissaris.

'Nee, een oude clochard,' zei Renaudot. 'Een straatzwerver. Zes kogels in zijn lijf. Steendoodkoud natuurlijk.'

'Waarom? Een clochard doet niemand kwaad,' zei de commissaris.

'Wie vond hem?' vroeg Paco Banana.

'De opzichter van het museum.'

'Het museum is gesloten wegens verbouwingen.'

'De clochard lag in de toiletten. Hij is minstens twee, drie dagen dood. Volgens de opzichter van het museum waste hij zich aan een fontein op de binnenplaats.'

'Was hij dronken?' vroeg de oudere agent.

'Wie? De opzichter van het museum?'

'De oude clochard, *stupido*.'

'In zijn winkelwagentje lagen genoeg lege wijnflessen om half Perpignan te vergiftigen,' zei Renaudot.

'Duwde hij een winkelwagentje voort?' vroeg de commissaris.

'Zo'n metalen boodschappenwagentje van de supermarkt. Waarschijnlijk gestolen, op de parking van Auchan.'

'Ik ken die man,' zei de commissaris. 'Een oude clochard? Met een boodschappenwagentje? Vol lege flessen? Geen twijfel mogelijk. Ik meen dat wij zelfs een paar woorden hebben gewisseld.'

'Wanneer was dat, Inspecteur?' vroeg Renaudot.

'Enkele dagen geleden, tijdens filmopnamen hier op Place Arago en op het stationsplein.'

'Toeval.'

'Ik herhaal het, Renaudot, ik geloof niet in toeval,' zei de commissaris.

Paco Banana hamerde op zijn laptop en vond eindelijk het opstel van Thomas de Quincey. De commissaris stelde voor om twee exemplaren plus voetnoten uit te printen. Hoewel het opstel twee eeuwen oud was, lag het volgens Wikipedia aan de basis van twee films, *Rope* van Alfred Hitchcock uit 1948 en *Compulsion* van Richard Fleischer uit 1959, een thriller waarin Bradford Dillman en Dean Stockwell een schooljongen vermoorden. Zij zijn ervan overtuigd dat zij de perfecte misdaad hebben gepleegd. Toch worden zij gearresteerd: de politie vindt per toeval het ontbrekende bewijsstuk—een van de moordenaars liet een bril achter op de plaats van de misdaad. Orson Welles steekt in de film een adembenemend pleidooi af tegen de doodstraf en redt de kindermoordenaars van de elektrische stoel. De commissaris las en herlas het opstel van Thomas de Quincey—een hele opgave, aangezien het geschreven was in oud-Engels van de negentiende eeuw—en onderstreepte de belangrijkste zinnen en maakte een samenvatting in zijn eigen woorden.

Over moord als een van de schone kunsten

Enkele woorden over het grondbeginsel van moord: als er genoeg bloed aan te pas komt, valt moord in de smaak van oude vrouwen en krantenlezers. De echte liefhebber heeft een betere smaak en weet dat moord slechts één doel heeft: het hart van de moordenaar verlichten. Een moordenaar gaat door de hel en daarom hebben we sympathie voor hem, want zijn volgende moord zal spectaculairder zijn dan de voorgaande. Net zoals een goed schilderij is een goede moord het werk van een raskunstenaar. Moord is entertainment dat ons uit de sleur van iedere dag haalt.

Dit is een vreemd en ziekelijk opstel, dacht de commissaris. *De echte liefhebber weet dat moord slechts één doel heeft: het hart van de moordenaar verlichten.* Met andere woorden, moord is een vorm van loutering, zoals naar de kerk gaan en bidden, noteerde de commissaris in de rand. *Moord is entertainment dat ons uit de sleur van elke dag haalt.* Thomas de Quincey trachtte moord aantrekkelijk te maken. Vandaag is hij even modern als twee eeuwen geleden, had Meester Tic-Tac gezegd. Hoe ouder de viool, hoe mooier de muziek. Ik ben daar niet van overtuigd, dacht de commissaris. De Quincey beweert dat Kaïn—bekend van *Kaïn en Abel*—de eerste moord heeft uitgevonden en zoekt het bewijs bij Shakespeare.

Ik kan daar niet over oordelen, dacht de commissaris, ik heb nooit één letter van Shakespeare gelezen.

Paco Banana dronk thee. Hij viste een theebuiltje van Lipton uit zijn kopje en legde het voorzichtig op het schoteltje. Opnieuw hamerde hij op zijn laptop en vond nieuwe, waardevolle informatie, bijvoorbeeld dat de tekst van de song 'Murder By Numbers' uit het album *Synchronicity* van Sting en The Police gebaseerd is op het opstel van Thomas de Quincey. *Once that you've decided on a killing*, staat in de eerste regels, *First you make a stone of your heart, And if you find that your hands are still willing, Then you can turn murder into art*. Vrij vertaald: *Zodra je besluit dat je iemand zult vermoorden, Maak je eerst een steen van je hart, En als je voelt dat je handen gewillig zijn, Geef je een draai aan moord en maakt er kunst van*. Stel je voor, een seriemoordenaar die naar Sting en The Police luistert, voor of na gedane arbeid, dacht de commissaris. Hij sneed het pak open dat de ex-worstelaar uit Luik hem vanuit Den Haag had toegezonden. In plaats van Brusselse wafels zaten er gewoon boeken in, vooral kunstboeken. Hij haalde een beduimeld exemplaar over Walter Sickert uit het pak, een impressionistische schilder, een van de grootste Britse kunstenaars aller tijden, volgens de tekst op de rug van het boek. De commissaris dacht aan wat zijn moeder hem ooit had gezegd, na een dagtrip met de ferry naar Dover: *Geloof iedereen, behalve de Britten*. Sickert was een halve Europeaan, geboren in München uit een Deense vader. De commissaris bladerde in het boek. Hij bestudeerde de schilderijen. Hij hapte naar adem. De schilderijen van Sickert waren lugubere, gewelddadige taferelen van jonge vrouwen in de fleur van hun leven, vreselijk toegetakeld door de woedende verfborstel van een kunstschilder die geobsedeerd was door hoertjes en prostitutie en geen geheim maakte van zijn fascinatie voor messen en moord en amputatie. De schilderijen droegen dramatische titels zoals *Verveling*, *Het ijzeren ledikant* en *Moord in Camden Town*. Een Amerikaanse schrijfster beweert dat Walter Sickert de echte Jack de Ripper was. Best mogelijk, had de ex-worstelaar uit Luik op een gele Post-It geschreven. De commissaris schudde het hoofd. Geloof ik nooit, zei hij tegen zichzelf. Sickert was te intelligent om zich door zijn eigen schilderijen te laten verraden. De echte Jack de Ripper zou een onschuldig bloemenstilleven schilderen in plaats van een naakte hoer in het halfduister op een ijzeren ledikant in een slecht verlichte kamer.

De volgende vraag kwam in hem op.

Is er verwantschap met de schilderijen van Salvador Dalí?

Is er een overeenkomst?

Zonder twijfel, dacht de commissaris.

Dat was het enig mogelijke besluit dat hij kon trekken.

Naast de Dalí-dossiers waren er veertien 'open' dossiers van onrustwekkende en onopgeloste verdwijningen van vermiste hoertjes en callgirls. Zij hadden geen verblijfsvergunning, hadden 'officieel' nooit een voet in Frankrijk gezet en stonden 'officieel' niet als 'vermist' te boek. Zonder 'hard' bewijs werd voor waar aangenomen dat zij naar hun thuisland—Nigeria, Rusland, Polen, de Filippijnen of Nederland—waren teruggekeerd.

'We vertrekken, Paco, pak je boeltje bij elkaar,' zei de commissaris. 'Laptop niet vergeten.'

'Waar gaan we naartoe?'

'Naar Spanje.'

'Figueres?'

'Ja.'

'Bezoeken we het Dalí Museum?'

'Onder andere. Figueres is anderhalf uur rijden, is het niet?'

'Anderhalf uur?'

'Dat vertelde iemand me, enkele dagen geleden.'

'Nee, Inspecteur. Bij goed weer is het een halfuurtje rijden van Perpignan naar Figueres.'

'De arme stakker *fietst* waarschijnlijk naar Figueres,' zei de commissaris.

'Welke arme stakker, Inspecteur?'

'De nachtportier in mijn hotel. Hij loopt met een valhelm rond en heeft metalen fietsspelden om zijn enkels. Zorg jij voor een behoorlijk hotel in Figueres, Paco?'

'Reserveer ik online een kamer?'

'Doe dat.'

'Mag ik mijn slaapzak meenemen, Inspecteur?'

'Waarom een slaapzak?'

'Ik slaap liefst op de vloer.'

'Zoals je wilt. Je bent je eigen baas.'

'Hoe laat vertrekken we?'

'Zes uur? We gebruiken het avondmaal in Figueres.'

'Ik rammel van de honger,' zei Paco Banana.

Toen zij uit het politiegebouw kwamen, stond Place Arago vol satellietwagens van televisiestations uit heel Frankrijk en een stuk van Europa, die hun camera's richtten op brandweerwagens, combi's met gillende sirenes, ziekenauto's, honderden betogers en tegenbetogers, mannen zowel als vrouwen—sommige vrouwen waren gekleed in een boerka die hun lichaam, hun gelaat en hun ogen als een sluier bedekte—fascisten, antifascisten, neonazi's, skinheads en andere extremisten en de Franse politie met oproerschilden achter een politieversperring. Een haantje-de-voorste smeet een molotovcocktail naar een politiecombi. Vanaf de marmeren trappen van het gerechtshof riepen studenten schunnige praat en floten op hun vingers en staken hun duim naar beneden terwijl automobilisten in het wild claxonneerden en *gendarmes* met een gevechtshelm met vizier de armen in elkaar haakten om betogers en tegenbetogers uit elkaar te houden. Iemand stak een karton omhoog met de tekst **ALLAH = HITLER** in gotische letters. Een tegenbetoger zwaaide een witte vlag met **BRAVO!** in onbeholpen drukletters. De politie riep versterking op en kreeg hulp van zes politieauto's met gillende sirene en flikkerlicht op het dak.

'*La illallah adillah Mohammed rasul illahah!*' riep een meisje onder een boerka.

'Allah is de grootste! Allah is de grootste! Allah is de grootste!' antwoordde een skinhead spottend.

Ramen van de Quick, twee restaurants met straatterras en een brasserie werden aan diggelen geslagen en shoppers pauzeerden achter een politieversperring om te zien wat er aan de hand was. Er werd geroepen, gelachen, het was laf en lelijk en tegelijk heel filmisch en op een onverklaarbare manier was het zelfs mooi, zoals een dramatische dialoog in een weekendfilm van niemendal mooi kan zijn en tot de verbeelding kan spreken.

'*Il-Hamdu-Allah,*' riep het meisje onder de boerka.

Vanuit hun kantoor op de tweede verdieping van het politiegebouw keken de politiedetectives en enkele agenten in blauw uniform naar het tumult aan hun voeten.

'Da's entertainment, mannen,' zei Renaudot.

'Ik weet wat jullie de rest van de week te doen staat,' zei de oudere agent.

'Terroristische netwerken in kaart brengen,' zei Achmed Al Fatou. 'We gaan *à fond.*'

'De westerse beschaving is in gevaar,' zei Renaudot.

'Twin Towers, BAMMM BAMMM! Enkele seconden en heel 't spel lag tegen de vlakte. Big Ben, Westminster, *la Tour*

Eiffel, het Atomium in Brussel... binnen enkele jaren staat van al die postkaarten niets meer overeind,' zei een agent met slaapogen.

'Wat zouden jullie denken van een aanval op Père Lachaise in Parijs?' zei Achmed Al Fatou. 'Een van de beroemdste begraafplaatsen ter wereld, is dat geen ideaal doelwit? Eén bommetje en de stoffelijke resten van Chopin! Modigliani! Edith Piaf! Molière! Marcel Proust! Oscar Wilde! vliegen tot in Afghanistan.'

'Onze doden vermoorden. Dat zou de ultieme vernedering zijn,' zei de blinde speurder.

'*C'est qui*, Oscar Wilde?' zei de agent met slaapogen.

'Binnen honderd jaar ziet Europa er volledig anders uit dan vandaag,' zei Renaudot.

'Geen probleem. Niets bestaat eeuwig,' zei Achmed Al Fatou.

'Alles is de schuld van de fascisten,' zei de oudere agent.

'Waarom fascisten? Zij dragen niet eens een uniform,' zei Achmed Al Fatou.

'Ben jij blind of wat?' vroeg Renaudot. 'Een chador? Een hijab? Een boerka? Een nikaab? Is dat geen uniform?'

Figueres—Girona—Barcelona in Spanje

Heel wat autoverhuurmaatschappijen hebben een kantoor in Perpignan: Avis, Budget Rent-A-Car, Europcar, Hertz Perpignan, National Car Rental, Holiday Cars en Alamo, dat als goedkoop alternatief uitpakt met een Smartje met twee deuren en evenveel zitplaatsen. Omdat zij de Pyreneeën langs een bergweg moesten oversteken, gaf Paco Banana de voorkeur aan een Franse wagen, een stevige Peugeot. Zij verlieten Perpignan langs een middeleeuwse poort met massieve torens van rode baksteen en reden langs de A9 vanuit Frankrijk naar de AP-7 in Spanje, de superautosnelweg, dwars over de verbluffend mooie Pyreneeën met rivieren en valleien en ruwe bergkloven en heuvelruggen waarvan er enkele op dit tijdstip van het jaar opgevrolijkt werden door uitbloeiende amandelbomen. Pal in het midden van de bergketen lag de top van de Canigou—in wolken gehuld en bedekt met eeuwige sneeuw—die Spanje als een muur van steen afsluit van de rest van Europa. In de wijngaarden zoemden insecten en tsjirpten *cicadas*—krekels—en de blauwe hemel werd doormidden gesneden door dampsporen van vliegtuigen. Paco Banana was even bedreven achter het stuur als op zijn skateboard en de volgende twintig kilometer genoot de commissaris in stilte van het Spaanse landschap, tot zij aan een afrit kwamen met de wegwijzer Figueres—wat 'vijgenboom' betekent—Zuid.

'Ik zou je iets *persoonlijks* willen vragen, Inspecteur,' zei Paco Banana.

'Doe maar, Paco, je mag alles vragen, behalve geld.'

'Vluchten we niet weg van het onderzoek en de problemen? Gedragen we ons niet als echte broekschijters?'

De commissaris schudde het hoofd. 'Nee, Paco,' zei hij. 'Soms moet je weglopen om dichterbij te komen.'

Zij reden door het centrum van de stad naar een verzorgingstehuis voor bejaarden in een park aan het eind van een lange kasseiweg, en plots begon het waanzinnig hard te regenen, een echte stortvloed, alles in één keer, zelfs op volle kracht hadden de ruitenwissers alle moeite van de wereld met de tropische waterval. Veertig minuten nadat zij Perpignan hadden verlaten, stopte de Peugeot onder een luifel aan de ingang van het bejaardentehuis achter een geparkeerde ziekenwagen.

Twee verplegers zetten het achterportier van een ziekenwagen wijd open en laadden er kartonnen dozen uit, met touw dichtgeknoopt, en oude versleten koffers. Een heel broze, heel oude man, verschrompeld en kleiner geworden door de ouderdom—zijn kleren waren te groot voor zijn mager lijf—werd op een draagbaar uit de ziekenwagen getrokken. Hij hield zich vast aan een schoenendoos met vergeelde jeugdfoto's, alsof zijn leven ervan afhing.

'Ik ben oud maar niet dood,' zei de oude man.

Breek niet in twee, dacht een verpleegster die hem verwelkomde.

'Maak je geen zorgen, wij helpen je,' zei ze.

'Ik heb benen om te lopen!' zei de oude man koppig en deed zijn best om van de draagbaar te komen.

Regen stroomde uit de hemel.

De oude man schuifelde in het bejaardentehuis—

'Hij zat in de politiek,' fluisterde de verpleegster. 'Iemand met veel macht. Hij was heel bekend.'

Wanneer? Tweehonderd jaar geleden? dacht Paco Banana.

Arme man, dacht de commissaris.

'Wij zullen goed voor je zorgen,' zei een verpleegster.

—en de ziekenwagen maakte rechtsomkeert en reed naar de volgende lading.

Indien dit geen boek zou zijn maar een film, dan zou dit het openingsshot zijn: veelkleurige biljartballen wippen omhoog en rollen over het strakke groene laken naar de vier hoeken van een snookertafel en vallen met een dof *pfuhhh* in het vangnet. De mannen die snookeren zijn oud, ziek en traag. Hun handen worden ontsierd door levervlekken. Zij schuifelen voort op leren slippers. De meeste mannen dragen een ouderwets hemd met open kraag en een losse broek, die een afdankertje is van een oud kostuum. Een man en twee vrouwen zitten onderuitgezakt in een rolstoel, weg van deze wereld, in hun *eigen* wereld, en dommelen vredig snurkend in. Hoofd en handen beven lichtjes en in lange, taaie slierten druipt speeksel uit hun mond. Vanuit de gang dringen gedempte geluiden door tot in de cafetaria: hoesten, niezen, een beetje flamenco, het vertrouwde rammelen en rinkelen van borden en bestek in de eetzaal—tijd voor het avondmaal—en een krakende cassettespeler met Julio Iglesias in een duet met Diana Ross.

De cafetaria in het bejaardentehuis diende tegelijk als ontspanningslokaal.

Carmen was bijna negentig jaar. Zij deed een dutje aan een kleine tafel naast het halfopen raam. Op de tafel stond een vaas met witte fresia's, asters, irissen, heidekruid en gele anjers.

Madame Charlotte worstelde met de espressomachine achter de ouderwetse houten bar. Zij was van onder tot boven in het wit gekleed: witte bloes, witte schort, witte sokken en bijna-witte gezondheidsschoenen van Dr. Scholl. Zij was zestig jaar, blond, een beetje mollig en gevuld, normaal van grootte en niet bepaald een schoonheid: geen lipstick op haar lippen, geen roodgelakte vingernagels, geen juwelen of andere versierselen. Zij was gewoon heel gewoon, met droeve ogen en een vriendelijke glimlach.

Carmen schrok wakker en veegde haar mond af met een vers gesteven zakdoek, netjes opgevouwen, en riep met scherpe stem: 'Champagne, *Madame* Charlotte! Champagne!'

'Eén ogenblikje, Carmen,' zei *Madame* Charlotte. Zij trok een blikje gele Fanta open, goot de limonade in twee bolvormige champagneglazen en zette de glazen op de kleine tafel.

De regen kletste schuin tegen het halfopen raam.

Carmen staarde afwezig in de parelende limonade.

'Drink je glas leeg, Carmen. Je moet veel drinken,' zei *Madame* Charlotte.

'Hoe laat is het?'

'Etenstijd.'

'Komt hij?'

'Wie bedoel je, Carmen?'

'Hij zei dat hij rozen zou meebrengen.'

'*Vandaag*? Brengt hij *vandaag* rozen mee?'

'Ja. Hij zou vandaag komen en rozen meebrengen.'

'Wanneer heeft hij dat gezegd, Carmen?'

Carmen keek met mistige ogen naar *Madame* Charlotte. 'Weet ik niet. Hij heeft beloofd dat hij rozen mee zou brengen,' zei ze en haar handen en haar stem beefden van ouderdom.

Op een televisiescherm in de hoek—geen moderne flatscreen maar een vierkant model in een houten kist—

werden kandidaten op de rooster gelegd in een quiz met te veel toeters en te veel bellen. Het geluid stond niet aan en niemand keek. Zacht snurkende bejaarden, tegen elkaar tikkende biljartballen en de tropenregen in de bomen en op het dak waren de enige geluiden in de cafetaria.

'*Madame* Charlotte?' vroeg de commissaris met gedempte stem. 'Ik zou je enkele vragen willen stellen. Ik ben officier van politie.'

Madame Charlotte zuchtte en knoopte haar blonde haar in een paardenstaart.

'Het spijt me dat de Inspecteur en ik je opnieuw lastigvallen,' zei Paco Banana.

Madame Charlotte verborg haar hoofd in haar handen. 'In godsnaam... nee... niet hier... laten we naar de eetzaal gaan,' zei ze.

De eetzaal was versierd met papieren bloemen. Boven de toegangsdeur hing een vaandel uit één stuk met de tekst GELUKKIGE VERJAARDAG, BESTE LIZZIE in letters in verschillende kleuren. De vloer lag bezaaid met confetti. Aan de verlichting hingen spiraalvormige papieren glinsteringen. Iedere bejaarde kreeg een hoedje van papier en een kartonnen toeter.

Madame Charlotte trok haar verpleegstersuniform in de plooi en ging stijf rechtop zitten op een harde stoel. 'Wat wil je weten, Inspecteur?' vroeg zij.

De ondervraging was routine. De commissaris stelde telkens dezelfde vragen—de *enige* vragen die hij *kon* stellen—wanneer hij ouders en naaste familie van een moordslachtoffer interviewde.

Had Lorraine vijanden?

Werd zij met de dood bedreigd?

Werd zij gestalkt of gepest?

Had zij schulden?

Rookte zij?

Dronk zij?

De antwoorden kwamen vlot en ieder antwoord was negatief.

'Lorraine was vierentwintig jaar?' vroeg de commissaris.

'Ja.'

'Was zij een goede student?'

'Mijn dochter was een wonderkind,' zei *Madame* Charlotte zonder verpinken. 'Lorraine was vier jaar toen zij klassieke piano speelde maar geld voor een goede muziekschool had ik niet. Verpleegsters worden slecht betaald, Inspecteur. Mijn echtgenoot heeft dure medische verzorging nodig—de arme man is invalide—zodat ik niet alleen overdag maar ook 's nachts werk om de eindjes aan elkaar te knopen. Wij wensten Lorraine een gelukkig gezin en een goede opvoeding te geven. Het is ons niet gelukt en daarom zijn we haar kwijt. Lorraine wilde het beste van het beste voor zichzelf. Daarom prostitueerde zij zich, zeggen de mensen. Ik weet niet of dat waar is, Inspecteur. Ik kan niet geloven dat mijn dochter haar lichaam voor geld verkocht. Misschien had Lorraine mij meer nodig dan ik haar nodig had maar zelfs 's nachts was ik er niet voor haar.'

'Je werkt hier, 's nachts, in dit bejaardentehuis?'

'Nee, Inspecteur. Ik ben gediplomeerd verpleegster. Ik neem vier keer per week de nachtdienst op mij in de ziekenboeg van de nieuwe gevangenis in Perpignan.'

'Weet je met wie Lorraine bevriend was?'

'Nee.'

'Heb je haar vrienden ontmoet?'

'Nooit.'

'Sprak zij over haar vrienden?'

'Nee, Inspecteur. Lorraine, ikzelf, mijn echtgenoot—wij spraken zelden, ook niet aan tafel. In zekere zin waren wij vreemden voor elkaar.'

'Ben je zeker dat zij geen drugs nam?'

'Waarom wil je dat weten?'

'Jennifer Adiou was verslaafd.'

'Nee, nee, Lorraine niet.'

'Nam zij medicatie?'

'Lorraine nam de pil niet, als je dat bedoelt. Mijn dochter liet een contraceptief staafje inplanten, onder de huid in haar linkerbovenarm. Zo'n klein ding ter grootte van een lucifer.'

'Klopt, Inspecteur. In het autopsieverslag van Lorraine Pérès wordt melding gemaakt van een contraceptief implantaat,' zei Paco Banana.

Madame Charlotte werd lijkbleek en pinkte een traan weg.

'Lorraine nam geen geneesmiddelen?'

Een lange pauze. 'Mijn dochter slikte pillen tegen angst en depressie,' zei *Madame* Charlotte traag.

'Zag zij waanbeelden?'

'Lorraine leefde in haar eigen wereld. Zij had te veel fantasie, zoals ieder kind.'

'*Madame* Charlotte, Lorraine was vierentwintig jaar. Zij was geen kind. Zij was een jonge vrouw. Hoe kon zij te veel fantasie hebben?'

'Zij pochte dat zij Al Pacino had ontmoet. Zeg nu zelf, Inspecteur, Al Pacino in Perpignan, is dat geen kinderlijke fantasie? Ieder meisje droomt daarvan.'

'Pacino is *echt* in Perpignan,' zei de commissaris. 'Sedert enkele dagen speelt hij er in een film.'

'Mijn dochter is twee jaar geleden vermoord, Inspecteur.'

'Je hebt gelijk, het spijt me. Is er iets dat je me wilt vertellen?'

Madame Charlotte zei traag: 'Ik ben Joods, Inspecteur. Weet je wat het voor een Joodse moeder betekent om haar dochter te verliezen?'

'Is Lorraine ooit zwanger geweest?' vroeg Paco Banana.

'Zwanger? Mijn dochter? Hoe bedoel je—zwanger? Nee, natuurlijk niet.'

'Zij had nooit een zwangerschapsafbreking...' zei de commissaris.

'Nee, nee...'

'Een *illegale* zwangerschapsafbreking...'

'Nee, nee...'

'... in een witte bestelwagen?'

'In geen geval!' zei Madame Charlotte bits. 'Lorraine liet een staafje inplanten, Inspecteur, zij *kon* niet zwanger worden.'

'Was er iets dat haar dwarszat?'

'Niet dat ik weet.'

'Iets waar zij zich aan ergerde?'

'Nee. Of toch, ja—*wij* ergerden haar, mijn echtgenoot en ikzelf. Wij werkten op haar zenuwen.'

'Ik besef dat je het moeilijk hebt met mijn vragen, Madame Charlotte...' zei de commissaris.

Haar kin zakte op haar borst. Tranen sprongen uit haar ogen.

'... waar bracht Lorraine de nacht door als ze niet thuiskwam 's nachts?' vroeg de commissaris.

'Ik weet het niet en kan het haar niet meer vragen,' zei Madame Charlotte kortaf.

'Het station van Perpignan was nooit onderwerp van gesprek?'

'Ten eerste *praatten* wij niet, Inspecteur. Ten tweede was

het station van Perpignan taboe. Mijn echtgenoot is invalide—heb ik dat gezegd? De arme man verloor zijn benen in een ongeval met een trein.'

'Was Lorraine geïnteresseerd in kunst?'

'Nee.'

'In surrealisme?'

'Ik ken dat niet, Inspecteur.'

'Surrealisme is de kunst van Salvador Dalí.'

'Lorraine was in niets geïnteresseerd.'

Dom blondje, dacht Paco Banana.

'Er is sprake van een seriemoordenaar die Perpignan onveilig maakt. Een seriemoordenaar met een obsessie voor het werk van Salvador Dalí,' zei de commissaris.

Madame Charlotte barstte in tranen uit. 'Ik ken Salvador Dalí of zijn schilderijen niet,' zei ze. 'Ik heb geen tijd voor cultuur. Het museum van Meneer Dalí ligt hier vlakbij, hooguit vijf minuten te voet. Ik ben er nooit geweest. Het interesseert mij niet. Maar toen ik het nieuws over een Dalí-moordenaar uit de krant vernam, moest ik mij bedwingen om niet naar zijn museum te hollen en de schilderijen kapot te snijden en alles aan stukken te slaan zoals die smeerlap in Perpignan mijn dochter kapot sneed en mijn dromen aan stukken sloeg.'

'Dalí is twintig jaar dood. Wat in Perpignan is gebeurd, is zijn schuld niet,' zei Paco Banana.

'Het is ook *mijn* schuld niet,' zei *Madame* Charlotte en beet in een zakdoek en weende zacht. Tranen gleden van haar wangen. 'Het spijt me, ik kan niet geloven dat Lorraine haar lichaam voor geld verkocht, Inspecteur, en ik kan het niet aanvaarden. Mijn dochter was geen schoonheid. Zij was niet beeldend mooi. Eerlijk gezegd, zij was lelijk. Welke man geeft zijn zuurverdiende geld aan een lelijk meisje met allesbehalve een aantrekkelijk lichaam?'

Misschien betaalde hij haar om haar te *doden*, dacht de commissaris.

Een man met een wandelrek schuifelde voetje voor voetje door de gang. *Madame* Charlotte sprong overeind en nam de man bij de elleboog en hielp hem de eetzaal in.

'Heb je geplast vandaag, Josep?' vroeg zij.

'Twee keer,' zei Josep.

'Flink!'

'Mijn benen doen pijn,' zei Josep.

Verplegers en verpleegsters liepen met koffiekannen tussen de tafels. Twintig tot vijfentwintig bejaarden, mannen en vrouwen, meestal in nachtkledij—sommige mannen met het bovenstuk van een pyjama onder hun trui—nuttigden een eenvoudige boerenmaaltijd van brood, confituur, kaas, Spaanse gedroogde ham en *pica-pica*: droge chorizoworst en groene en zwarte olijven. Op iedere tafel stond een karaf olijfolie en een *porrón* rode landwijn aangelengd met een soort Seven-Up. Er werd gerocheld en geniesd en er klonk een beetje flamenco, een beetje Julio Iglesias en natuurlijk het oude vertrouwde rammelen en rinkelen van borden en bestek.

'Je bent zo mager, Esteban, je bent vel over been, toe, eet een beetje, dan vliegen de kilo's er zó aan,' zei *Madame* Charlotte en sneed een boterham in kleine vierkantjes, zoals teerlingen.

'Ik heb geen honger.'

'Niet koppig zijn, Esteban. Iedereén heeft honger. Kom, ik help je. Mond open.'

Esteban legde zijn valse gebit naast zijn bord en trok zijn mond wijd open.

'Zie je wel?' zei *Madame* Charlotte en gaf zachte tikjes op zijn hand. 'Goed zo, Esteban. Morgen maak ik een lekker badje voor je klaar. Ik zal je rug wassen, met een warme spons.'

195

'Waarom moet ik in bad? Mijn kinderen komen niet op bezoek,' zei Esteban en zoog op een stukje brood. Een klodder aardbeienconfituur droop van zijn kin.

'Anders krijg je doorligwonden en doet alles pijn,' zei *Madame* Charlotte.

'Heb *jij* kinderen, *Madame* Charlotte?'

'Natuurlijk Esteban, ik heb een lieve kleine dochter,' zei *Madame* Charlotte en glimlachte. 'Neem nog een stukje brood. Welke confituur heb je liefst? Aardbeien? Abrikozen? Liever een sneetje ham? Of chorizo? Ik zal chorizo voor je halen.'

Chorizo zonder tanden? Dat wordt me wat, dacht Paco Banana.

'Champagne, *Madame* Charlotte! Champagne voor twee!' krijste Carmen.

'Een ogenblik, Carmen, ik ben zo bij je.'

'Hoe laat is het, *Madame* Charlotte?' vroeg Carmen.

'Klokslag zeven. Tijd om naar bed te gaan.'

'Denk je dat hij vandaag komt?'

'Wie komt vandaag, Carmen?'

'Maar *Madame* Charlotte—Gary Cooper natuurlijk, de mooiste man ter wereld!' zei Carmen en rolde met haar ogen. 'In *High Noon* had hij alleen oog voor mij. Grace Kelly speelt de hoofdrol in de film maar zal ik je wat zeggen? Hij keek haar niet eens aan. Logisch, ik zie er beter uit dan Grace Kelly, wat zeg jij, *Madame* Charlotte?'

'Je bent een schat, Carmen.'

'Hoe laat is het?'

'Zeven uur voorbij.'

'*Shhhh*... *Madame* Charlotte, niemand weet het, maar Gary Cooper en ik, wij zijn in het geheim gehuwd,' zei Carmen op samenzweerderstoon en legde een kromme vinger op haar lippen.

Een bejaarde man schuifelde in de eetzaal met een ouderwetse bandopnemer als een baby in zijn armen. Aan een kapstok hing een krant op een houten staaf. Hij sloeg de krant open en staarde naar de foto's, met zijn neus tegen het papier. In zijn armen croonde Nat King Cole met een warme, wattige stem *Mona Lisa* en andere trage kaskrakers.

De ramen waren bespikkeld met regendruppels die langzaam naar beneden zigzagden.

'Als je dat monster van een seriemoordenaar in de val lokt, Inspecteur, wat zal er dan met hem gebeuren?'

'Hij gaat naar de gevangenis. Voor de rest van zijn leven,' zei de commissaris.

'Is dat gerechtigheid, Inspecteur?' snauwde *Madame* Charlotte. 'Dat is geen gerechtigheid. De ogen van Lorraine waren uitgestoken. De helft van haar gelaat was weg. Pak dat monster, Inspecteur, en geef het aan mij. Oog om oog, tand om tand, zoals in de Bijbel van de Joden, *dat* noem ik gerechtigheid.'

Misschien heeft zij gelijk, dacht de commissaris.

Misschien heeft zij gelijk, maar dat mag ik haar niet zeggen.

Het was opgehouden met regenen. De hemel had de kleur van grijs metaal. Haperend brak een schemerige, oranjebruine avondzon door de wolken. Aan alle kanten werd de hemel doorsneden door dampsporen van vliegtuigen, zoals vóór de regen. De speurders lieten de huurauto achter op de parking van het bejaardentehuis en wandelden langs de overdekte fruitmarkt en het speelgoedmuseum naar het museum van Dalí in het stadscentrum. Zij waren niet gehaast—in de maand juli bleef het museum bij uitzondering open van tien uur 's avonds tot één uur 's nachts. Om de tijd te doden, dronken de speurders een glas lokale witte wijn op het buitenterras van de Astoria Bar, onder de schilferende platanen. Om de grootste honger te stillen, bestelden zij een mix van tapas—inktvis in look, *albóndigas* of vleesballetjes in tomatensaus en ansjovis in olijfolie. De commissaris checkte zijn voicemail. Vier gemiste oproepen. Niemand liet een boodschap achter. Vanaf het terras konden de speurders de zalmkleurige buitenmuur van het museum zien, hoog en kasteelachtig en volgeplakt met honderd, misschien wel duizend vrolijke bruingele drollen. In werkelijkheid waren de drollen een plaasteren variëteit van Catalaans brood. De richel op het dak van het museum was versierd met eieren van twee, drie meter hoog en tussen de eieren stonden vergulde mannequinpoppen die gemodelleerd waren naar het voorbeeld van het Oscar-beeldje uit de filmindustrie. De eieren en de poppen staken schril af tegen de bolvormige glazen koepel die vanbinnen was verlicht, zoals een veelkantig mozaïek, en een warme gloed uitstraalde.

De commissaris zuchtte. 'Terwijl we wachten, Paco, heb ik een job voor je,' zei hij. 'Neem je laptop en tik op Google zoekwoorden gevangenis, Perpignan en Frankrijk in.'

Google had 0,13 seconden nodig om 246.000 internetpagina's bloot te leggen.

'Inspecteur, heb je enkele jaren geleden de film *Catch Me If You Can* gezien?' vroeg hij.

'Ik weet dat het een film van Steven Spielberg is. Waarom?'

'Een waargebeurde geschiedenis. De held van het verhaal is Frank Abagnale. Misschien is 'held' te veel gezegd. Abagnale was een Amerikaanse oplichter, gespecialiseerd in de uitgifte van valse cheques. Hij zat zes maanden in de oude gevangenis van Perpignan en beweert dat die maanden bijna zijn dood betekenden. Luister naar zijn verhaal op de website van de Misdaadbibliotheek.'

Abagnale werd naakt in een vochtige, donkere cel gesmeten. Hij kon niet neerliggen en niet rechtop staan en zag nooit daglicht. Geen enkele keer mocht hij zijn cel verlaten. Hij kon zich niet wassen of scheren en had geen bord om de kleine brokjes water en brood te eten die hem af en toe door de tralies werden toegestoken. De strontemmer werd niet dikwijls leeggemaakt.

'Mooi,' zei de commissaris.

'Dat was in het midden van de jaren vijftig. Een halve eeuw geleden,' zei Paco Banana.

'Abagnale overdrijft. De gevangenis is geen hel,' zei de commissaris.

Paco Banana zuchtte. 'Ik dreef een handeltje in cocaïne en heroïne. Toen ik werd opgepakt, in Spanje, zat ik eerst in de gevangenis van Girona en daarna in Barcelona,' zei hij. 'Girona is een schijthuis maar in La Modelo in Barcelona was het echt aangenaam, hoewel dat ook een oude gevangenis is. Vraag mij niets over de gevangenis van Perpignan, Inspecteur, ik kan er niet over meespreken. Wanneer ik een verdachte van een misdaad in hechtenis neem, lever ik hem af aan de poort van de gevangenis en maak mij snel-snel uit de voeten.'

'Blijf weg uit de gevangenis, Paco, en stop geen cocaïne in je neus,' zei de commissaris.

'Hé, da's leuk, volgens de Misdaadbibliotheek speelde Abagnale de rol van een Franse politieofficier in *Catch Me If You Can*. Een oplichter als politieofficier, daar zie ik de humor wel van in.'

'Fris mijn geheugen op, Paco. Wie vertolkt de rol van Abagnale in de film?'

'Leonardo DiCaprio.'

'Voor of na Titanic?'

'Goeie vraag. Ik zoek het op,' zei Paco Banana. 'Dit is ook interessant, Inspecteur. Een Franse kwaliteitskrant—Le Monde—publiceerde onlangs het dagboek van een Franse gevangenisdokter. Ik lees een fragmentje voor.'

Cellen zijn 4 meter lang en 2,5 meter breed. Zij zijn vuil en krioelen van ratten en muizen. Slaapmatrassen zitten vol luizen en ander ongedierte, dat door gedetineerden wordt gevangen en in een bokaal verzameld. Iedere gevangene mag één keer per week douchen. Er tiert een welige handel in drugs, met de medewerking van cipiers en verpleegsters. Wie geen drugs koopt, loopt kans dat zijn keel wordt doorgesneden. Verkrachting en zelfmoord komen veelvuldig voor, net als zelfverminking door het inslikken van metalen voorwerpen—messen, vorken en scheermesjes. Gevangenen worden door cipiers afgeranseld.

'Da's geen klein bier, Inspecteur,' zei Paco Banana.

'Is het allemaal waar?' vroeg de commissaris.

Bijna gelijktijdig riepen zij de barman van de Astoria Bar en vroegen om de glazen nog eens vol te doen.

'Dit wijntje is zo lekker,' zei Paco Banana en likte zijn lippen af.

De commissaris zuchtte zwaar. 'Dit onderzoek zit vol raadsels,' zei hij.

Paco Banana tikte op zijn toetsenbord en logde in op YouTube.

'Iets bijzonders? Zoek iets over *steekwonden* en *verminking* in verband met schilderijen van Dalí,' zei de commissaris.

'Kijk, hier: een korrelig reclamespotje van 26 seconden

voor Alka-Seltzer,' zei Paco Banana. 'Dalí—in een lang wit kleed—loopt naar een mooie vrouw, zwaaiend met een mes, alsof hij haar wil aanvallen. Weet je nog, Anthony Perkins die in *Psycho* Janet Leigh aanvalt? Onder de douche? Zoiets. Het filmpje dateert uit dezelfde periode, zo rond de jaren zestig. Het mes van Dalí is geen mes maar een viltstift waarmee hij snel-snel-snel een tekening maakt op de naakte borsten en de naakte buik van de vrouw. *Alka-Seltzer is een kunstwerk. Iets unieks—zoals een Dalí* is de verkoopslogan.'

Opnieuw zuchtte de commissaris. 'Dit helpt ons geen stap verder,' zei hij.

'Wie niets heeft, is met weinig tevreden,' zei Paco Banana.

Zij dronken hun tweede glas leeg en wandelden naar het museum. Hoewel bezoekers tot halfeen 's nachts werden toegelaten, stonden zij in de rij en moesten een halfuur aanschuiven voor het hun beurt was om een toegangsticket te kopen.

Paco Banana liet zijn laptop achter in een bergkastje.

Tegen de grijze wanden van het museum baadde ieder schilderij in een zee van licht. De vroegste schilderijen—de jeugdwerken—waren getrouwe afbeeldingen van dansers en muzikanten en straalden een warme, blozende, impressionistische gloed uit, maar het overgrote deel van de toeristen had geen oog voor de jeugdwerken en vergaapte zich aan *Het spook van de Sex-Appeal*, een klein, onopvallend paneeltje en de absolute blikvanger in de zaal van de meesterwerken, en toch leek het of iedereen wijselijk de ogen sloot voor Dalí's pijnlijke voorstelling van zijn geheime begeerten en ziekelijke verlangens. De commissaris hield zijn handpalmen omhoog, zoals de filmregisseur op de filmset, met gestrekte vingers en de duimen tegen elkaar, zodat de ruimte tussen zijn handen een perfecte rechthoek vormde, zoals een filmdoek of een TV-scherm. Het paneeltje paste precies tussen zijn vingers en zijn duimen. De commissaris zag een jongen met een hoepel. De jongen is gekleed in een wit en blauw marinepakje en kijkt met onschuldige ogen naar een afgeslachte naakte vrouw die achterover leunt tegen een theaterdecor van zee, zand en rotsen. De vrouw heeft geen handen en geen voeten en wordt overeind gehouden door houten krukken. Haar borsten lijken op leeggeschudde jutezakken. Wat een geluk dat toeristen en kunstliefhebbers dit petieterige schilderijtje niet in detail bekijken, dacht de commissaris. Indien zij dat wel zouden doen, hun vakantie zou naar de knoppen zijn.

Toeristen houden van sfeer en kleur, meer moet dat niet zijn.

Andere meesterwerken in dezelfde zaal waren even pijnlijke voorstellingen van begeerte en verlangen. Vliegende vagina's, anale openingen, misvormde lichamen en geamputeerde ledematen hingen als stofnetten over de schilderijen. Een beeld van Perseus uit de Griekse mythologie stak triomfantelijk en zonder de minste emotie het bloederige hoofd van Medusa omhoog. De hals van Medusa was onder de kin afgehakt. In een nis in een gang prijkte het naakte borstbeeld van een vrouw met op het hoofd een Frans stokbrood en twee maïskolven om haar hals, alsof zij met de maïskolven was gewurgd. De commissaris ging een donkere kamer binnen. De kamer was leeg, op een rode sofa na, een schoorsteenmantel in de vorm van twee neusgaten, twee zwart-witfoto's en een gordijn van gevlochten koorden. Hij klom op een gammel trapje naar een bolle lens ter grootte van een voetbal en keek door de lens en op slag—zoals bij een Identikit op het kantoor van politie—veranderde het huiselijke tafereel van sofa, schoorsteenmantel, foto's en gordijn in het grijnzende gelaat van Mae West, een Amerikaanse filmster uit de dertiger jaren en de seksgodin der seksgodinnen, met de rode sofa in de vorm van haar opgemaakte lippen, de zwartwitfoto's als make-up aan haar ogen, de schoorsteenmantel als haar neus en het gordijn van gevlochten koorden als een waterval van haar. Dit is geen echt museum, dacht de commissaris, dit is een speelgoedpaleis om toeristen te lokken met hologrammen, optische spelletjes, gedrochtelijke snuisterijen en het echtelijk bed van Dalí, met als klap op de vuurpijl schilderijen in 3D om door een speciale bril te bekijken, links rood, rechts cyaan of groenblauw.

Verderop was een naakt meisje van spaanplaat en bruine verf met kettingen aan een stenen trap vastgeketend.

Bijna één uur in de nacht. Het museum werd onder de voet gelopen door toeristen uit de hele wereld, zelfs op dat late uur. Op een kleine binnenplaats, in de openlucht, werd een videomontage geprojecteerd—Dalí houdt een masker voor zijn gelaat; het masker is het gelaat van de kunstenaar zelf—en iedere meerderjarige museumbezoeker kreeg een hoog glas met Dalí's favoriete roze *cava* uit de kelders van het kasteel van Perelada in de hand gestopt.

Dit is puur entertainment, dacht de commissaris.

Dit heeft niets met kunst en alles met showbusiness te maken.

Dalí is kunst voor toeristen.

Hij mengde zich onder de menigte en stelde tot zijn afgrijzen vast dat de volledige achterwand van de binnenplaats—onder de glazen koepel—werd ingenomen door een gigantische muurschildering ter grootte van een tennisterrein. De muurschildering stelde een naakte vrouw voor, met een opengebroken schedel. In haar borst zit een

gesloten poort die haar ingewanden aan het gezicht ont-
trekt. De kunst van Dalí is een potpourri van sperma, speeksel, schaamhaar, vrouwelijke openingen, menstruatiebloed
en waanzinnige erecties die lijken op de loop van een
kanon, dacht hij. Hoe langer ik hier rondwandel, hoe on-
gemakkelijker ik mij voel en hoe slechter ik in mijn vel
zit. In de tuin van het museum stond een oude Cadillac
naast een enorme zuil van autobanden. De commissaris
stak een muntstuk in een gleuf en het interieur van de
Cadillac stroomde onder water. Boven op de autobanden
rustte de gele roeiboot van Gala. De gele boot weende
blauwe tranen. Waar hij ook keek, overal werd de commissaris herinnerd aan de gruwelijke politiefoto's van de
slachtoffers in de dossiers van de seriemoordenaar van
Perpignan. Waarom die pathologische haat tegen vrouwen? Omdat de man, de moordenaar, de seriemoordenaar, ervan overtuigd is dat een vrouw—zijn moeder, zijn
stiefmoeder, zijn echtgenote, misschien een vriendin—
hem onrecht heeft aangedaan? De commissaris verving in
gedachten 'een man, een seriemoordenaar' door 'een mannelijke kunstenaar' en de vergelijking joeg hem de stui-
pen op het lijf. Waarom die pathologische haat *van een
mannelijke kunstenaar* tegen vrouwen of 'de vrouw' in het
algemeen? Omdat hij ervan overtuigd is dat een vrouw—
zijn moeder, zijn stiefmoeder, een echtgenote, een vriendin—hem onrecht heeft aangedaan. De commissaris was
zo onder de indruk van zijn eigen lugubere hersenkron-
kels, dat hij verstijfd van wanhoop en vertwijfeling geen
voet voor de andere kon verzetten. Waarom flipt de seriemoordenaar? Waarom flipte Dalí? Was Dalí geestesziek
en waren verf en penseel zijn enige medicijn? Het schoot
de commissaris te binnen dat hij eens, lang geleden, een
antiekbeurs had bezocht van oude, stoffige en vergeelde

boeken. In een glazen toonkast lag een medisch handboek uit de zeventiende eeuw. Er stonden afbeeldingen in van metalen marteltuigen. In de zestiende, zeventiende eeuw werden zij gebruikt om kankerborsten zonder verdoving te amputeren. Alle patiënten bloedden dood, maar dat was in die tijd een vervelende bijkomstigheid en zonder veel erg, de slachtoffers waren toch maar vrouwen. De gewelddadigste schilderijen van Dalí herinnerden de commissaris aan de antieke marteltuigen in het medisch handboek. Ook op de schilderijen bloedden vrouwen dood. In eer en geweten vraag ik me af wat er omging in het hoofd van Dalí, dacht de commissaris en zijn hart bonkte in zijn keel. Hij hijgde zwaar, alsof hij doodmoe was. Het was brokkensoep daarboven in het hoofd van Dalí, dacht hij, een beetje van dit, een beetje van dat, flink roeren, peper, zout, strooi er Parmezaanse kaas overheen en de brokkensoep wordt een heerlijke minestrone.

'Kom, Paco, we zijn ermee weg. Dit is een wereldvreemd museum,' zei de commissaris.

'Nu reeds, Inspecteur? Ik heb niet de helft gezien.'

'Ik krijg geen adem. Ik heb frisse lucht en een borrel nodig.'

'Wat denk je, Inspecteur, nu je met eigen ogen de schilderkunst van Dalí hebt gezien? Krijgen we de seriemoordenaar te pakken?' vroeg Paco Banana.

'Ik hoop het, Paco. Het is mijn gewoonte om positief te denken. Aan negatieve energie verspil ik geen tijd. We springen samen in het water en samen moeten we er weer uit. Eén zaak staat vast: we zullen allemaal druipnat zijn. Is dat de prijs die we moeten betalen, dan betalen we die prijs.'

De nacht was zeer zacht, hoewel er vocht in de lucht hing, en de buurt rond het museum was rustig en verlaten, ondanks de gele en rode knipperverlichting van lege nacht-clubs. De speurders wandelden terug naar de Astoria Bar.

'Heb je cognac van de streek in huis?' vroeg de commissaris.

'Zeker, maar om eerlijk te zijn, dat spul is ondrinkbaar.'

'Schenk toch maar eentje in.'

'Mag een speurder cognac drinken als hij van dienst is?' vroeg Paco Banana.

'Nee, natuurlijk niet,' zei de commissaris.

Fris gewassen na een rustige nacht, genoot de commissaris van een uitgebreid ontbijt op de zonovergoten daktuin van zijn hotel naast een zwembad en een kleine fontein met blauwe tegels en tropische planten. Witte en gele verticale slierten ontsierden de blauwe hemel. Hoe het kwam, dat wist de commissaris niet. Beneden op de Rambla ritselde de warme wind met de bladeren van de bomen. Het was 8 uur. Paco Banana sliep nog. Hij leed aan slapeloosheid en zocht pas in de vroege ochtend zijn bed op—eigenlijk zijn slaapzak—nadat hij zich de ganse nacht een stuk in zijn kraag had gezopen, eerst met cognac van de streek, daarna met wodka en gin-breezers. Terwijl de commissaris de zon als een spons opzoog, bestudeerde hij zijn aantekeningen van de vorige dagen. Gewoon zijn eigen notities herlezen was pijnlijk. Hij legde zijn handen op de ontbijttafel en staarde naar zijn gekloven vingernagels. Zijn handen beefden. Zijn ogen traanden en de tranen reden zich vast in zijn ongeschoren wangen. Hij masseerde zijn hals en wreef met een wijsvinger over zijn neus, een zenuwtic die hem parten speelde telkens wanneer hij op het punt stond om het harde en ondoordringbare omhulsel rond een moeilijk onderzoek te kraken. Misschien zou ik beter vervroegd pensioen aanvragen en mij terugtrekken uit het beroepsleven, dacht hij, ik heb er de leeftijd voor, niemand zal het mij kwalijk nemen. De commissaris bedacht zich en schudde het hoofd. Het was te vroeg, hij was er niet klaar voor. Er blijft zoveel te doen, dacht hij. Een dikke zwarte rookwolk bloesemde een halve kilometer in de lucht als gevolg van een bosbrand aan de rand van de stad en veroorzaakte een nevel die de bergen in de verte aan het gezicht onttrok. De commissaris luisterde naar het verkeer. Dezelfde geluiden, overal ter wereld, dacht hij. Sirenes, brandweerwagens, gierende autobanden. Ga een dag naar Londen, je zit vast in het verkeer. Parijs, verkeer. Rome, Amsterdam, New York, Den Haag, Brussel, Perpignan: verkeer. Figueres, verkeer. Figueres is ocharme een scheet groot. Ik vraag mij af wat mij in Barcelona te wachten staat, dacht hij. Naast het drukke verkeer vielen hem vooral de kwetterende vogels op, in de platanen op de Rambla en op telefoondraden.

Zuigend aan een blikje Fanta—door een rietje—strompelde Paco Banana uit zijn kamer, opgeblazen, gekreukeld en in de war. Hij was gekleed in een gele onderbroek die bij nader inzien een klassieke strakke Speedo-zwembroek van Lycra was en nam een aanloop en dook met het hoofd vooruit in het zwembad en peddelde een minuutje of zo onder water, zuigend aan het rietje, en schoot als een kanonskogel uit het water omhoog en trok zich met zijn ellebogen op aan de rand van het zwembad.

'Lekker geslapen, Inspecteur?' vroeg hij met slepende tong. Zijn dreadlocks kleefden aan zijn voorhoofd.

Geen antwoord.

'Is er iets, Inspecteur? Is er iets dat op je lever ligt?'

Kijk naar zijn ogen, dacht de commissaris. De ogen van een verslaafde. Zijn hersenen komen er langs zijn oren uit. Hij is hervallen, hij zit aan de heroïne of aan de cocaïne, maar dat hij slikt of spuit of snuift staat als een paal boven water.

'De vermoorde clochard stelt mij voor een raadsel,' zei hij. 'Vraag me niet wie, wat, hoe of waarom, ik weet het zelf niet, maar dat er een verband is met Dalí en de seriemoordenaar, dat is duidelijk.'

'Zwervers en clochards komen altijd op een gewelddadige manier aan hun einde,' zei Paco Banana.

'Zij worden niet doodgeschoten,' zei de commissaris. 'Clochards worden doodgeknuppeld, door punkers of door dronken hooligans, en als zij niet worden doodgeknuppeld, verzuipen zij in het kanaal of stikken in hun eigen kots.'

Paco Banana schudde het water uit zijn haar. 'Je hebt gelijk, Inspecteur,' zei hij. De natte druppels spatten in alle richtingen, zelfs op de aantekeningen van de commissaris, en maakten ze zo goed als onleesbaar.

'We gaan ervan uit dat de seriemoordenaar van Perpignan geobsedeerd is door Salvador Dalí,' zei de commissaris. 'In ieder geval gaan we ervan uit dat hij in de ban is van het bizarre universum van de kunstenaar. Toeval, zegt Renaudot. Ik herhaal het: toeval bestaat niet. Wat wil het toeval? Het toeval wil dat op dit ogenblik hier in de streek een film over het leven van Dalí wordt gedraaid. Maar als het toeval niet bestaat, is de film dus geen toeval en spelen de filmopnamen een belangrijke rol in het grotere geheel der dingen. Ik volgde enkele opnamen, als toeschouwer, ik weet waarover ik spreek. Pacino = Dalí en Dalí = Pacino in de film. Oké, trek die gedachtegang door en de moordenaar kan net zo goed iemand zijn die niet zozeer is geobsedeerd door Dalí of de bizarre wereld van Dalí, maar integendeel door Pacino en alles wat met Pacino te maken heeft: The Godfather, Scarface, de Duivel in The Devil's

Advocate, Carlito Brigante in *Carlito's Way*, stuk voor stuk gewelddadige, hardvochtige mannen—mannelijke haaien—zonder medelijden, zonder wroeging of berouw en zonder enig gevoel van schuld.'

'Met andere woorden, Inspecteur, de man die we zoeken is een gewelddadige, hardvochtige duivel en de verpersoonlijking van het kwaad, zoals Pacino in zijn beste films?' vroeg Paco Banana.

'Ik hoop dat ik mij niet vergis.'

Twee kopjes koffie—zwart, zonder melk, zonder suiker—meer had de commissaris niet nodig om wakker te worden. Vanwaar hij zat, kon hij over de daken heen de zeshoekige toren van de kerk van San Pere zien, en verderop de reusachtige glazen koepel van het Dalí Museum aan het eind van een smalle steeg.

Hij keek op zijn horloge.

'Ben je pissig, Inspecteur?' vroeg Paco Banana.

'Waarom zou ik pissig zijn, Paco? Nee, ik ben niet pissig. Ik ben ook niet kwaad. Met de leeftijd nemen woede en pissigheid af. Woede is heel egoïstisch en gaat uit van het idee dat je de belangrijkste mens op aarde bent. Ik ben dat niet, jij bent dat niet, niemand is de belangrijkste mens op aarde—helaas, de jaren vliegen voorbij vóór je aanvaardt dat het leven een enkele reis zonder retour is. Wij leven in een vulgaire wereld waarin ieder zijn eigen zin doet, Paco. Jij leeft jouw leven, ik leef mijn leven. Laten we het houden zo en vrienden blijven.'

'Dank je, Inspecteur.'

Trouwens, mijn naam is Sam—of Sammy, voor Marie-Thérèse.'

'Wie is Marie-Thérèse?'

'Mijn vriendin. Al meer dan tien jaar. Zij noemt mij poesje.'

'Dank je, Sam. Doe de groeten aan Marie-Thérèse,' zei Paco Banana en zijn ogen vielen dicht en hij begon Ol' Man River te fluiten en de commissaris tokkelde de melodie van het oude slavenlied op de ontbijttafel en samen gaven zij een perfecte imitatie ten beste van de schurende kiezelstem van Louis Armstrong.

'Kruip uit dat zwembad en kleed je aan, Paco. We vertrekken,' zei de commissaris.

'Waar gaan we heen, Inspecteur?'

'Ofwel zeg je Sam, ofwel is het Inspecteur Kerouac.'

'Waar gaan we heen, Sam?'

'Girona.'

Paco Banana trok een vies gezicht. 'Waarom?' vroeg hij.

'De schrijver van de film woont in Girona.'

'Welke schrijver?'

'Stan—Stan-de-Man.'

'Ken ik niet.'

'Hij schreef het boek van de film.'

'Is hij goed?'

'De beste, zeggen ze.'

'Is hij kaal?'

'Kaal? Waarom? Wat heeft kaalheid te maken met grootheid?'

'Kale schrijvers zijn slechte schrijvers,' zei Paco Banana. 'Haar is een kussentje dat de hersenen warm houdt. Zonder kussentje koelen gedachten af en verdampen de ideeën. Alle grote schrijvers en Nobelprijswinnaars hebben haar op overschot: Jean-Paul Sartre, William Faulkner, Pasternak, Ernest Hemingway. De kaalkoppen zijn vergeten. Graham Greene was kandidaat voor de Nobelprijs tot hij zijn haar verloor. Simenon: van hetzelfde laken een broek. In plaats van hun boeken te lezen, kijkt de jury van de Nobelprijs naar de schedel van de kandidaten. Geen haar, geen Nobelprijs.'

Wie had hem *dat* ingefluisterd?

Een kleine ronde tafel, vier metalen tuinstoelen en een aantal kleipotten met rode geraniums, meer stond er niet op het grote balkon van de schrijver dat uitzicht gaf over een ondiepe rivier met talrijke voetgangersbruggen. Reusachtige zeemeeuwen zeilden rakelings over het water. De huizen aan de overkant van de rivier waren in felle kleuren geschilderd, oker, roestbruin, zalmkleurig en vermiljoenrood, en kleefden als een broos kaartenhuis tegen de steil oplopende oever. De zon stond achter de huizen, op dit uur van de dag, en de beroemde gevels lagen in de schaduw, waardoor het rustige tafereel geleek op een bleek waterverfschilderij met vage en onduidelijke vormen en contouren. Dat was zo mooi, de weerkaatsing van de huizen in het stille water. Aan alle ramen hing wasgoed te drogen. Hier en daar hing een Catalaanse vlag aan de waslijn, tussen sokken en onderbroeken. De beschilderde gevels onttrokken smalle middeleeuwse stegen en eeuwenoude gaanderijen aan het zicht, en kleine pleintjes met antiekzaken, kunstgalerijen en bars en koffiehuizen met hun vertrouwde gerinkel van glazen en bestek. Een romantische, uitgesleten trappengang met ruige stenen treden en gewelfde bloembakken op ooghoogte leidde naar het vierkante, hoekige kerkje van Sant Martí en de barokke, majestueuze gevel van de kathedraal van Santa Maria Moeder van God. De gevel van de kathedraal lag eveneens in de schaduw. De commissaris kon zich niet van de indruk ontdoen dat hij die ochtend uitsluitend onderbroeken en daken van huizen en kerktorens had gezien.

'Op een heldere dag zie je in de verte de Pyreneeën,' zei de schrijver.

Het *was* een heldere dag.

De commissaris zoog de warme lucht op. De lucht was zuiver en ongerept.

'Eindelijk in Girona,' zei hij. 'Hier werd de gruwel uit *Perfume: The Story of a Murderer* gefilmd.'

'Heb je de film gezien?' vroeg de schrijver. 'Ik heb *nooit* iemand ontmoet die *Perfume* heeft gezien. Jij bent de eerste.'

'Ik heb de film niet gezien, ik heb erover gehoord,' zei de commissaris.

In het echt was de schrijver klein van gestalte—schrijvers lijken groter op de foto op de rug van hun boek—ongeschoren, met groene ogen, fijne handen als van een hersenchirurg en steil achterovergekamd donker haar met een halve middenstreep en grijzend pluis aan de slapen. Het was bijna middag. Toch liep hij blootsvoets in leren soldatenlaarzen met losse veters en afgetrapte zolen en een gebloemde pyjama die twee maten te groot was. De brede broekspijpen van zijn pyjama had hij om zijn enkels geknoopt en in zijn soldatenlaarzen gestopt.

'Het spijt me dat ik je wakker heb gemaakt,' zei de commissaris.

'Nee, nee, helemaal niet.'

'Je bent in pyjama, ik dacht... misschien...'

De schrijver glimlachte. 'M'n pyjama is mijn werkkledij,' zei hij. 'Pyjama's heb ik in alle kleuren en formaten: gebloemd, gestreept, met mijn initialen op het borstzakje... Ik slaap naakt, Inspecteur. Zodra ik uit mijn bed kom, trek ik een pyjama aan. Lach niet, dat is de omgekeerde wereld, ik weet het.'

'... maar... waarom de laarzen?'

'Soldatenbottines, *haw haw*,' lachte de schrijver. 'Ze zijn een maatje te klein. M'n voeten doen er pijn in. Weet je,

Inspecteur, een boek schrijven is slavenarbeid. Schrijven doe je niet uit liefde. Een verhaal in goede banen leiden, dat is een kwelling. Dankzij mijn bottines ben ik mij er ieder ogenblik van bewust dat een boek schrijven precies hetzelfde is als een muur metsen of een huis bouwen. Werk ik aan een boek of een filmscenario, dan sta ik de ganse dag op een stelling, in weer en wind.'

Vier verdiepingen lager rimpelde een zachte zomerbries door de bedding van de rivier. Kwetterende eenden bedelden om brood en karpers plonsden tussen de natuurlijke zandbanken, met hun brede rug half boven water.

De schrijver woonde in een duplex onder een puntdak—wat in Spanje een *ático* wordt genoemd—aan de elegante en modieuze Plaça Independencia, een koel binnenplein met hoge palmbomen en restaurants, openluchtterrassen, een *kiosko*, waar kranten, weekbladen en DVD's werden verkocht, en een gebeeldhouwde fontein van een jongen met een vis in de zon in het midden van het plein.

Hij schreef zijn boeken in een ruime, zonovergoten werkkamer met witte muren en een tegelvloer met de kleur van rode baksteen. Manshoge boekenkasten, op maat gemaakt, bedekten de vier muren en overal op de grond lagen boeken en slingerden kranten in het rond.

'Ik wil het hebben over je boek dat wordt verfilmd,' zei de commissaris.

De schrijver lachte. 'Won ik de jackpot mee,' zei hij.

'Was het een moeilijk boek om te schrijven?'

'Een telefoonboek en een goede tekst op een verjaardagskaart zijn moeilijk om te schrijven, Inspecteur. De gebruiksaanwijzing op een doos cornflakes is niet makkelijk. Dalí is m'n enige boek dat *niet* moeilijk was. Ik zat lekker op mijn kont en noteerde wat ik had beleefd, zo getrouw mogelijk, tot en met de kleinste pis en kak, en toen alles op papier stond, was mijn boek klaar. Je hebt het gelezen, Inspecteur?'

'Het spijt me, ik kreeg het pas toe met de post en had er de tijd niet voor. Vannacht heb ik er een beetje in gebladerd.'

De schrijver vertelde dat hij vroeg opstond en zich onmiddellijk aan het schrijven zette na een licht ontbijt van koffie en croissants. Tot drie, vier uur in de namiddag—het middagmaal sloeg hij over—tikte hij zijn tekst in op twee computerschermen, hevig zwetend, tot zijn vingers er pijn van deden, waarna hij het huis verliet voor een lange stadswandeling langs de voetgangersbruggen over de rivier, om de karpers gade te slaan die V-vormige gleuven trokken in het wateroppervlak.

'Waar plaats je Salvador Dalí als kunstenaar?' vroeg de commissaris.

'Indien hij vandaag zou leven, zou hij in een gekkenhuis worden opgesloten.'

'Wat denk je van Pacino in de rol van Dalí?'

De schrijver haalde zijn schouders op. 'Ideaal,' zei hij. 'Pacino is een beroepsspeler. Maar de schrijver is nooit tevreden.'

'Waarom niet?'

'Mijn beste Inspecteur,' zei Stan-de-Man en kruiste zijn voeten op de gietijzeren balustrade van het balkon, 'een schrijver is van geen tel. Hollywood heeft schrijvers nodig omdat Hollywood verhalen nodig heeft. De filmregisseur, de producer en alle acteurs denken dat zij het beter kunnen en knippen en plakken naar hartenlust in je tekst en dialogen—als je geluk hebt. Gewoonlijk smijten zij je tekst gewoon in de prullenmand. Een producer koopt de rechten op je boek en strooit enkele jaren veel geld over je hoofd—een film maken duurt jááááren—en wanneer de film klaar is, word je bij het groot vuil gezet en hoor je nooit meer iets. Geen telefoontje, geen brief, geen e-mail, niks niemendal, en vraag je om een uitnodiging voor de première van je film of een bioscoopzetel op het Filmfestival van Cannes, dan word je verondersteld door het slijk te rollen en de voeten van de producer te likken—zoals Dalí in mijn boek aan de tenen van filmsnolletjes likt. Zo werkt Hollywood, Inspecteur, zo en niet anders. Ken je mijn stelregel? Stop je zakken vol geld en maak je zo vlug mogelijk uit de voeten.'

De zon stond hoger nu. Het zware parfum van mimosa, geraniums, *paella marinera* en gefrituurde inktvis spiraalde in de warme lucht. Het is verdomd prettig en aangenaam leven in zo'n duplex, dacht de commissaris, vier verdiepingen hoog en zo dicht bij de Pyreneeën, dat je bijna de heuvels en de bergen kan aanraken die er voor eeuwig en altijd liggen en vredig lijken te slapen, zoals olifanten in de verte.

'Veel heb ik er niet in gelezen, maar wat ik heb gelezen, geeft mij de indruk dat je boek kwetsend is voor sommige mensen,' zei de commissaris.

'Mensen die zich niet kunnen verdedigen, daar ben ik mij van bewust,' zei de schrijver. 'Dat is het verhaal van mijn leven, Inspecteur. Voor ik mijn boek schreef, verdiende ik mijn brood in de kunsthandel. Ik was iemand met een leuke babbel maar zonder geweten. Vanuit een klein kamertje met een tafel, een stoel en één enkele telefoon—van een computer was in die tijd geen sprake—verkocht ik valse en niet-bestaande schilderijen en klopte hebzuchtige sukkels met veel geld en weinig verstand een fortuin uit de zakken voor meesterwerken van museumkwaliteit die mijn eigendom niet waren. Ken je de *Mona Lisa* van Leonardo da Vinci in het Louvre? Heb ik drie keer verkocht. Ken je de *Zonnebloemen* van Van Gogh? Twee keer vond ik een koper. Ik dacht dat ik een roeping had in het leven: het was mijn roeping om zo snel mogelijk rijk te worden. Ik was een moderne Robin Hood, Inspecteur, ik stal geld van de rijken—hebzucht is heerlijk, zegt Michael Douglas in de film *Wall Street*—maar in plaats van het gestolen geld aan de armen te geven, zoals Robin Hood, hield ik het voor mijzelf...'

Robin Hood in een gebloemde pyjama en leren soldatenbottines met losse veters, dacht de commissaris.

'Mooie liedjes duren niet lang, Inspecteur. Interpol zat mij op de hielen en ik vluchtte over de bergen hier vlakbij aan de Costa Brava—Spaans voor Wilde Kust—en werd per toeval de enige buurman van Salvador Dalí. Het is mijn schuld niet dat Salvador Dalí aan de voet van de berg woonde. Kilometers in de omtrek was er niets behalve bergen en de Middellandse Zee. Op een vroege ochtend in mei vielen ongewassen en ongeschoren stoottroepen van de Guardia Civil mijn huis binnen. Ik werd opgepakt en opgesloten, eerst in de gevangenis van Girona hier vlakbij, om de hoek...'

Toeval bestaat niet, dacht de commissaris.

Met wijdopen ogen keek Paco Banana de schrijver aan en zijn mond viel open van verbazing.

'... en daarna in de gevangenis in Barcelona en Madrid. Ik zat met Engelse Cockney-gangsters, Russische mafioski, Colombiaanse drugsdealers en een handvol psychopaten en seriemoordenaars in één cel. Ik had geluk, Inspecteur, ik kwam er levend uit. Tijd om naar huis te gaan—maar waar was *thuis*? Ik *had* geen *thuis* meer. Toen besloot ik in Girona te blijven en een boek te schrijven over mijn leven als buurman van Salvador Dalí. Ik had een mooie titel in gedachten, *V van Vals*, wat helaas de titel blijkt van een film van Orson Welles. Wat de mensen ook zeggen, mijn boek is geen boek over Salvador Dalí en zeker geen biografie, het is een boek over *mijzelf* waarin ik mij helemaal blootgeef en binnenstebuiten keer. Een vies en onbeschoft boek, schrijven sommige bladen. Een boek zonder gevoel. Schunnig, cynisch en gemeen. Natuurlijk—precies daarom is het door Hollywood gekocht, omdat het vies en onbeschoft en gevoelloos en schunnig en cynisch en gemeen is. Daarom kruipt Pacino in de huid van het onbeschoftste en schunnigste personage van allemaal. Om een lang verhaal kort te maken, Inspecteur, dat boek is mijn catharsis, mijn zelfreiniging, het heeft van mij een beter mens gemaakt: ik ging in een donkere tunnel en toen ik zes weken later aan de andere kant uit de tunnel kwam, zag ik het licht en stond mijn boek op papier.'

'Wanneer zat je in de gevangenis?' vroeg Paco Banana.

'Oh—vijftien, twintig jaar geleden.'

'Er is niets veranderd.'

'Nee, waarschijnlijk niet.'

—en van dat ogenblik af hing er een nooit uitgesproken en onzichtbaar waas van sympathie en begrip tussen beide gevangenisklanten, de ene zwart, de andere blank, die allebei wegkwijnden in dezelfde cel tussen hetzelfde geboefte.

'Je schreef een hard, gewelddadig boek,' zei de commissaris.

'Vind je, Inspecteur? In *Hamlet* en *Macbeth* zit meer geweld dan in mijn boek. Ik schreef een liefdesverhaal over een man die verliefd was op zichzelf.'

'Is alles echt gebeurd?' vroeg de commissaris.

'Natuurlijk, maar uiteindelijk heeft dat geen belang,' zei de schrijver. 'Als het echt gebeurd is, is het een ongelooflijk interessant verhaal en als het *niet* echt gebeurd is, blijft het een ongelooflijk interessant verhaal. Maak ik een mythe van mezelf? Da's graag meegenomen.'

'Word je door Interpol gezocht?' vroeg Paco Banana.

'Nee. Ik heb geboet voor mijn zonden.'

'Je bent niet vriendelijk voor Dalí,' zei de commissaris.

'Ik ben niet op de wereld gezet om vriendelijk te zijn maar om spannende boeken te schrijven,' antwoordde de schrijver. 'Daar betalen mijn uitgevers mij voor en zo verdien ik mijn brood. Laat je niet om de tuin leiden, Inspecteur, ik dacht dat ik een moderne Robin Hood was, maar Dalí was de grootste kunstdief ter wereld. Vlinders waren zijn specialiteit. Welnu, het idee van een schilderij vol vlinders heeft hij *gepikt* van Carl Spitzweg, die in 1840 *De vlindervanger* schilderde dat—toevallig—het lievelingsschilderij was van Hitler. Dalí was een artistieke gauwdief. Met zijn ogen stal hij van iedereen, overal, altijd, de lijst van zijn slachtoffers is eindeloos. Afgesneden handen, vloeibare horloges, brandende kaarsen als symbool voor verminderde potentie met—onherroepelijk—*impotentie* tot gevolg: Dalí heeft alles 'geleend' van bevriende schilders. Maakt hem dat tot een slecht kunstenaar? Integendeel. Een goede dief kan een goede kunstenaar zijn. Méér zelfs, de beste dieven zijn de grootste kunstenaars. Ik schreef een boek over Dalí en mijzelf en Hollywood hapte toe. Dat is geen misdaad, Inspecteur. Dat is een neus voor business.'

'Schrijven is geen misdaad, moord is dat wel.'

'Word ik van moord verdacht, Inspecteur? Moet ik een alibi zoeken? Is dit een verhoor? Heb ik een advocaat nodig?'

'Nee, zeker niet.'

'Hoe noem je dit als het geen verhoor is?'

'We babbelen wat, heel ontspannen, als vrienden onder elkaar, en ik stel routinevraagjes.'

Als je dat gelooft, dan geloof je alles, dacht Paco Banana, maar hij zweeg wijselijk en liet de commissaris zijn gang gaan.

'Zolang de seriemoordenaar niet achter de tralies zit,' zei de commissaris, 'is *iedereen* verdacht. Jij, ik, je huisbaas, je melkboer als je een melkboer hebt... Wij zijn allemaal verdacht. Sta mij toe dat ik enkele losse ideeën in de lucht gooi. Jij bent de schrijver, de man met de lugubere fantasie en de kromme gedachten, ik hoop dat je ons onderzoek met enkele rake antwoorden in een hogere versnelling zet. Klaar? Lorraine Pérès was het eerste slachtoffer. Zij lag in de vorm van een kruis, zoals op een schilderij van Dalí uit 1923, met een dode rat tussen haar tanden. Een visser vond haar half ontkleed op een platte rots in de Middellandse Zee.'

'Hij heeft een boot!' riep Paco Banana opgewonden.

De commissaris keek op, zeer tevreden, en knikte van voldoening.

'Anders is het niet mogelijk om een lijk naar een rots in de Middellandse Zee te brengen. Hij moet een eigen boot hebben en 's nachts uitvaren.'

'Heel goed, Paco, echt *heel* goed,' zei de commissaris en zuchtte diep. Het was een zucht van opluchting.

Op het balkon stak Paco Banana een kruidensigaret op.

'Het tweede slachtoffer was Francine Zola. Zij droeg een chador,' zei de commissaris. 'Zij lag met gespreide benen op een kruiwagen—de kruiwagen is een geheugensteuntje: op een beroemd schilderij van Dalí, *Het station van Perpignan*, is een kruiwagen afgebeeld—en werd anaal verkracht met een stomp voorwerp, waarschijnlijk de hals van een flesje Coca-Cola.'

'Ik stel mij in de plaats van die man... van de seriemoordenaar...' zei de schrijver en met zijn ogen wijd open werkte hij zich in een soort trance. '... hij zoent het meisje, hij bepotelt haar, hij streelt haar lichaam... zijn hart klopt in zijn keel... alles gaat crescendo... versnelde ademhaling, een rood hoofd, hij voelt dat zijn lichaam er klaar voor is maar krijgt 'm niet omhoog... hij krijgt zijn *penis* niet omhoog... hij wacht erop maar zij komt niet, zijn erectie... er komt *niets* en dan... dan is het over en uit... hij is supergefrustreerd... hij is *impotent* en slaat TILT en...'

'... hij vermoordt haar,' zei de commissaris.

'Moord als vervangmiddel voor een orgasme,' zei de schrijver.

'Moord zonder zaadlozing,' zei Paco Banana.

'Het meisje is dood,' zei de schrijver.

'Hij is verlost van zijn seksuele spanning... en wordt weer een normaal mens,' zei de commissaris.

'... hij relaxt, hij krijgt een prettig gevoel vanbinnen, een gevoel van warmte,' zei Paco Banana.

'Wat is de *volgende* stap?' vroeg de commissaris.

'Hij komt bij zijn positieven...' zei Paco Banana.

'... maar de spanning blijft,' zei de commissaris. 'Misschien...'

'... masturbeert hij?' vroeg de schrijver.

'Dat is goed, dat is *héél* goed,' zei de commissaris.

'We gaan naar het derde slachtoffer,' zei Paco Banana.

'Het derde slachtoffer is Jennifer Adiou,' zei de commissaris. 'Twee weken geleden voor het laatst levend gezien nabij het station van Perpignan. Een softwarespecialist vond haar overblijfselen achter de poort van een cementfabriek die in onbruik is geraakt. Hoofd, handen en voeten afgehakt, precies zoals bij de naakte vrouw op Dalí's *Het spook van de Sex-Appeal* in het museum en op de koop toe werd ook zij anaal verkracht—waarschijnlijk met het handvat van de vleesbijl die is gebruikt om haar hoofd en ledematen af te hakken. Het is geen toeval dat de verharde, ongebruikte cementbergen bij de fabriek op de rotsformaties op het schilderij van Dalí gelijken, tot in het kleinste detail. De ingewanden van Jennifer Adiou waren met geweld uit het lichaam gerukt en naast het lichaam achtergelaten in een schoenendoos van Camper.'

'Lever, nieren, longen...' zei Paco Banana.

'Behalve het hart. Haar hart is spoorloos,' zei de commissaris.

'Waarom zou dat zijn?'

'Misschien at haar moordenaar het op,' antwoordde de commissaris.

'Hij *at* haar *hart* op?'

'Walgelijk,' zei Paco Banana.

'Alle Dalí-moorden zijn lekker gewelddadig, met veel bloed en heel filmisch,' zei de schrijver. 'Prachtig materiaal voor een bioscoopfilm.'

'Laten we nog eventjes freewheelen,' zei de commissaris. 'Denk na zonder na te denken. Iedere man—en iedere vrouw, neem ik aan—heeft vaste gewoonten na een orgasme en een zaadlozing. Juist?'

'Juist,' zei Paco Banana.

Een vrouw met een zaadlozing? dacht hij.

'Daar ben ik het mee eens,' zei de schrijver.

'Wat is *jouw* routine, Paco?'

'Nadat ik heb gemasturbeerd?'

'Masturberen, geslachtsgemeenschap, nadat je je goudvis hebt geneukt, dat zal mij een zorg zijn. Wat is je routine na een orgasme en een zaadlozing?'

'Ik rook een sigaret,' zei Paco Banana. 'Ik slaap een tijdje. Ik schenk een whisky uit, ik eet iets...'

'Wat bijvoorbeeld?'

'Enkele plakjes salami... een koude hotdog uit de ijskast.'

'... ik ga naar beneden, naar de keuken, en bak een omelet en een portie diepvriesfrieten,' zei de schrijver.

'Voor jezelf?'

'Voor mijn vriendin en mijzelf.'

'Ik heb geen vriendin,' zei Paco Banana. 'Ook geen vriend. Maar na ieder orgasme en iedere zaadlozing ben ik verlekkerd op salami en een hotdog.'

'Jullie doen precies hetzelfde als de seriemoordenaar,' zei de commissaris. 'Hij eet geen salami, hotdogs of frieten, hij eet zijn slachtoffers op.'

'Waar gaat het met de wereld naartoe?' vroeg de schrijver zich af. 'Wat ik vanochtend in mijn krant las, tart alle verbeelding. Een Deense kunstenaar stelt zijn nieuwste kunstwerk tentoon: hij vriesdroogde het lichaam van een terechtgestelde moordenaar en versnipperde het tot voer voor vissen. Wie zijn tentoonstelling bezoekt, wordt ertoe aangespoord om de menselijke resten van de moordenaar te voederen aan honderden goudvissen in een gigantisch aquarium.'

'Kunst is viezigheid. Kunstenaars zijn uitschot,' zei Paco Banana.

'Zo is het leven, mijne heren,' zei de commissaris. 'Het leven *is* viezigheid en sommige mensen *zijn* uitschot. Iedere psychiater kan je vertellen dat alle seriemoordenaars er een *gewoonte* van maken om de sappigste en smakelijkste delen van hun slachtoffers op te peuzelen. Seriemoordenaars zijn kannibalen. Schakel je laptop in vijfde versnelling, Paco, spring op het internet. Komaan, maak er werk van. Zoektermen zijn 'seriemoordenaar', 'kannibaal', 'kannibalisme' en om het even wat je kunt bedenken.'

'Ik... ik heb mijn laptop vergeten... in de bergkast in het museum van Dalí,' stotterde Paco Banana.

'Gebruik die van mij,' zei de schrijver.

Ergens achteraan in de duplex werd een toilet doorgetrokken en een jonge vrouw wandelde blootsvoets naar het balkon, gekleed in strakke bluejeans en een citroenkleurig T-shirt met de tekst UIT DE BAARMOEDER ONTSPROTEN in grappige, veelkleurige letters die op en neer dansten in de ronding van haar borsten. Geen make-up. Zij kwam heel sexy en uitdagend over, met haar stroblonde haar dat recht omhoog op haar hoofd stond, en geurde naar shampoo en talkpoeder.

Met een stralende glimlach—zij had een spleetje tussen haar voortanden—gaf zij de speurders een hand en zei: 'Ik ben Michèle.'

'Hebben wij elkaar eerder ontmoet?' vroeg de commissaris.

'In Perpignan,' giechelde ze. 'Ik werk als scenariomeisje voor Windows Entertainment.'

'Klopt. Ik weet precies wat je antwoordde toen ik naar de schrijver vroeg,' zei de commissaris.

Michèle grijnsde schaapachtig en zei: 'De schrijver kan de pot op. Heb ik dat gezegd?'

'Bedankt, Michèle,' zei de schrijver sarcastisch.

'Moet je luisteren, mannen,' zei Paco Banana terwijl hij als gek op de geleende laptop hamerde. 'Dit verhaal wordt iedere bladzijde spannender. Ik wil het voorlezen, als je een sterke maag heb.'

WAT ETEN WE VANAVOND?

Seriemoordenaar Jeffrey Dahmer had seks met zestien mannelijke slachtoffers die hij in bebloede soepketels kookte en met een pollepel uitschepte tijdens het ontbijt, het middagmaal en het avondmaal. Luister naar het won-

derlijke verhaal van Albert Fish, een godsdienstwaanzinnige die brandende theelichtjes in zijn kont stak. Fish verkrachtte meer dan honderd jongens en meisjes die hij nadien aan stukken sneed, waarna hij er een stoofpotje van kookte met wortelen, aardappelen en stukjes spek. Andrei Chikatilo was een Russische seriemoordenaar. Hij was impotent en bekende de moord op tweeënvijftig jongens tussen twaalf en zestien jaar. Hij rukte de lichamen met zijn blote handen uit elkaar, stak hun ogen uit, beet hun tong af en smikkelde hun testikels rauw op. Smaakte beter dan steak tartare, bekende hij tijdens een ondervraging. Ten slotte is er het geval Issei Sagawa—

'Klinkt Japans,' zei Michèle.

—geboren in Japan maar woonachtig in Parijs. Op een middag vroeg hij een vrouwelijke klasgenote op de thee en schoot haar met een geweer in de hals. Hij sneed haar borsten af, bakte ze in een vuurvaste schotel en at ze op. Sagawa was vooral verbaasd over de maïsgele kleur van menselijk vet. Hij zat vijftien maand in een Franse gevangenis vooraleer hij werd overgebracht naar Japan. Sagawa is sindsdien op vrije voeten en is een echte BV in Tokio. Hij speelde de hoofdrol in een pornofilm getiteld Het verlangen om te worden opgegeten *en verdient de kost als proever en recensent voor de Guide Michelin en andere restaurantgidsen.*

'Met alle respect, Tokio is ver van Perpignan,' zei de commissaris.

De woning van Ed Gein—een Amerikaan—was van onder tot boven gevuld met lichaamsdelen van vijftien slachtoffers, waaronder zijn eigen broer. Hij sneed hun neus en oren af en reeg ze aan een draad, zoals een halssnoer, bakte hun hart in een koekenpan, bewaarde inwendige organen in de ijskast en gedroogde geslachtsdelen in sigarenkistjes en bedekte de zitting van zijn stoelen met de huid van zijn slachtoffers. Algemeen wordt aangenomen dat het Ed Gein was die Hitchcock de idee gaf voor Psycho *met Anthony Perkins in de rol van de geestesgestoorde seriemoordenaar die zijn moeder vergiftigt en als een gedroogde mummie in de fruitkelder bewaart.*

'Ik zag Psycho als weekendfilm op TV,' zei de commissaris.

'Hitchcock was knettergek,' zei Michèle.

'Knettergek? Waar haal je dat? Hij is mijn favoriete filmheld,' zei Paco Banana.

'Hitchcock was een verdorven sadist. Hij knoopte zijn gulp open op de filmset, liet zijn broek zakken en ontblootte zijn tingelingeling.'

'Waarom deed hij dat?'

'Om de paniek in de ogen van zijn koele, ijsblonde filmsterren op film vast te leggen.'

'De tingelingeling van Hitchcock zou zelfs *mij* schrik aanjagen,' zei de schrijver glimlachend.

'... en jij bent Doris Day of Grace Kelly niet,' zei Michèle.

'Waarom zijn kannibalen en seriemoordenaars zo ongelooflijk populair in Hollywood?' vroeg de commissaris.

'Hannibal Lecter verorbert in *The Silence of the Lambs* een mensenlever in rode wijnsaus,' zei Paco Banana.

'Klopt. Anthony Hopkins won zijn enige Oscar als Beste Acteur toen hij een *mens* opvrat,' zei de schrijver.

Paco Banana hamerde nijdig op de geleende laptop.

'Er kwam een vierde slachtoffer bij,' zei de commissaris.

'De kranten schreven er niets over. Zij heet Cherry Leduc. Op haar persoonsbewijs staat V voor Vrouw als geslacht en een geboortedatum volgens dewelke zij op veertien oktober achtentwintig jaar zou zijn geworden indien zij zo lang zou hebben geleefd. Om het leven gebracht met achttien messteken. Wat meer is, al haar organen werden eruit gehaald en de holte in het lichaam werd opgevuld met ontelbare rozen, meer rozen dan je voor mogelijk houdt...'

'Ik heb het, ik heb het, hier zie, hier staat het, op de website van een plaatselijke krant!' gilde Paco Banana. 'De seriemoordenaar las over de rozen in een krant die in Perpignan verschijnt.'

SPAARBANK KOOPT
MEESTERWERK VAN DALÍ

VAN ONZE CORRESPONDENT —Een spaarbank in Santiago de Compostela in het noorden van Spanje heeft voor een onbekend bedrag *Les roses sanglantes* [Bloedrozen] van Salvador Dalí aangekocht. Het schilderij stelt een mooie blonde vrouw voor die in een surrealistisch landschap aan een paal is gebonden. Haar naakte buik is opengesneden en opgevuld met rozen waaruit bloed vloeit. Het originele schilderij is een olieverf op doek van 75 bij 64 cm en zou in 1930 zijn geschilderd. Naar het schijnt is de verkoper een Zwitserse zakenman die onbekend wenst te blijven.

'Precies wat de moordenaar van Cherry Leduc heeft gedaan,' zei de commissaris. 'Hij verving de ingewanden van Cherry door meer rozen dan je voor mogelijk houdt en maakte het schilderij *Bloedrozen* van Dalí in het echt na. Eén vraag blijf onopgelost.'

'Waar zijn de ingewanden van het meisje in godsnaam?' vroeg Paco Banana.

'De moordenaar masturbeerde...' zei de schrijver.

'Hij ging naar de keuken...' zei Paco Banana.

'... en in plaats van een omelet en diepvriesfrieten te bakken, zoals jij en ik, mixte hij voor zichzelf een daiquiri-cocktail van bloed uit haar hart, zette een mensenlever-soufflé in de oven en rondde zijn maaltijd af met een milkshake van vaginale sappen,' zei de commissaris.

De schrijver krabde met zijn wijsvingers in de lucht. 'Open de aanhalingstekens, *kannibalisme is een daad van liefde*, sluit de aanhalingstekens,' zei hij.

'Heb ik gelezen, een beroemde uitspraak van Dalí. De quote staat in onze dossiers,' zei Paco Banana.

'... en in mijn boek,' zei de schrijver.

'Misschien is er een link met Dalí,' zei de commissaris. 'Misschien is er zelfs een link met Pacino. Geld zou die link kunnen zijn. Hoeveel krijgt Pacino voor zijn hoofdrol in de film?'

'Ik heb een overeenkomst met de filmmaatschappij, Inspecteur, over de film mag ik geen geheimen prijsgeven.'

'Praat niet over de film, praat over geld.'

'Waarom zou ik, Inspecteur?'

'Er zijn veel vragen en we kennen geen enkel antwoord. De seriemoordenaar moordt misschien omdat hij Pacino benijdt en jaloers is.'

'Of jaloers is op Dalí,' zei de schrijver.

'Pacino = Dalí en Dalí = Pacino, dankzij je boek en de film *naar* je boek,' zei de commissaris. 'Veronderstel dat in het zieke en verdorven brein van de moordenaar Dalí en Pacino één en ondeelbaar zijn. Hij gelooft echt dat één + één = nog altijd één is. Of we dat prettig vinden of niet, zelfs voor ons zijn Dalí en Pacino vanaf dit ogenblik onderling verwisselbaar. Binnen vijftig jaar vraagt een quizmaster op *Blokken* of *De slimste mens*: 'Wie is Salvador Dalí?'

en de kandidaten antwoorden: 'Al Pacino!', zoals Hubert Damen in de ogen van de mensen voor altijd Witse zal zijn.'

Iedereen zweeg omdat niemand er iets van begreep.

Blokken? De slimste mens? C'est qui, Witse?

'Ik woonde twee opnamen op één dag bij. Ik kreeg de indruk dat de film een verhaal van liefde is', zei de commissaris.

De schrijver glimlachte en zei: 'Een liefdesverhaal zonder bed. Indien ik over neuken zou schrijven, zou ik zonder twijfel worden bekroond met de Eerste Prijs voor de Slechtste Seks in Boek en Film.'

'Werd je ooit bedreigd wegens je boek?' vroeg de commissaris.

'Wie denk je dat je bent, Inspecteur? Perry Mason?' vroeg de schrijver ironisch.

'Dat is geen antwoord op mijn vraag,' zei de commissaris.

De schrijver trok zijn schouders op. 'Dreigtelefoontjes? Vervelende e-mails? Nee, Inspecteur. Toen het gerucht de ronde deed dat ik een boek zou schrijven over het bedrog, de smeerlapperij en het failliet van de kunst, kreeg ik telefoontjes van ex-collega's van over heel de wereld die me smeekten: "Zet mijn naam niet in je boek. Laat mij erbuiten!" Je hebt geluk, je naam staat er op dit ogenblik niet in, antwoordde ik, maar m'n boek is niet af, ik zet je naam er alsnog in. Dat is mijn giftig kantje, vermoed ik.'

'Laten we het over de film hebben,' zei de commissaris.

'Kan niet, Inspecteur, ik geef geen geheimen prijs.'

'Wat heb je te verbergen?'

'Absolute geheimhouding is een sleutelwoord in Hollywood,' zei Michèle.

'Waarom, in godsnaam?'

'Omdat films het best van al onder de aandacht worden

gebracht door ze zo weinig mogelijk onder de aandacht te brengen. Dat is business op zijn Hollywoods. Geef geen informatie, doe zo geheimzinnig mogelijk. Ik denk niet dat het de juiste manier van werken is—maar het is de manier van werken in Hollywood, Inspecteur.'

'Is de film een letterlijke weergave van je boek?'

'Kan ik niet op antwoorden, Inspecteur. Ik weet het niet. Ik heb de film niet gezien.'

'Je hebt het scenario gelezen.'

'Ik *schreef* het scenario.'

De commissaris keek heel even op. '*Verwacht* je dat de film een letterlijke weergave zal zijn van je boek?'

'Ik hoop van niet, Inspecteur,' zei de schrijver. Hij ging naar zijn werktafel en kwam terug met een uitgeprinte versie van het filmscenario, in leer gebonden met goud-opdruk. 'In de film—net zoals in mijn boek—ben ik de Kunsthandelaar. Voor mij verandert er niets. Op de laatste pagina van mijn boek staat het volgende: 'Dalí zit met een deken over zijn knieën in een rolstoel en wordt naar de veranda gerold en in de zon gezet.' De scène zit niet in de film. Niemand koopt een filmticket om Pacino in een rolstoel te zien en als de cinemazaal leeg is, wordt er geen popcorn verkocht. Ik beschrijf Dalí als een droeve, oude man verteerd door wroeging en heimwee. Hij was heel zijn leven een clown en een nar, maar hoe kun je een nar zijn op je tachtigste als je aan de ziekte van Parkinson lijdt en verslaafd bent aan antidepressiva? Mijn boek is geen familiefilm van Walt Disney. Ik beschrijf Dalí als *King Lear* in een rolstoel.'

De commissaris knikte. Hij had het begrepen. Willen of niet, we komen altijd bij Shakespeare uit, dacht hij.

'Zou het kunnen dat... je boek wordt gebruikt als hand-leiding voor moord?' vroeg Paco Banana.

De schrijver tuitte zijn lippen en schudde het hoofd. 'Je denkt in één richting, beste vriend,' zei hij. 'Je las te veel politieverslagen. Ik schreef geen moordverhaal. Mijn boek is een verslag van het leven dat ik heb geleefd.'

De commissaris wees naar de kranten die overal in het rond slingerden en zei: 'Alle kranten schreven over de moorden in de stijl van Dalí. Wat speelde er door je hoofd, toen je dat las?'

'Eerlijk?'

'Ja.'

'Ik was tevreden.'

'Tevreden?'

'Ja.'

'Waarom?'

'Goeie reclame, dacht ik.'

'De moordenaar speelt kat en muis met de politie,' zei de commissaris.

'Lorraine Pérès naakt op een rots was een naakt van Dalí. Alle slachtoffers zijn perfecte imitaties van schilderijen van Dalí,' zei Paco Banana.

'Toen ik dat las, voelde ik me heel goed.'

'Wegens de publiciteit?'

'Ja, Inspecteur. De een zijn dood is de ander zijn brood. Je kent het spreekwoord? Als de film een topper wordt...'

Exact dezelfde woorden als de producer in zijn ijsroomkleurig kostuum enkele dagen geleden, dacht Paco Banana.

'... verdien je een fortuin en ben je een rijk man,' zei de commissaris op vriendelijke toon.

'Mijn beste Inspecteur, de jackpot heb ik al gewonnen,' zei de schrijver. 'Ik heb geboet voor mijn zonden en Hollywood is mijn autosnelweg naar roem en fortuin. Mag dat? Ik pak wat ze mij geven en ben gelukkig als een zwijn in een varkensstal.'

'Cherry Leduc kan nooit meer gelukkig zijn,' zei Paco Banana.

'Zij werd een bloedroos,' zei de commissaris. 'Een lijk— maar een mooi lijk.'

'Wie weet... misschien schrijf ik ooit een boek over haar,' zei de schrijver.

In een bar aan de Plaça Independencia, onder de gaanderij, deden zij zich te goed aan een ruime keuze *pintxos* of Baskische tapas die gepresenteerd werden als canapés, op een korst brood, met gefrituurde *chipirones* en *patatas bravas* als bijgerecht. Zij dronken er *txakoli* bij, een heerlijk koele, parelende witte wijn die naar Babycham van peren smaakte—mousserende cider, maar lekkerder. De schrijver had zijn pyjama en verweerde legerbottines uitgetrokken en ingewisseld voor een stijlvolle zwarte jeans en een wit linnen hemd met open kraag en opgerolde mouwen.

'Vertrekken jullie nu meteen naar Barcelona?' vroeg Michèle.

'Ik vrees het,' zei Paco Banana.

'Naar het Ritz Hotel?'

'Het *vroegere* Ritz Hotel,' zei de commissaris.

'Kun je ons een lift geven, Inspecteur? Alsjeblieft?'

Zij reden de snelweg naar het zuiden op en lieten de auto in een ondergrondse parkeergarage in Barcelona achter, namen drie opeenvolgende metrolijnen naar Passeig de Gràcia en slenterden naar het vroegere Ritz Hotel met z'n marmeren haardvuur in alle suites—te groot, te luxueus—waar de beroemdste gasten logeerden in de loop der jaren, van de Hertog van Windsor, Whitney Houston, Sophia Loren, Ava Gardner, Frank Sinatra en Woody Allen tot Salvador Dalí. Het was een prachtige namiddag. De zon was zo verblindend, dat de lucht ervan trilde en de drukkende hitte hing als een natte deken over de schouders van de mensen. Op nerveus claxonnerende taxi's na was alles stil en alles was rustig. Het was het uur van de siësta. In een kleine bar bestelde de commissaris een sterke koffie—*café solo*, zonder melk, zonder suiker—en een groot glas ijskoud water. Ineens vervulde de gedachte aan koffie hem met weerzin en in plaats van koffie vroeg hij thee op z'n Engels—sterk, veel melk, veel suiker. Er was alleen Ice Tea van Lipton in een blikje. Naast de bar lag een rommelwinkel die een echte schatkamer was van beddenlakens, inpakpapier, rollen ouderwetse gordijnstof, hoog opgetast, strijkplanken, gouden namaakringen en valse halskettingen en de allernieuwste mp3-spelers, mobiele telefoons, elektronische rekenmachientjes en digitale camera's achter kogelvrij glas.

Michèle knoopte een zakdoek om haar hals.

Het was de eerste draaidag in Barcelona. Met een draagbare camera zoomde een cameraman in op de klassieke gevel van het elegante luxehotel met z'n zes verdiepingen en hoge Franse ramen met zicht op de vier bomenrijen van de drukke Gran Vía, die de stad middendoor snijdt. In een surrealistisch decor hingen hardgekookte eieren als kerstballen aan touwtjes in de bomen. Drie uur in de namiddag. Decorbouwers en kabeldragers dwaalden doelloos rond, fluitend, met de mouwen van hun hemd opgerold tot onder hun oksels. Voor de ingang van het hotel hadden zij twee surrealistische droomscènes nagebouwd, een stoel van drie meter hoog die balanceerde op de rug van vier reuzenschildpadden van schuimrubber en een platvloerse afbeelding van een gigantische penis—van een paard of een ezel, ook van schuimrubber—waaruit een witte vloeistof spoot die geen sperma was maar halfvolle botermelk.

Knap gedaan, dacht Paco Banana.

Vrachtwagens met geluidsmateriaal en verlichtingskabels stonden geparkeerd in een zijstraat die voor alle verkeer was afgesloten. Een limonadestandje deed gouden zaken met de verkoop van softdrinks en ijsjes. Voor een rode dubbeldekkerbus die was omgebouwd tot mobiele keuken schoven figuranten geschminkt en uitgedost als Pablo Picasso, Fred Astaire, Marilyn Monroe en Elvis Presley geduldig in de rij aan, onder de loden zon, verlekkerd op een vieruurtje van croissants, worstenbroodjes, hamburgers en hotdogs naar keuze. Het waren geen gewone figuranten en ook geen beroepsacteurs maar leden van een plaatselijke toneelkring. Zij kregen een vaste vergoeding per dag en het vieruurtje was gratis. Ondanks de hitte was Marilyn Monroe de mooiste van allemaal, in een lange blonde pruik en een betoverend kleed met rode lovers en pareltjes. Omdat haar voeten tijdens de opnamen niet in beeld kwamen, droeg zij versleten basketters onder haar mooie kleed.

'Dit is *fucking* surreëel,' zei Paco Banana en stak een kruidensigaret op.

De commissaris werd op de set verwelkomd door de producer, die nauwelijks zijn bed had gezien.

'Ik wil niet dat met geld wordt gemorst, want het is *mijn* geld,' zei de producer met slaapogen.

Windows Entertainment had een ongebruikte danszaal naast het Ritz Hotel afgehuurd en met veel kunst- en vliegwerk omgebouwd tot een exacte kopie van de hotelsuite van Salvador Dalí, groots, luxueus, met aandacht voor het kleinste detail, van onder tot boven behangen met vals, koningsblauw fluweel en aangekleed met fonkelende muurkandelaars van karton, magnifieke kroonluchters van plastic en een valse open haard met valse vlammen in een schoorsteenmantel van plaaster en spaanplaat.

'Hollywood is nep en gezichtsbedrog,' merkte de schrijver lachend op.

Om kosten te sparen was in het budget geen ruimte voorzien voor trailers of mobiele kleedkamers, ook niet voor de vedetten van de film; zij kleedden zich om in de verste hoek van de danszaal achter een scherm van douchegordijnen.

'Repeteer, leer je tekst uit het hoofd,' mompelde een Filmacteur die op Al Pacino leek. 'Leg jezelf geen beperking op, laat je onderbewustzijn de vrije loop.'

'Iedereen klaar om te rock-'n-rollen?' riep de productiemanager.

Verwonderd en verbaasd schudde de commissaris het hoofd. Iedereen wil filmster zijn, dacht hij, blijkbaar zit de wereld zo in elkaar. Stel je voor dat hij een positief antwoord had gekregen op de foto van zijn plechtige communie die hij vijfenveertig jaar geleden naar Hollywood had gestuurd, misschien zou hij dan ook filmacteur zijn geworden en achter een douchegordijn zinnetjes uit het hoofd leren en z'n onderbewustzijn de vrije loop laten. Piet Pladijs had gelijk, ik ben een filmfreak, dacht hij. Een filmfreak van de oude stempel, want de films waarop hij verliefd was en die hij steeds opnieuw wilde bekijken waren allemaal twintig, dertig, veertig jaar oud: *Frenzy*, *Bite the Bullet*, *Boy on a Dolphin*, Tony Curtis in *Houdini* en Jeff Chandler in *Broken Arrow*, Walter Matthau in *Charley Varrick* en *The Taking Of Pelham 123*, *Annie Hall* en *Manhattan* van Woody Allen en natuurlijk *Heat* met Al Pacino en Robert de Niro, de laatste van de heel goede, heel spannende films die hij in de Metropolis had gezien en dat was—hoe lang?—meer dan tien, vijftien jaar geleden.

Paco Banana trapte zijn kruidensigaret uit.

Het verwonderde hem dat er geen enkele zwarte rondliep op de set, in aanmerking genomen dat enkele van de beroemdste acteurs in Hollywood—Denzel Washington, Eddie Murphy, Morgan Freeman om er een paar te noemen—onvoorwaardelijk en zonder enige twijfel *zwart* zijn en films maken die week na week alle kijkcijferrecords breken. Geef mij eender waar, eender wanneer een spannende zwarte film, liefst een beetje grappig, dacht hij, met Will Smith of Wesley Snipes die als sloophamers de wereld van de ondergang redden, dat is de beste drug van allemaal en geloof mij, ik ken een en ander van drugs.

Bladerend door het scenario kuierde een zweterige productieleider naar de decorbouwers die—traag, traag, traag—de laatste hand legden aan de opbouw van de namaaksuite. Hij droeg een gebloemd, bezweet hemd, een vlinderdas die met paperclips was vastgemaakt aan de boord van zijn hemd, een korte bermuda met volgepropte broekzakken en zwarte schoenen zonder sokken. Het filmscenario was met een horlogeketting aan zijn broeksband vastgemaakt, zodat niemand er een blik op kon werpen. Iedere ochtend vernietigde de producer alle scenariopagina's van de vorige dag en verving ze door nieuwe pagina's die zelfs de acteurs niet hadden gelezen, zodat niemand behalve de producer ooit het volledige filmscenario onder ogen kreeg.

'Dit is *geen* weekendfilm op TV,' riep de productieleider. 'We haspelen de *clou* van het verhaal niet af in de laatste tien minuten en ik wil *niet* dat de set op een vieze, smerige hotelkamer lijkt. Ik eis STIJL en KLASSE en GOEDE SMAAK.'

'Deze filmset is een gekkenhuis,' fluisterde een kleedster.

Een verduisterde motorhome was omgebouwd tot een echte montagekamer met een machine voor het monteren van films. De producer en een assistent van de montage knipten en plakten met de computer kleine filmstrookjes aan elkaar, beeld per beeld, in de wetenschap dat op het witte doek vierentwintig tot zestig afzonderlijke beelden per seconde ineenvloeien tot één doorlopend, vloeiend filmbeeld.

'Heb je aan filmmuziek gedacht?' vroeg de assistent van de montage.

'Wat zou je denken van een paar noten Ennio Morricone?' zei de producer.

Vanaf de eerste opnamedag had hij iedere aanvraag voor een interview of fotosessie met de voornaamste vedetten van de film naast zich neergelegd, zonder resultaat, want achter iedere hoek stonden paparazzi van de roddelbladjes met hun fototoestel op de loer en er waren zoveel radiostations en televisiezenders die een live-interview van drie minuten hadden aangevraagd, dat de producer wijselijk besloot om een korte persconferentie te beleggen die zou worden bijgewoond door de Filmacteur, de Russische Echtgenote van de Filmacteur, de Kunsthandelaar en de Spaanse Vriendin van de Kunsthandelaar.

De eerste vraag—aan Al Pacino, de echte of de valse— was een schot naast de roos.

'Je bent een superster. Geeft dat een prettig gevoel? Lig je daar wakker van?' vroeg een mooi meisje van een Spaans weekblad dat exclusief bericht over koningskinderen en andere beroemde mensen.

'Ik stop ermee. Dit is mijn laatste interview,' zei de dubbelganger van Al Pacino en stond op en verliet de persconferentie.

De geschreven pers zat met geslepen messen klaar om Gala te interviewen.

De man die verantwoordelijk was voor een goede relatie met de media—hij heette Andy—was gebronsd en had kroezig Afro-haar zoals Garfunkel van Simon & Garfunkel toen Garfunkel nog haar had. Hij droeg een nachtblauw zakenkostuum op een wit hemd met een kleurige das en gaf op fluistertoon zijn laatste instructies aan de valse Catherine Zeta-Jones.

'Wees vriendelijk,' zei hij, 'gebruik geen schuttingwoorden, zeg geen *shit*, zeg geen *fuck*, hou je *fucking* billen tegen elkaar en neem geen drankje aan van reporters.'

'Ook niet als ik dorst heb, Andy?'

'Reporters willen gewoon in je slipje zitten.'

'Maar Andy... ik ben zeventig jaar, in mijn slipje valt *niets* te beleven,' zei de valse Catherine Zeta-Jones.

'Hou een ander voor de gek, baby. *In de film* ben je zeventig jaar. Trouwens, Gala was vijfentachtig jaar en neukte drie keer per dag een jonge minnaar die even oud was als haar kleinzoon.'

'Wat Gala kon, kan ik ook,' zei de valse Catherine Zeta-Jones met een fijn stemmetje.

'Doe me een plezier,' zei Andy en knipte met zijn vingers. 'Neuk je kleinzoon niet. Begin er niet aan. Slecht voor de publiciteit.'

Halogeenlampen, witte schermen en reflecterende spiegels zorgden voor een verblindend kunstlicht dat op toeschouwers in de bioscoop als natuurlijk daglicht zou overkomen en kostbaar elektronisch materiaal lag zomaar op de grond in houten kratten en open opbergboxen van aluminium. Naast ongebruikte vouwstoelen en klaptafeltjes, hoog opgetast tegen een blinde muur, stond een toren van ronde blikken filmdozen, als damschijven op elkaar. Iedere filmdoos was hermetisch afgesloten met een witte zelfklevende strook waarop met zwarte viltstift het nummer en de titel van de film was geschreven. Per toeval stond de commissaris naast een bloedmooie assistente van de producer in een overall die op de rug met het logo van de filmmaatschappij was bedrukt.

'Hoeveel acteurs werken mee aan deze film?' vroeg hij.

'Er zijn weinig sprekende rollen,' zei ze. 'Dalí natuurlijk, zijn Russische Echtgenote, de Kunsthandelaar, de Spaanse Vriendin van de Kunsthandelaar... de rest zijn figuranten plus technisch personeel, veiligheid, bewaking, promotie... in totaal zo'n honderdvijftig, tweehonderd mensen. Er is veel volk nodig om een film te draaien en het duurt eindeloos.'

'Zijn er spanningen onder het personeel?'

'Niet dat ik weet. We komen goed overeen. Nee, er zijn geen problemen.'

'Ook niet met Pacino?'

'Iedereen klaar? Zwaaien met de armen, allemaal samen!' riep de tweede assistent van de filmregisseur.

'Waarom doet hij dat? Op de set ben ik de baas,' mopperde de filmregisseur.

Het werd heel stil op de set. Dalí en Gala verschenen op het toneel, volledig in make-up, in warme herfstkleren, hoewel het onwaarschijnlijk warm was in de omgebouwde balzaal naast het vroegere Ritz Hotel. Dalí trachtte zich te concentreren en leefde zich zodanig in zijn rol in, dat het leek of hij met zijn gedachten op een andere planeet zat.

'*Shhht!*' fluisterde de productieleider en legde een vinger op zijn lippen.

Veiligheidsagenten in gele fluojasjes hielden nieuwsgierigen op afstand.

[Voor deze ene draaidag waren er twaalf pagina's met veiligheidsvoorschriften.]

Omdat de film in 35 mm Panavision werd gedraaid, met veel contrast en schaduwdetail en felle kleuren, werd gebruik gemaakt van een traditionele filmcamera op een log statief. Rookmachines bliezen mist op de set en het bewegende licht van veelkleurige discoballen rimpelde over het toneel. Alles leek op een opera in volle uitvoering. De camera was gericht op een cowboy op rolschaatsen in een leren vest met een rode bolletjeszakdoek om zijn hals en zwarte leren laarzen, zonder broek en zonder onderbroek, met zijn mannelijkheid open en bloot in het zicht van iedereen. Hij zwaaide met een lasso. Tussen zijn benen, twintig centimeter van zijn kruis, bengelde een transistorradio. Zijn testikels waren met een spray van goudverf beschilderd en leken op gouden golfballen. De transistor was afgestemd op een loeihard middernachtconcert van Maria Callas dat bijna de trommelvliezen scheurde.

De opnameleider hield het klapbord voor de camera— een zwarte staaf en een zwart bord met witte diagonale strepen, bijeengehouden door een scharnier. De titel van de film, de naam van de filmregisseur, het scènenummer en de datum van de opname stonden in wit krijt op het bord.

'Iedereen klaar?' vroeg de filmregisseur.

Op het statief van de camera kleefden pagina's uit het filmscenario naast de overeenkomstige pagina's uit het boek van de schrijver.

'Scène eenennegentig—Opname 3,' zei de productieleider en sloeg de klapper op het klapbord.

(Net zoals in de cinema.)

'Nogmaals... Licht! Camera! ACTIE!' riep de filmregisseur door een megafoon.

De Filmacteur wachtte zijn beurt af in een vouwstoel van zeildoek met zijn naam in drukletters op de rug van de stoel. Hij had de repetities aandachtig gevolgd en trachtte een glimp op te vangen van het personeel in het donker achter de verblindende spotlights. Hij was zo rustig, dat het leek of hij in een mystieke trance was. De cameraman keek door de beeldzoeker. De producer stuntelde met een walkietalkie. De spanning op de set was te snijden. Als een automaat stond de Filmacteur op uit zijn stoel en slofte naar het podium, zwaaiend met een kleine Catalaanse vlag. De schminksters hadden hem vakkundig 'verouderd' met genoeg make-up voor de rest van zijn leven. Zij hadden hem valse, bruine brokkeltanden en een kunstmatige dubbele kin gegeven en een valse neus opgezet. Hij droeg een zwart cowboyhemd en had Catalaanse espadrilles met zwarte linten rond de enkels aan zijn blote voeten. Naast het cowboyhemd en de Catalaanse espadrilles was hij gekleed in het rode winterkostuum van een kerstman.

'Stilte, alsjeblieft,' zei de eerste assistent van de filmregisseur

'We zijn klaar, beste mensen?' zei de filmregisseur.

Iedereen was muisstil.

'Camera!' zei de filmregisseur.

'Camera doet z'n werk.'

'Geluid!'

'Geluid rolt mee.'

'Iedereen op post?' vroeg de tweede assistent van de filmregisseur.

De productieleider sloeg de zwart en wit gestreepte klapper op het klapbord.

'Stilte... Licht! Camera! ... en... ACTIE!' riep de filmregisseur en—

SALVADOR DALÍ

[Slaat zijn ogen ten hemel. De punten van zijn snor—stijf omhoog in erectie en overvloedig ingewreven met boenwas—glanzen in het licht van honderd kaarsen. Hij stapt naar een vals raam, schuift de namaakgordijnen opzij, opent een namaakvenster en zegt in het valse neonlicht van een valse nachtelijke straat:] 'Dalí orrrganiseerrrt een parrrty! Dalí heeft *rrr*euzen nodig! V*rrr*eetzakken! Dwe*rrr*-gen en monste*rrr*s. Dalí heeft tweeduizend mie*rrr*en nodig, vie*rrr* t*rrr*avestieten, d*rrr*iehonde*rrr*d dode sp*rrr*ink-hanen en het ha*rrr*mas van Jeanne d'A*rrr*c, de maagd van Or*rrr*léans.'

'Stop!' riep de man achter de geluidsmachine en zette zijn koptelefoon af.
'Is er iets?'
'Ik hoor lawaai. Een trein, een vliegtuig of wat dan ook.'
'CUT IT!' riep de filmregisseur.
'We wachten!' zei de tweede assistent van de filmregisseur.
Vijf minuten later—en een paar duizend dollar armer—werd de scène hernomen en voortgezet. Figuranten werden opgetrommeld: een zonderling, een idioot, dwergen, misvormde kabouters, kreupele Vietnam-veteranen, verstokte dronkenlappen, tweelingen, travestieten, kale basketbalspelers, hippies met lang haar, bedelaars met één been, de paus van Rome in hoogsteigen persoon en de imitatie-Elvis Presley in zijn diamanten showkostuum met cape, gordel en breedgerande zonnebril met de initialen 'EP', op de voet gevolgd door een lange rij filmsnolletjes uit Hollywood—zij leden aan anorexia en hun botten staken dwars door hun huid—en troelalameisjes van de *Playboy* op rolschaatsen die valse drankjes opdienden in valse glazen, slechts gekleed in een gevlekt tijgervelletje met konijnenoren die op ezelsoren leken.

'De fanfare van lullen en tetten,' zei de schrijver en klakte met zijn tong.

'Heb jij dit bedacht?' vroeg Paco Banana.

De schrijver knikte. 'Alles staat in mijn boek,' zei hij.

'Ik ga je boek lezen. Zonder twijfel,' zei Paco Banana.

Alles gebeurde traag, traag, traag, op één dag werden hooguit enkele minuten of zelfs enkele seconden bruikbare film gedraaid en voor en na iedere repetitie was het een kwestie van wachten en dode uren vullen.

'Eentonig en poepvervelend,' zei Michèle. 'Alsof je naar natte verf kijkt die langzaam opdroogt.'

In het midden van de kamer slurpte een witte hengst de duurste champagne uit een zilveren emmer. Een clown met een wit gepoederd gelaat fietste rondjes op een fiets met één wiel. Omdat Dalí altijd en overal de voorkeur gaf aan kreeft als kerstversiering, kieperden butlers van het hotel, in zwarte smoking, manden met levende kreeften op het podium om, vierhonderd, vijfhonderd kreeften tegelijk die in alle richtingen kropen. Enkele filmsnolletjes knielden op handen en voeten op de vloer, met een waterpas op hun rug, en brandende vuurwerkstaafjes in hun kont die knetterden en vonkten dat het een lieve lust was. Een troelalameisje uit de *Playboy* kleedde zich uit—er was niet veel uit te kleden—en Dalí likte haar tenen en de nagels van haar tenen. Met een witte vlinderbril op haar neus leunde de valse Catherine Zeta-Jones achterover tegen een muur van zachte kussens en luisterde vol toewijding naar een Russische zwerver—hij leek op Vadertje Stalin—die stonk naar rotte vis en Tolstoj in het Russisch voordroeg. Na jaren van plastische chirurgie was zij zelf een surrealistisch schilderij van Dalí geworden. Zij stond op en schopte een schoen uit en sloeg iedereen met de scherpe hiel van haar schoen op het hoofd—

[Haar zwarte pruik is versierd met de oren van Mickey Mouse. Zij ziet er vreselijk uit:] 'Gala heeft mee*rrr* geld nodig! Geld en seks! Mee*rrr*! Mee*rrr*! Mee*rrr*!'

'Laat *nu* je tetten zien, Gala!' riep de productieleider.

De valse Catherine Zeta-Jones knoopte haar bloes los en toonde haar oude, vermoeide valse borsten.

'Goed zo, Gala, blijf in je rol. Onthoud je tekst!' riep de filmregisseur.

'Heeft zij last van plankenkoorts?' vroeg de tweede assistent van de regisseur.

'Ik denk het niet. Waarom?'

'Vanuit wiens standpunt wordt gefilmd?' vroeg de tweede assistent van de filmregisseur.

'Van iedereen—vooral van de mensen in de bioscoop die een ticket hebben gekocht,' zei de filmregisseur.

Er heerste totale stilte.

'Wordt op een filmset nooit *gepraat*?' fluisterde Paco Banana.

'Zelden,' zei de schrijver. 'Te veel praten over wat je doet brengt ongeluk.'

Gala struinde van het podium. Zij had een pepmiddel en een borrel nodig en haar voeten deden pijn. *Alles* deed pijn: haar ogen, haar handen, haar vuurrode lippen, zelfs haar armband deed pijn. Onder de hitte van de spotlights was haar make-up gesmolten, zodat het leek of zij was opgemaakt voor een avondje Halloween. Zij zag er bespottelijk uit. Omdat zij contractueel niet verplicht kon worden om twintig meter *te voet* naar haar kleedkamer te lopen—hoewel er geen trailers of mobiele kleedkamers *waren*—reed een golfkarretje op batterijen haar naar het scherm van douchegordijnen in de verste uithoek van de danszaal, waar zij onmiddellijk werd omringd door kleedsters en schminksters die haar oogschaduw en lipstick fixeerden en Botox-injecties toedienden en het onmogelijke deden om haar aantrekkelijk te houden voor het vervolg van de opname.

Een slangenvrouw—naakt, natuurlijk—stak een sigaret op. Zij wrong haar lichaam in een waanzinnige bocht en bracht de sigaret naar haar vagina en terwijl zij haar spieren spande en ontspande, inhaleerde zij de sigaret met de lippen van haar vagina terwijl grijze rook uit haar anus wervelde.

'Dat is porno,' zei de cameraman.

'Wat is tegenwoordig *geen* porno?' vroeg de schrijver.

'Wat porno is, dat weet ik niet, maar als ik porno zie, voel ik het in mijn broek,' zei de cameraman.

De tweede assistent van de filmregisseur stond erop dat alles *echter* en *authentieker* zou lijken en fluisterde de Filmacteur enkele aanwijzingen in het oor.

'Dank je,' zei de Filmacteur en zwalpte als een dronkaard naar het podium met in de ene hand een fles schuimend roze *cava* en in de andere hand een champagneglas, tot de rand gevuld, waaruit hij gulzig de ene slok na de andere nam—

SALVADOR DALÍ

'B*rrr*avo! B*rrr*avisimo! Naa*rrr* het schijnt wil iemand een film maken ove*rrr* het leven van Dalí. On-mo-ge-lijk. Geen filmdoek te*rr* we*rr*reld is g*rrr*oot genoeg voo*rrr* het talent en het genie van Dalí. Zij zullen de film moeten p*rrr*ojecte*rrr*en op de maan en iede*rrr*e seconde van zijn leven wee*rrr*geven. Zo'n film wo*rr*dt zeventig jaa*rrr* lang.'

'Wow! Fantastisch!' zei de filmregisseur.

'Als deze film in roulatie komt, staat Pacino met zijn Dalí-snor op de cover van alle magazines in heel de wereld,' zei de cameraman.

'Doen we 't goed of doen we 't goed?' vroeg de producer. 'Dit is een waardig eerbetoon aan Dalí. Vanaf de dag waarop ik het scenario onder ogen kreeg, was ik er verliefd op.'

'Dank je. Uit de grond van mijn hart, hartelijk bedankt,' zei de schrijver.

'Is dit een waargebeurd verhaal?' vroeg een kostuumontwerper.

'Ieder verhaal is waargebeurd,' zei de schrijver.

'Pacino kan een glas verzetten,' zei de commissaris.

'Omdat het zo in het script staat,' zei Michèle.

'Hoe kan hij drinken en acteren zonder dat hij stomdronken wordt?' vroeg de commissaris.

'Heel eenvoudig,' zei Michèle met een stralende glimlach. 'Pacino drinkt niet voor de camera. Hij doet alsof. Jaren geleden is hij met drinken gestopt. Weet je, hij was verliefd op de fles. Na de opnamen van The Godfather was hij een echte zuipschuit geworden en meldde hij zich aan bij de Anonieme Alcoholisten, dan weet je 't wel, zeker? Tot en met het jaar waarin hij Bobby Deerfield draaide, in 1977, stond Pacino geen dag nuchter op de set. The Godfather was gedrenkt in bier en whisky. Hij zweerde de fles af en nu is hij clean. Hij drinkt koffie. Vandaar zijn bijnaam Al Cappuccino. Als Pacino volgens het scenario een slok neemt van Dalí's geliefde Brut Rosado van Perelada, is zijn glas in werkelijkheid gevuld met bruisend appelsap aangelengd met enkele druppels grenadine. Bij iedere nieuwe opname wordt het glas bijgevuld met appelsap. De dubbelgangers zuipen er natuurlijk flink op los.'

'Tegenwoordig drinkt Pacino sloten heet water met

honing en citroen, om zijn stembanden te sparen,' zei een kleedster.

Toeschouwers riepen: 'Al! Hey, Al! Hoe gaat het ermee, Al?'

'Hij is klein van gestalte,' zei Paco Banana.

'De meeste filmacteurs zijn klein,' zei Michèle. 'Tom Cruise, Mel Gibson, Jean-Claude Van Damme en Sylvester Stallone hebben verhoogde steunzolen in hun schoenen. Sommigen zelfs in hun pantoffels. Ik ken een beroemde acteur die verhoogde steunzolen *in zijn sokken* heeft.'

In de balzaal hing sigarettenrook. De achterwand veranderde in een mozaïek van snel bewegende beelden, zoals wanneer de commissaris als kind door een kartonnen prisma tuurde waarin kleine gekleurde glasscherven over elkaar heen tuimelden en vreemde, sprookjesachtige figuren vormden. De bewegende beelden waren uitvergrote en opgeblazen details uit Dalí's beroemdste schilderijen: smeltende horloges, afgehakte ledematen, zwevend in de ruimte, mieren op een open handpalm en naakte vrouwenlichamen met open, lege schuifladen die uit hun borsten en billen staken. Op een dubbelscherm werden journaalbeelden uit het leven van Dalí geprojecteerd: musicerend op een concertharp met prikkeldraad als snaren, in zwart-wit op de rug van een olifant, tussen een overdaad aan gebakken spiegeleieren en met een vliegenmepper in zijn atelier. Zijn wereld was een bespottelijke nachtmerriewereld. Op het laatste beeld stak de kunstenaar een Certificaat van Echtheid omhoog. Met een achterwaartse salto zette hij er een woeste handtekening overheen.

'Jij bent zot van film, Sam, dat steek je niet weg,' zei Paco Banana.

'Het zit in de familie, denk ik,' zei de commissaris.

'Dat begrijp ik niet.'

De commissaris zuchtte. 'Ik had een oom,' zei hij, 'de jongste broer van mijn vader. Hij heette Jeff met dubbele ff, zoals Jeff Chandler en Jeff Goldblum. Oom Jeff was kapper. Hij emigreerde naar Californië—vraag me niet waarom, ik weet het niet, misschien liep hij zijn vriendje achterna—en vond een betrekking in het superberoemde schoonheidssalon van Elizabeth Arden aan Hollywood Boulevard. Oom Jeff was zo'n krak in zijn vak, dat hij de persoonlijke kapper werd van Doris Day en Elizabeth Taylor. Dat was in de jaren vijftig, begin jaren zestig. Weet je, Doris Day en Elizabeth Taylor waren toen het uithangbord van Elizabeth Arden...'

'De *echte* Catherine Zeta-Jones is tegenwoordig het uithangbord van Elizabeth Arden,' zei Paco Banana.

'Echt waar? Dat wist ik niet,' zei de commissaris. 'Heb je *Cleopatra* gezien? In de film heeft Elizabeth Taylor een kort, strak kapsel, dat op een zwemmuts lijkt of op een omgekeerde meloen. Een creatie van Oom Jeff. Herinner je je het kapsel van Doris Day in *The Man Who Knew Too Much*, zo betoverend mooi? Haar leuke blonde krullen in *Calamity Jane*? Allemaal het werk van Oom Jeff.'

'Da's een mooi levensverhaal, Inspecteur. Hoe eindigt het?' vroeg de schrijver.

'Makkelijk,' zei de commissaris. 'Oom Jeff pleegde zelfmoord.'

De cameraman kleefde plakband in verschillende kleuren op het podium om aan te geven waar de acteurs moesten staan en in welke richting zij moesten kijken.

'Wie van de zeven of acht dubbelgangers staat vandaag in de schoenen van Dalí?' vroeg de commissaris. 'Zijn *stunt*dubbelganger? Een stand-in? Zijn *stem*dubbelganger? Of Pacino zelf?'

'Stel die vraag aan de filmregisseur. Hij weet alles,' zei Michèle.

Niks vragen en je hoeft niks uit te leggen, dacht de commissaris.

'Hij is flink gebouwd. Hij zit goed in het vlees. Vandaag is het de beurt aan zijn *schouderdubbelganger*,' zei de kleedster.

'Alpa Chino, bedoel je?' zei Michèle.

'Nee, nee, dat denk ik niet. Ik vermoed dat het Al Cappuccino is. Of Pacino zelf, wie weet.'

'Maakt niet uit. Niemand ziet het verschil, met al die make-up,' zei de opnameleider. 'Schminksters zijn echte kunstenaars. Zij maken zelfs van Mickey Mouse een echte Al Pacino.'

'Een producer kan dezelfde rol onmogelijk aan twee verschillende acteurs geven...' zei de productieleider.

'... maar neemt makkelijk zes, zeven of meer dubbelgangers voor dezelfde rol,' zei de schrijver.

Michèle verborg haar glimlach achter haar hand. 'Heeft geen belang,' zei ze. 'Zij zijn verschillend en allemaal goed. Alpa Chino heeft de minste ervaring. Hij is een Fransman, wist je dat? Uit Perpignan. Speelde nooit eerder in een film—hij is zelfs geen beroepsacteur!—maar hij lijkt zo sprekend op Pacino dat het bangelijk is. Op zijn kast staat geen Oscar voor *Scent of a Woman* zoals bij de echte Pacino en toch konden we hem niet over het hoofd zien toen hij solliciteerde.'

'Zijn enige probleem zijn z'n blauwe ogen,' zei de productieleider.

'Ja. Dat is de enige tegenvaller,' zei een assistent van de make-up. 'We moesten hem niet alleen een pruik opzetten en valse bakkebaarden geven, maar ook gekleurde contactlenzen. Zowel Dalí als Pacino hebben zeer bruine ogen—natuurlijk, in de film krijg je Alpa Chino geen enkele keer in close-up in beeld.'

'Je weet nooit,' zei de kleedster, 'een goed shot is een goed shot.'

'De filmregisseur beslist welk shot in de film blijft,' zei Michèle.

'Voor Pacino is het Al gelijk,' zei de schrijver en lachte om zijn eigen grap.

'Maakt het uit of een acteur echt of vals is?' vroeg de tweede assistent van de filmregisseur. 'Niemand merkt het verschil. In deze film hebben we zeven of acht valse acteurs in één *echte* film over één *valse* kunstenaar en een schijtlading *valse* miljoenenschilderijen.'

'Ik hou van Tom Elliott. In *Scent of a Woman* was hij de dubbelganger van Pacino,' zei de assistent van de make-up.

' ... in *Heat* ook,' zei de commissaris.

'Films die duizend miljoen dollar in kas brachten,' zei de producer.

Een rookmachine pompte namaakrook in de balzaal. Een vrouwelijk naaktmodel met ellenlange benen klemde een levende kreeft aan haar borst en wentelde zich wellustig op een sofa van rood fluweel. De kreeft was ondergedompeld in een bad met bladgoud. Twee grommende tijgerkatten waren aan de sofa vastgemaakt. Hun tanden en de nagels van hun poten waren uitgetrokken. De Filmacteur die in de schoenen van Dalí stond—echt? vals?—nam het wellustige naaktmodel in zijn armen en strooide een handvol gedroogde mieren in haar oksel.

SALVADOR DALÍ
'Wil je voo*rrr* Dalí pose*rrr*en?'

Met de nauwgezetheid van een horlogemaker schetste hij haar profiel, snel-snel-snel, en zijn snelle potloodstrepen ketsten als zweepslagen op het papier. *Tac-tac-tac.* De

Filmacteur schroefde het deksel van een bokaal met gepekelde oogballen en zoende een vluggertje op de lippen
van het naaktmodel—

SALVADOR DALÍ
'Mon amou*rrr*, bonjou*rrr*!'

—en droeg de oogballen rond op een dienblad, als
snacks. De clown met het wit gepoederde gelaat reed met
zijn eenwieler het dienblad omver en de gepekelde ogen
van Lorraine Pérès en Francine Zola en Jenny Adiou en
Cherry Leduc bolden in alle richtingen over de vloer en
toen de vloeibare gel eruit liep, zakten zij als leeglopende
ballonnetjes ineen. Een assistent van de afdeling SFX—of
'speciale effecten'—zorgde ervoor dat valse kreeften van
het plafond naar beneden vielen. Rond het podium stonden bizarre, surrealistische schilderijen, half afgewerkt:
ontploffende naaldbomen, een aartsbisschop verkleed als
travestiet, brandende giraffen op muggenpoten, wolken
gemaakt van pluimen en vloeibare, smeltende horloges
die nerveus de tijd wegtikten. Ergens rinkelde een telefoon. Dalí wierp de levende kreeft uit het open raam en
nam de hoorn op.

SALVADOR DALÍ
[Met de nadruk op iedere lettergreep:] 'Al-lô?'

'Zelfs de camera is verliefd op die man,' zei Michèle.
De hoorn van de telefoon veranderde in een reusachtige levende kreeft. De Filmacteur wriemelde met zijn vingers en liet de telefoonkreeft vallen en plots bleef hij stok-
stijf staan en keek verdwaasd om zich heen en stapte uit
de rol van de gekke surrealistische kunstenaar en stormde wild met zijn armen zwaaiend van het podium.

'CUT!' riep de eerste assistent van de filmregisseur, die vol was van zichzelf.

IK HEB mijn eerste OPNAME met AL *fucking* PACINO achter de RUG, dacht hij.

'Stop de camera!' riep hij.

'Schitterend acteur. Een koele komkommer, onder alle omstandigheden,' zei de producer.

Het klapbord werd ondersteboven gehouden. Er werd een einddatum op geschreven.

'Wacht! We zijn niet klaar! Ik begin opnieuw!' riep de Filmacteur. 'Mijn publiek verwacht van mij dat ik het beste van mijzelf geef.'

'Hou je bek, ouwe zeur,' mompelde Pacino's stemcoach.

Verbijstering op de set. Als een lopend vuurtje deed het gerucht de ronde dat de Filmacteur ontevreden was met de manier waarop Dalí in het scenario werd voorgesteld.

'Waarom is hij niet tevreden?' vroeg de producer.

'Ik heb de indruk dat Al er genoeg van heeft en zijn ontslag wil geven,' zei de productieleider.

'Is er een creatief meningsverschil?' vroeg de producer. 'Een zwakte in het scenario? Wil hij meer geld? Wat is er aan de hand? Zijn het de seksuele toespelingen? Is het de masturbatiescène? Ligt hij dáárvan wakker? Toen hij zijn contract tekende, *wist* hij dat de zaadlozingen van Dalí zouden lijken op de watervallen van Niagara wanneer de film wordt geprojecteerd op een scherm van twintig meter.'

'De Filmacteur is niet tevreden. Hij wil Dalí anders spelen,' zei de productieleider.

De filmregisseur maakte een wegwerpgebaar. 'We zoeken een vervanger. Zorg ervoor dat Dustin Hoffman het scenario in handen krijgt,' zei hij. 'Zo spoedig mogelijk.'

'Onmogelijk. We kunnen de film niet platleggen,' zei de hoofdboekhouder. 'Iedereen met een vast salaris moet worden betaald, zelfs al hebben zij niks te doen en draaien met hun duimen.'

'Aan hoeveel mensen denk je?'

'Tweehonderd, tweehonderdvijftig.'

'Wat zegt de productieleider?'

'Hij is in alle staten. Hij vraagt om verder te werken tot we een vervanger hebben gevonden.'

'Acteren is poëzie,' zei de producer. 'Het is de kunst van de stem, het lichaam en de geest. Maak je geen zorgen, de Filmacteur blijft gewoon bij ons. Ik doe hem een voorstel dat hij niet kan weigeren.'

'In godsnaam, we hebben geen tijd te verliezen, waar is de kontdubbelganger van Al?' riep de tweede assistent van de filmregisseur.

'Ik begrijp de Filmacteur. We *weten* niet wat Dalí *écht* heeft gezegd of gedaan,' zei de producer in een poging om zijn verantwoordelijkheid te ontlopen, hoewel het natuurlijk *zijn* geld was dat dag na dag werd opgesoupeerd.

'De schrijver verzint de dialoog,' zei Michèle. 'Dat is zijn job. Daar wordt hij voor betaald.'

'De Filmacteur vraagt zich af waarom de film op die manier moet eindigen,' zei de productieleider. 'Kan het een beetje vrolijker? Hij vindt dat een hoofdrolspeler niet mag sterven aan het eind van een film, dat schrikt kijkers af.'

'Dalí is gestorven in 't echt—of niet? Iedereen sterft op het eind. Jij, ik, iedereen. We sterven allemaal op 't eind. That's life,' zei de producer.

'Kunnen we Dalí in leven houden?' vroeg de productieleider.

'In een film kunnen we iedereen in leven houden, zolang hij dat zelf wil,' zei de regieassistent. 'Hitler, Napoleon, Dalí. In film kan alles want alles is vals.'

'Ja, ja, dat weet ik. Toch heeft de Filmacteur een punt,'

zei de producer. 'Films waarin de held sterft vóór het doek valt zijn een financiële ramp.'

'We hebben een speelgoedeendje nodig,' zei de productieleider.

'Een speelgoedeendje? Waarom?' vroeg de producer.

'Voor een scène met een speelgoedeendje.'

'Wat is een scène met een speelgoedeendje?'

'Er zit er een in iedere film,' zei de productieleider. 'Uit een scène met een speelgoedeendje leert de kijker dat die-en-die is wie hij is omdat zijn moeder zijn speelgoedeendje afnam toen hij vijf jaar was.'

'De moeder van Dalí nam zijn speelgoedeendje af? Toen hij vijf jaar was? Lijken daarom zijn zaadlozingen op de watervallen van Niagara?' zei de producer spottend.

De commissaris stak zijn vinger op. 'Als ik het goed begrijp, is een speelgoedeendje hetzelfde als een MacGuffin,' zei hij.

'Een speelgoedeendje, een MacGuffin, allemaal gewauwel,' zei de hoofdboekhouder.

Filmregisseurs hebben schrijvers nodig—*goede* schrijvers—en Stan-de-Man werd aangepord om een dramatische tekst op papier te zetten die nu, onmiddellijk, zou worden toegevoegd aan het scenario. Hij opende zijn laptop en begon te tikken. Om ze te onderscheiden van het oorspronkelijke scenario, dat was uitgeprint op wit papier, rolden de nieuwe pagina's op blauw papier uit de printer.

Michèle niette lachend de nieuwe pagina's aan elkaar. 'Soms is er zo hard aan gewerkt, dat er meer blauwe, gele, roze en groene dan witte pagina's in het eindscenario zitten,' zei ze in het Spaans.

'Al die gekleurde pagina's hebben we broodnodig omdat acteurs tegenwoordig zulke lastige keikoppen zijn,' zei Pacino's stemcoach.

'Een film is geen toneelstuk van Shakespeare,' zei de schrijver.

'Op zekere dag—ik was bezig met een moeilijk shot—liet ik de Filmacteur tien minuutjes wachten,' zei de filmregisseur. 'Hij relaxte met zijn kapper, zijn secretaresse en zijn schminkster in zijn kleedkamer. Om de tijd te doden, las hij luidop *alle* rollen voor uit *Richard III* van Shakespeare. Dat stuk is vierhonderd jaar oud. *De kop afhakken, man, ik verzin wel wat. Je zult sterven, walgend van je schuld. Droom voort, droom voort van dood en bloedvergieten* en bla bla bla. Derde bedrijf of zo. Toen de Filmacteur opkeek van zijn tekst, lagen de kapper, de secretaresse en de schminkster lekker te snurken.'

De eerste assistent van de filmregisseur stak een dikke sigaar op. 'Shakespeare is een volautomatische wasmachine die eindeloos rondjes draait,' zei hij en vergeleek zijn gokbriefjes met de uitslagen van de paardenwedrennen in de *Paris-Turf*.

'Iets gewonnen, de laatste tijd?' vroeg de commissaris.

'Ik win *nooit*. Jij wel?' zei de eerste assistent van de filmregisseur.

'Ik *gok* nooit,' zei de commissaris.

'Je begrijpt het niet,' zei de eerste assistent van de filmregisseur. 'Winnen is niet belangrijk. Een gokker *wil* niet winnen. Verliezen, dáár kickt een gokker op!'

Zij schoten allebei in een daverende lach.

'*Tout le monde en vitesse*,' riep een Franse medewerker.

'Iedereen stand-by voor de volgende opname,' zei de producer.

'De kar vertrekt,' zei de tweede assistent van de filmregisseur.

De Filmacteur lag in een boxershort op de rode sofa, in een plas van zijn eigen zweet. Zijn gelaat werd ontsierd

door make-up. Hij verborg zijn ogen achter een zonnebril en deed zich smakkend te goed aan een portie spaghetti in tomatensaus en vleesballetjes, nam een koekje
uit een koekjesdoos op de vloer, dompelde het in een glas
roze *cava* en stak het koekje in zijn mond.

'Twee minuten, hij is zo meteen klaar!' riep een secretaresse.

Met een enorme injectienaald ter grootte van een fiets-
pomp zette zij een shot vitamine B12 in zijn onderbil. De
Filmacteur trok zich uit de sofa overeind, krabde aan zijn
ballen, trok zijn kerstmankostuum aan en zei: 'Aan het
werk.'

In plaats van espadrilles droeg hij zwarte sportschoenen van Adidas.

The Godfather op sportschoenen? dacht de commissaris.

'Scène eenennegentig—Opname 4,' zei de productieleider en sloeg de klapper op het klapbord.

'Stilte in de zaal... iedereen klaar voor de opname? Draai-
en...' zei de tweede assistent van de filmregisseur.

'We draaien...' voegde de derde assistent van de filmregisseur er als een echo achteraan.

'... en... Camera! Licht! ACTIE!' zei de filmregisseur.

Canet-Strand nabij Perpignan in Frankrijk

Vóór zonsopgang de volgende ochtend—technisch gesproken was het laat op de avond—liet de Filmacteur zich van de aanlegsteiger in zijn boot zakken. Hij trok de motor op gang voor een nachtelijke tocht onder het maanlicht en snel en ongezien verliet hij de jachthaven van Canet-Strand. Op het ogenblik dat hij de vreemde, door regen en wind gevormde kustrotsen achter zich liet en de open zee bereikte, hees hij het zeil en liet de motor stationair draaien en geholpen door een zachte wind kliefde de boot door de nacht, in oostelijke richting, zoals een mes door boter snijdt. Bewegingloos stond hij aan het roer, een handdoek om zijn hals, varend op zijn kompas. *Niet alles komt altijd goed, men zegge het voort.* Shakespeare in *King Lear*. Hij was trots op zijn zeilboot, een 2000 MacGregor met een Nissan-motor van 40 PK, alles goed onderhouden en in goede staat, zowel de romp van glasvezel, het grootzeil, het fokzeil, de zeillatten met beschermkappen als de zwemladder, de gasflessen, drie ankers, de opblaasbare rubberboot en het chemisch toilet. Alles was kalm, alles was rustig, alles was sereen. Het was mooi op het water. De zeilen klapperden en zeewater klotste met een vertrouwd geluid tegen de boeg. De nacht was helder en wollig, de hemel met sterren besprenkeld en de Middellandse Zee glinsterde als dansende makreel—en net op het ogenblik dat de nacht verbleekte tot een poederig blauw en de ochtendzon met een gouden gloed oprees uit het water, wierp de Filmacteur een aantal volle nylonzakken overboord die stuurloos op het water dobberden voordat zij traag kantelend naar de diepte zonken waar blauw-vintonijn en exotische zeebaars en gladde hondshaaien en roofvisachtige barracuda's de zakken aan stukken scheurden en opvraten, inclusief de zijden lakens die erin zaten, met bloed doordrenkt, de zwarte visnetpanty van Sabella, ook onder het bloed, haar schoenen, haar korte, strakke rok en haar dode schedel zonder lavendelogen die na alle omzwervingen op een kokosnoot leek, met de kleur en de structuur van een gebraden kip.

Perpignan in Frankrijk

Weer een mooie, zonnige dag. Op het eerste gezicht was er niets veranderd. Nog steeds ontbraken de ô en de eerste van twee a's uit de gekleurde lichtreclame op de imposante siergevel van Hôtel du Canal. Een witte bestelwagen met geel nachtlicht met het woord TAXI in zwarte letters op het dak was half op het voetpad geparkeerd. De glazen hoteldeur zwaaide open. In de hal wankelde een koersfiets ondersteboven op het zadel en het stuur en op de incheckbalie van formica stond een ronde schaal met uitgedroogde Jaffa-cakes naast de koperen bel en een half glas water. De cactus in een bloempot viel een beetje uit de toon. In de open keuken sudderde een middagmaal in een zwarte paellapan. De nachtportier stond achter de balie, in zijn grijze T-shirt van Harley Davidson. Hij deed alsof hij druk in de weer was—invullen van gestencilde formulieren en sleutels oppoetsen aan een rubberen sleutelhanger in de vorm van een voetbal—en stak zijn kin vooruit in de richting van een kleine, geblokte man die in een rieten stoel zat aan de ronde rieten tafel met glazen blad. Uit zijn asbak puilden half opgerookte sigarettenpeuken.

'Bezoek voor u, *Monsieur* Kerouac,' zei de nachtportier.

'Voor mij?'

'Ja.'

De man zat op de rand van de stoel. Hij rookte de ene sigaret na de andere terwijl hij schichtig naar het televisiescherm keek en zich onzichtbaar trachtte te maken achter een Spaanse sportkrant. Hij dronk gulzig van een

glas calvados met de kleur van barnsteen. Hij had een gebruind gelaat met een vierkante kin en een wuivende
haarbos die te donker en te glanzend was om echt haar te
zijn. Het was een toupetje van nylon. Aan zijn voeten
droeg hij sandalen zonder sokken—zijn tenen leken op
rottende boomstronken—en hij had dringend een bad en
een proper hemd nodig. Zijn ogen waren gezwollen, alsof hij nachten niet had geslapen. Hij rookte een Ducados
van zware Spaanse tabak en de scherpte van de sigarettenrook verdoezelde zijn ranzige lichaamsgeur van goedkope wijn en zweet en ongewassen kleren.

'Ik neem aan dat jij Francisco Pancho Villa bent?' zei de
commissaris.

'Sí, Señor. Mijn advocaat zegt dat ik u in vertrouwen mag
nemen.'

'Meester Tic-Tac?'

'Sí, Señor.'

'Je bent Zuid-Amerikaan?'

'Sí, Señor. Ik ben Mexicaan van geboorte.'

Er kwam een telefoonoproep binnen en de nachtportier
stak de stekker van de telefoonverbinding in een ouderwets schakelbord.

De commissaris ging onder een poster van een vissersdorpje met vissersboten zitten. Het was elf uur in de ochtend. Op de televisie kondigde een nieuwslezer exclusie-
ve onthullingen aan over huwelijksproblemen binnen de
koninklijke familie.

'Als je geen bezwaar hebt, stel ik een aantal routinevra-
gen,' zei de commissaris.

'Ik heb geen bezwaar, Señor.'

'Francisco Pancho Villa is je echte naam?'

'Ja.'

'Geen andere voornamen?'

'De mensen op straat noemen mij achter mijn rug Klootzak of Hoepel Op, maar dat zijn geen voornamen—of toch?'

'Nee,' zei de commissaris en schudde het hoofd.

Hoepel Op Klootzak Francisco Pancho Villa zou nochtans niet misstaan, dacht hij.

'Waar woon je?'

'In mijn bestelwagen, Señor.

'De witte taxi die op het voetpad is geparkeerd?'

'Sí, Señor. Ik slaap 's nachts in mijn auto. Soms raak ik niet in slaap en ga naar de bowling.'

'Je bedoelt: 's nachts?'

'Ja.'

'Je hebt geen huis? Geen appartement?'

'Nee, Señor.'

'Werk je als taxichauffeur?'

'Nee, Señor. Mijn bestelwagen is tweedehands. Ik heb 'm zo gekocht, als taxi.'

'Hoe oud ben je?'

'Negenenveertig jaar.'

'Gehuwd? Gescheiden? Single?'

'Ik ben alleen op de wereld.'

Hier keek de commissaris van op. Zo'n uitspraak, dat had hij niet verwacht.

'Beroep?' vroeg hij.

'Ik ben gediplomeerd geneesheer. Op dit ogenblik werk ik als tuinman,' zei Francisco Pancho Villa.

'Heb je in dit land als dokter gewerkt?'

'Nee, Señor, niet in Frankrijk.'

'Renaudot van de Police Nationale zegt dat je in je bestelwagen illegale abortussen verricht.'

'*Renaudot es un cabrón.*'

'Wat is een *cabrón*?'

'Een klootzak, Señor, *disculpame*, verontschuldig mij.'

De Mexicaan was zo nerveus, hij beet zijn eigen lippen er bijna af.

'Doe je dat, illegale abortussen?'

'Ik heb geld nodig, Señor.'

'Sedert wanneer verblijf je in Perpignan?'

'Zes, zeven jaar.'

'... en daarvoor?'

'Ik woonde in Barcelona. Zonder verblijfsvergunning, zoals de meeste Mexicanen. In mijn eigen land werkte ik op de kraamafdeling van een ziekenhuis in Mexico-Stad.'

'Als geneesheer?'

'Ja, Señor.'

Lang geleden, toen hij vooraan in de twintig was, vóór hij een moeilijk examen aflegde om in aanmerking te komen als speurder bij de gerechtelijke politie in Antwerpen, had de commissaris als journalist gewerkt, voor een plaatselijke krant. Uit die zorgeloze dagen, toen hij jong en onschuldig was en niet gehard en gekneed en misvormd door de wetten van het leven, herinnerde hij zich dat een vraag altijd een vraag is maar dat een antwoord niet noodzakelijk is bedoeld als antwoord.

'Volgens Renaudot stal je medicijnen uit de kliniek,' zei de commissaris.

'Ik heb ze nodig voor mijn angstaanvallen, Señor.'

'Je kunt geen medicatie betalen?'

'Nee.'

'Heb je een ziekteverzekering?'

'Nee, Señor.'

'Beschrijf me zo'n angstaanval eens.'

'Ik ben bang. Doodsbang. Ik maak mij zorgen. Mijn hart bonst in mijn hoofd. Ik zie rode vlekken en sla in paniek.'

'Rode vlekken?'

'Rode vierkanten en driehoeken.'

'Welk soort rood?'

'Bloedrood.'

'Ook kersenrood? Wijnrood?'

'Kersen zijn niet rood, Señor, kersen hebben de kleur van bourgogne en wijn is wijn. Bloed is rood.'

'Je ziet bloedvlekken. Begrijp ik dat goed?'

'Ja, Señor, ik zie bloedvlekken.'

'Voortdurend?'

'Altijd.'

'Heeft Meester Tic-Tac je daarom aangeraden met mij te praten? Omdat je bloed ziet?' vroeg de commissaris.

'Sí, Señor.'

'Waar doet het bloed je aan denken?'

'Aan dode baby's, Señor. Aan abortussen.'

'Wilde je altijd geneesheer zijn?' vroeg de commissaris. De Mexicaan doofde zijn sigaret—zijn handen beefden—en stak de volgende op. 'Ik wilde kunstschilder worden. Ik verlangde naar aandacht en erkenning,' zei hij.

'Klopt het verhaal dat je 's nachts door Perpignan doolt?'

'Alleen in de zomer, omdat ik niet kan slapen. In de zomer wordt het ondraaglijk warm in mijn bestelwagen.'

'Je doolt door de hoerenbuurt?'

'Hoertjes zijn mijn beste klanten, Señor. Voor vruchtafdrijving, bedoel ik. Zij kunnen het noodnummer van de hoofdpsychiater van het Geesteszeekenhuis van Languedoc niet bellen. In een ziekenhuis worden zij weggelachen. Eén keer heb ik een klant geweigerd. Een Pools meisje. Zij was in haar vijfde maand, haar zwangerschap was te ver gevorderd en dat risico wilde ik niet lopen. Ik wees haar af. De volgende ochtend hing zij aan een dik touw aan een lantaarnpaal en deinde zacht heen en weer in de warme zomerlucht.'

'Ik ga een moeilijke vraag stellen,' zei de commissaris. 'Wees voorzichtig, ik wil niet dat je liegt. Zul je eerlijk antwoorden op mijn vraag?'

'Ja, Señor, ik zal eerlijk antwoorden.'

'Heb je een waterdicht alibi voor het tijdstip van de moord op Lorraine Pérès en Francine Zola?'

'Jaaa... euh... nee... Señor.'

'Waar was je toen de meisjes werden vermoord?'

'In mijn bestelwagen, Señor, ik sliep de hele...'

De commissaris sprong overeind en sloeg de Mexicaan met de vlakke hand in het gelaat, zodat hij bijna van zijn stoel tuimelde.

'Ik heb gevraagd om niet te liegen,' zei hij en glimlachte.

'Echt waar, Señor, ik was in mijn bestelwagen...'

'Maar je sliep niet?'

'Nee, Señor, ik sliep niet.'

'Wat deed je?'

'Ik werkte op mijn computer.'

'Je hebt een computer in je bestelwagen?'

'Iedereen heeft tegenwoordig een computer, Señor.'

'Dat is waar. Wat is er zo interessant op je computer in het holst van de nacht?'

'Foto's, Señor, en video's.'

'Welke foto's en welke video's?'

Francisco Pancho Villa aarzelde. 'Kleine meisjes, Señor,' zei hij en sloeg zijn ogen neer.

De commissaris zuchtte. 'Op je harde schijf staan foto's en video's van kleine meisjes?' vroeg hij.

'Ja, Señor.'

'Wat is klein?'

'Elf, twaalf jaar.'

'Voor ze hun maandstonden hebben, is het dat wat je bedoelt?'

'Sí, Señor.'

'Daarom dek je de ramen van je bestelwagen af? Met oude kranten? Omdat je niet gezien zou worden?'

'Ik wil niet dat de mensen weten wat ik doe.'

'Negenenveertig jaar is jong om als een vieze oude snoeper door het leven te gaan, Señor Pancho Villa,' zei de commissaris.

De Mexicaan boog het hoofd. Hij bestelde een tweede calvados, puur, onversneden, en goot de appelcognac in één keer achterover in plaats van aan de godendrank te ruiken en te proeven en er langzaam van te genieten, zoals ongetwijfeld de gewoonte is in de oude en aristocratische kringen waar hij lang geleden deel van uitmaakte.

'Je werkt als tuinman?'

'Sí, Señor.'

'Ik wil met je werkgever praten.'

'Por favor, Señor, doe dat niet. Hij is vannacht uitgevaren met zijn boot en weet niet dat ik hier ben. Daarom kon ik weg om met u te praten. Ik wil mijn job niet verliezen, Señor, ik heb dringend geld nodig om terug naar huis te gaan, naar Mexico.'

'Hoe heet de boot van je werkgever?'

'De EXODUS, Señor.'

'Zweer je op de ziel van je moeder en je vader dat je met de zogenoemde Dalí-moorden niets te maken hebt?'

'Ik zweer het. Ik heb er niets mee te maken, Señor.'

'Waarom weet ik niet, maar ik geloof je,' zei de commissaris.

'Dank je, Señor.'

'Ik hoop dat de moorden geen voodoo of iets gelijksoortigs zijn,' murmelde de commissaris.

'Voodoo is een ritueel uit Haïti, Señor, ik ben Mexicaan.'

'Je hebt gelijk.'

'Mag ik nu gaan, Señor, voordat mijn werkgever terug-keert?'

'Wanneer komt hij terug?'

'Als hij 's ochtends uitvaart met zijn boot, is hij voor het donker terug in de haven.'

'Je weet waar het commissariaat van politie is?'

'Natuurlijk, Señor, aan de Place Arago.'

De commissaris bestudeerde de klok boven de incheck-balie. 'Zorg dat je stipt om drie uur op het politiekantoor bent,' zei hij.

'Ik heb geen horloge,' zei de Mexicaan.

'Drie uur stipt,' zei de commissaris.

De rest van de dag ging traag voorbij. Om redenen die voor de hand liggen—de nabijheid van Figueres, Girona en Bar-celona in het zuiden, Montpellier, Nîmes, Toulouse, Car-cassonne en Narbonne in het noordwesten en het schat-tige vissersdorpje van Collioure met z'n heerlijke visres-taurants en wijnproeverijen aan de kust—staat Perpignan met z'n 117.000 inwoners niet bovenaan op het verlang-lijstje van de meeste toeristen. Voor de commissaris was zijn opdracht voor Europol geen weekendtrip, verre van; trouwens, hij had een broertje dood aan sightseeing. Hij rustte een uurtje uit op zijn zolderkamer, ondanks de muffe geur van lijkkisten en sarcofagen, handelde een paar dringende telefoontjes af en dronk de halve fles ver-schaald mineraalwater tot op de bodem leeg. Hij trok zijn korte broek en sandalen en een proper hawaïhemdje aan, met een patroon van bloemen en olifanten, en begaf zich opgewekt naar de drukke Avenue Charles de Gaulle. Hij groette een oude vrouw met een boodschappenmandje op wielen en de blinde bedelaar. Zijn witte blindenstok tiktakte tegen de rand van het voetpad—*tic-tac, tic-tac*—en zijn accordeon hing schrijlings over zijn schouder. Gevels van slagers en kruideniers waren geel en turkoois geschilderd en glunderden in de stralende zon, onder een intens blauwe, wolkeloze hemel. Tussen de bomen langs het kanaal zaten oude mannen en vrouwen op een bank. De commissaris passeerde een standbeeld van een officier van Napoleon in hoge laarzen die met een zwaard zwaaide. Met een opstoot van heimwee deed de officier hem terugdenken aan de standbeelden in parken en op pleinen in Den Haag. Groene parkieten scheerden rakelings over de stille toppen van de bomen. Op Place Arago was alles rustig en vredig. Wandelaars kuierden over het plein. Een meisje met een glimlach als Shirley Temple gooide een gele frisbee in de lucht. Tegen de geblakerde muur van het gerechtshof lag een kleine uitgebrande auto, platgedrukt en ineengedeukt alsof hij onder een pletwals had gelegen. De auto was de enige herinnering aan de rassenrellen enkele dagen voordien.

De commissaris betrad het hoofdkwartier van de politie in het afgeleefde kantoorgebouw met twee verdiepingen en een zolder en volgde de aanwijzingen op de stencil met een gebalde vuist en een duim die omhoog wees: DETECTIVES, 2de VERDIEP. STILTE AUB. 14 uur 45 op de klok boven de toiletten. De metalen staven voor de getraliede ramen wierpen horizontaal gestreepte schaduwen op de vloer. De onderste helft van de wit gebeitste muren was op manshoogte bedekt met smerige handafdrukken. Voor het eerst werd de aandacht van de commissaris getrokken door een Franse driekleur in een metalen banierdrager in een hoek van het kantoor, met de kleuren blauw-wit-rood om de vlaggenmast gerold. Renaudot had de oudere agent om broodjes, een hamburger van McDonald's en frieten voor hemzelf en enkele flesjes koel bier van Pelforth en Kronenbourg gestuurd.

Om drie uur stipt slofte de Mexicaan in het kantoor. Hij keek angstig om zich heen. Dikke zweetdruppels parelden van onder zijn nylon haarstukje en liepen tot in zijn hals.

'Ga zitten. Maak het je gemakkelijk. Ik kom zo,' zei de commissaris.

De Mexicaan zette zich op een hardhouten bank in een stoffige hoek naast een groezelige man in een vieze, frommelige trainingsbroek met twee verticale strepen op iedere broekspijp en een vuil T-shirt met de tekst CREADO EN EL PEOR BARRIO DEL MUNDO in rode Spaanse letters. Zijn bruine bouwvakkersschoenen zaten onder plaaster en waren al lang uit de mode. Hij was geboeid en bont en blauw geslagen en wachtte tot het zijn beurt was om zijn vingerafdrukken te nemen. Zijn pokdalig gelaat en platte boksersneus waren opgezwollen door de drank. Hij had zich enkele dagen niet geschoren—bloed en vuil koekten in zijn stoppelbaard—en een lange, vette haarlok viel over zijn voorhoofd en zijn slap neerhangend geelgroen ooglid dat helemaal dicht zat.

'Vroeger was ik geneesheer,' zei de Mexicaan en bracht zijn toupetje in orde. 'Kan ik je helpen?'

'Ik was vroeger professioneel bokser. Ik was het gewend om iedere week in elkaar te worden geslagen. Nu ben ik bouwvakker. Doe me een plezier, geef me een sigaret,' zei de bouwvakker.

De Mexicaan tastte de zakken van zijn groene overall en zijn jeanshemd af, haalde er een verkreukeld pakje Ducados uit en stak twee kromgebogen sigaretten op.

Zij zaten rokend naast elkaar en beklaagden zich in stilte over het onrecht in de wereld.

'Zal ik deze rukkers hun rechten voorlezen?' vroeg de oudere agent in zijn blauwe uniform terwijl hij een ontstopt flesje Pelforth aan zijn mond zette.

'Rechten? Niet nodig,' zei Renaudot rustig. 'Rukkers hebben geen rechten.'

'Indien ik mijn leven opnieuw zou kunnen beginnen...' zuchtte de Mexicaan.

'Als je een tweede kans zou krijgen, bedoel je? Zou je 't anders aanpakken?' vroeg de bouwvakker.

Het duurde een eeuwigheid voor de Mexicaan met een antwoord voor de dag kwam.

'*Madre de Diós*. Ik zou er de voorkeur aan geven om niet te leven,' zei hij.

'Ben je Spanjaard?'

'Mexicaan.'

'Wat doe je hier?'

'Tsja...'

'Waarom *zit* je hier?'

'Kleinigheidjes,' zei de Mexicaan en ontweek de vraag.

'Ik niet,' giechelde de bouwvakker. Met zijn geboeide handen plakte hij zijn vettig haar achterover tegen zijn schedel. 'Ik kwam thuis na drie dagen—ik had het op een zuipen gezet—en mijn vrouw lag met een andere vent in bed. Ik greep die kerel bij z'n nek en smeet hem uit het raam. Potente vent. Hij had z'n erectie nog toen hij naar beneden tuimelde.'

'Dood?' vroeg de Mexicaan.

'Wij wonen op de eerste verdieping. Ik denk dat hij een been brak. Begrijp me goed, ik heb er geen bezwaar tegen dat mijn vrouw met een andere vent neukt, een vent is een vent, maar *niet* in *mijn* bed.'

Vier of vijf agenten in blauw uniform dronken koffie uit kartonnen bekertjes terwijl zij door Franse kranten bladerden en commentaar gaven op de nieuwsfeiten van de dag.

'HAHAHA! Een priester in een Italiaans bergdorp be-

waart de voorhuid van Jezus Christus—in een eierdopje!'
lachte de oudere agent en trok de kroonkurk van zijn tweede flesje Pelforth.

'Bullshit,' zei de agent die tegenover hem zat en koffie
dronk.

'Lees zelf. Het staat in *Kerk en Leven*.'

'*Kerk en Leven* is de *Playboy* niet.'

'Moet je horen!' zei een andere agent. 'Een Amerikaanse
verzamelaar van muziekinstrumenten verkoopt de voorhuid van Elvis Presley op eBay. Stel je voor, op eBay!'

De voorhuid van Elvis Presley? Is dat een muziekinstru-
ment? dacht de commissaris.

'Geloof het of niet, er kwam geen enkel bod,' zei de agent.

'Omdat hij slechts *een halve* voorhuid verkoopt,' zei Paco
Banana.

'Waar is de andere helft?'

'Dat moet je Priscilla vragen.'

Zou de voorhuid van Elvis Presley in *Kerk en Leven* staan?
vroeg de commissaris zich af.

'Wie heeft ooit van Raspoetin—de Maffe Monnik van
Rusland—gehoord?' vroeg een agent die na zijn broodje
en koffie wellustig aan een Franse sigaret zoog.

'Stalin is de enige Maffe Monnik van Rusland waarvan
ik de naam ken,' zei de oudere agent.

'... en Poetin natuurlijk.'

'Poetin is wél maf maar geen monnik.'

'Raspoetin werd dood in een dichtgevroren rivier gesmeten. Zijn dochter emigreerde naar Parijs en werkte in
een circus als danseres en dierentemmer. Heel haar leven
sliep zij met de bevroren penis van haar vader onder haar
hoofdkussen.'

'Ik vraag mij af... wie zou met de penis van Poetin onder
zijn hoofdkussen slapen?'

'Ik weet het! Carla Bruni!' riep de bouwvakker.

'Jullie kijken te veel *Big Brother* op TV,' zei Paco Banana.

'De tingelingeling van Napoleon is volgens het Guinness Book of World Records de kleinste penis ter wereld. Een uroloog betaalde er 38.000 dollar voor op een veiling.'

De oudere agent sloeg van pret op zijn billen en stootte zijn bierflesje om.

'38.000 dollar voor de penis van Napoleon? Spotgoedkoop!'

'Hangt ervan af. Is het een echte of een valse penis?'

'De legerchirurg die tweehonderd jaar geleden een autopsie uitvoerde op het lichaam van Napoleon sneed het ding eraf en verkocht het.'

'Dan is het vals! Vertrouw nooit een chirurg,' zei de Mexicaan.

'Bek dicht, klootzak!' riep de oudere agent.

'De uroloog zette de penis van Napoleon bij het vuilnis—tot hij deze week een bod van 100.000 dollar kreeg, in contanten. Nu zit de verschrompelde penis veilig en wel in een kluis van Citibank.'

'Stel je voor hoeveel de penis van Poetin waard is.'

'Of de voorhuid van Onze Heer Jezus Christus!'

'Smijt al die penissen uit het raam!' riep de bouwvakker.

Er werd voorzichtig op het glasraam geklopt dat de scheidingswand vormde tussen de Moordafdeling van de Police Judiciaire en de kleine receptie met berichten en mededelingen aan de muur. De commissaris keek op. Een hoertje, dacht de commissaris. De oudere agent knikte naar het meisje dat even zwart en sexy was als Grace Jones. Zij was gekleed in een geel mantelpakje met een klein zwart hoedje met een kanten sluier en keek mistroostig uit haar ogen. Zij liep blootsvoets op gescheurde nylonkousen. Haar rode schoenen met lange, scherpe naald-hakken bengelden in haar linkerhand aan het riempje van de hiel.

De oudere agent stond op achter zijn bureau en rolde met zijn ogen. Hij zuchtte en zei: 'Is er iets dat je dwars-zit, Serafina? Als je penissen en stevige erecties zoekt, ben je hier aan het verkeerde adres. We hebben ze net uit het raam gesmeten, HAHAHA!'

'Sabella is verdwenen,' zei het zwartje.

'Sabella? Verdwenen? Hoe verdwenen? Heeft zij van-nacht gewerkt?'

'Nee—en zij heeft mij niet gebeld. Zij belt mij altijd.'

'Maak je geen zorgen, Serafina. Je weet dat Sabella niet vies is van een cognacje. Zij slaapt haar roes uit. Vanavond is zij er weer.'

'Ik ging naar haar flat. Zij is er niet.'

'Sabella kwam uit Polen?'

'Ja.'

'Zij is op de trein gestapt en naar Polen gereisd,' zei de agent. 'Dat doen ze allemaal. Vroeg of laat krijgen ze heim-wee naar huis.'

'Sabella heeft geen thuis,' zei het zwartje. 'Zij heeft geen familie en vrienden in Polen. Haar familie woont hier, in Frankrijk, en *wij* zijn haar vrienden.'

'Wanneer zag je haar voor het laatst?'

'Vier, vijf nachten geleden.'

'Welke kleren droeg zij?' vroeg Renaudot.

De oudere agent zocht een stompje potlood en iets om op te schrijven.

'Sabella is zeer elegant. Zoals gewoonlijk droeg zij een mini-rok en visnetpanty's. Een mini-rok en visnetpanty's zijn haar werkkleren.'

'Naaldhakken?'

'Natuurlijk.'

'Haarkleur?'

'Kort, glanzend. Zwart geverfd uit een flesje van L'Oréal.'

'Ogen?'

'Dat weet je toch, man. Doe niet alsof je haar niet kent. De kleur van lavendel.'

'Zo'n meisje komt mij bekend voor,' zei de bouwvakker.

'Bek dicht, zuipschuit!' riep Renaudot.

'Zij was opzichtig geschminkt?' vroeg de oudere agent.

'Ja.'

'Welk parfum?'

'*Coco* van Chanel, zoals altijd.'

'Bijzondere kenmerken?'

'Zij lakte haar vingernagels zilver.'

'Rookte zij?'

'Ja.'

'Welke sigaretten?'

'Weet ik niet. Zelf rook ik niet.'

'Franse sigaretten?'

'Sla me dood, ik weet het niet.'

De oudere agent zuchtte en zei: 'Je hebt je best gedaan, Serafina, nu zullen wij ons best doen om Sabella te vinden.'

'Sabella rookte Gitanes,' mompelde de bouwvakker.

Paco Banana keerde zich om. 'Wat zeg je?' vroeg hij.

'Die man heeft gelijk. Ik zie het zo voor mij. Zij rookte Gitanes Blondes,' zei het zwartje.

'Zie je wel?' zei de bouwvakker. 'Mooie meisjes vergeet ik niet. Ik ontmoette haar in een bar. Zij had een neus vol sproeten en sprak met rare woorden zoals *dziekie* of zo.'

'*Dziekuje*,' zei het zwartje. 'Dat is Pools voor Dank je.'

'Zat zij alleen in de bar? Op haar dooie eentje?' vroeg Paco Banana.

De bouwvakker glimlachte. 'Een hoertje dat alleen is, is geen hoertje,' zei hij.

'Met wie was ze?' vroeg de commissaris.

'Een beroemdheid,' zei de bouwvakker. 'Hij zei dat zij een mooie mond had. Zij antwoordde *dziekie* en zei dat ze haar geld verdiende met haar mond.'

'Als zij dronk, pakte Sabella ermee uit dat zij was afgestudeerd in blowjobs en gediplomeerd met de hoogste onderscheiding,' zei het zwartje.

'Hij had gelijk, zij *had* een mooie mond,' zei de bouwvakker.

'Wie had gelijk?' snauwde de commissaris.

15 uur 40 op de klok boven de toiletten.

'Zij dronk cognac en trachtte hem te verleiden. Samen dronken zij een fles leeg. Dom Hoe-Heet-Hij-Ook-Alweer.'

'Wie is Dom Hoe-Heet-Hij-Ook-Alweer?' vroeg de blinde speurder.

'Champagne. *Dom Pérignon*. Ik denk dat hij iets te vieren had.'

'Waar bevindt de bar zich?'

'Dat herinner ik me niet.'

'Doe je best.'

'Ik was poepzat. Had de ganse dag mojito-cocktails met ijs en rum gedronken.'

'IJs, rum, verse munt, een schijfje limoen en rietsuiker,' zei Paco Banana.

'Je herinnert je *wat* je gedronken hebt. Tracht je nu te herinneren *waar* je gedronken hebt,' zei de commissaris.

'Sla me dood... onder een gewelfde gaanderij in een bar met een terras op straat.'

'Een bar waar ze mojito's serveren onder een gewelfde gaanderij? Dat is de Havana Club aan de Place de la Loge in het centrum van Perpignan,' zei Paco Banana.

'Het dode lichaam van de oude clochard lag bij wijze van spreken op de drempel van de Havana Club,' zei Renaudot.

'Voor de laatste keer, *welke* beroemdheid had gelijk?' snauwde de commissaris en hij liep rood aan van woede.

'Bijt mijn neus niet af. Zijn naam schiet me niet te binnen. Ik ken hem van nachtfilms.'

'Beroemd als een *filmster*, bedoel je?'

'Ja.'

'Verlieten zij samen de bar, het hoertje en de beroemde filmster?'

'Daar ben ik zeker van.'

'Welke richting gingen ze uit?'

'Weet ik veel. De richting van het Flamingo Park Hotel, vermoed ik. Daar logeerde de beroemde filmster—tenminste, indien ik de shit en flauwekul mag geloven waar de kranten vol mee staan.'

'Een beroemdheid—een filmster—die in het Flamingo Park Hotel logeert...' zei Paco Banana. 'Niet de filmregisseur, die is niet beroemd. Niet de producer. Niet de kabeldragers. Niet de valse Catherine Zeta-Jones...'

'Bedoel je... dat het Pacino is? Al Pacino?' zei de commissaris.

'Pacino! Dat is degene die ik bedoel! Ik heb je gezegd dat ik hem in een paar nachtfilms zag,' zei de bouwvakker.

'Pacino dronk een fles champagne leeg?' vroeg de commissaris.

'Natuurlijk. Samen met Sabella. Waarom niet?'

'Ik geloof je niet.'

'Echt waar. Zo'n rozig bubbeldrankje. Met z'n tweeën dronken zij de fles op een kwartiertje leeg.'

'Wanneer was dat?'

'Vier, vijf dagen geleden. Sorry hoor, ik ben de tel kwijt.'

'Pacino drinkt niet,' zei de commissaris. 'Hij staat droog. Zijn drankzucht situeert zich in het verleden. Dertig jaar geleden liet hij zich behandelen in een kliniek van de Anonieme Alcoholisten en zwoer hij voorgoed de fles af. Hij raakt al jaren geen druppel aan.'

'Nonsens. Ik zag hem zuipen op TV,' zei de bouwvakker.

'Dat is geen zuipen, dat is acteerwerk van de bovenste plank,' zei Paco Banana.

'Pacino is geheelonthouder. In plaats van sterkedrank giet hij appelsap achterover. Of heet water met honing en citroen, om zijn stembanden te sparen,' zei de commissaris.

'Die man... de beroemdheid... was hij... in het zwart gekleed?' vroeg de Mexicaan zeer traag.

'Wie bedoel je?' vroeg de bouwvakker.

'De beroemde filmster... in de Havana Club.'

'Ja. Van onder tot boven in het zwart. Zwart hemd, zwarte jeans, zwarte schoenen. Adidas, heel duur, vermoed ik. Sokken heb ik niet gezien. Hij droeg een T-shirt. Zie je *mijn* T-shirt?' zei hij trots en rukte aan de stof alsof hij zijn tepels eraf wilde trekken, wat niet eenvoudig was met handboeien om. 'Ik draag een wit T-shirt. In het Spaans staat er *Gemaakt in de slechtste buurt ter wereld* op. Zijn T-shirt was zwart met een oranje tekening. Meer herinner ik mij niet.'

'Oh, nee! Oh God, nee nee! Hij verplaatst zich in een rode Maserati!' riep het zwartje.

'Die man... de beroemde filmster... is Pacino niet,' zei de Mexicaan rustig. 'Hij is mijn werkgever. Even klein als Pacino en daar houdt de gelijkenis op. Om op Pacino te lijken, draagt hij een pruik—geen toupetje zoals ik maar een *echte* pruik—en valse bakkebaarden. De voorbije weken veranderde hij zijn gelaatstrekken met Vaseline, Kleenex en WC-papier en speelde de dubbelganger van Pacino in een film.'

De oudere agent schroefde zijn wijsvinger tegen zijn voorhoofd.

'Alpa Chino. Al Cappuccino. *Scarface. The Godfather.* Al Pacino zelf?' vroeg de commissaris en schudde verwonderd en verbaasd het hoofd. 'Wie is wie? Wie van de zeven of acht dubbelgangers is de man die we zoeken? De *stunt*dubbelganger? De *stem*dubbelganger? De *oog*dubbelganger? De *hand*dubbelganger? De *haar*dubbelganger? Of de *kont*dubbelganger? Als een van hen de seriemoordenaar is, nam hij de politie lelijk bij de neus—nam hij *mij* lelijk bij de neus. Francisco Pancho Villa, hoe laat meert je werkgever z'n boot aan?'

16 uur 15 op de ronde klok.

'Weet je waar dat hoerenjong uithangt?' vroeg Renaudot.

'Ergens op de Middellandse Zee,' zei de commissaris.

'Dat is overal en nergens. Ik zorg voor een huiszoekingsbevel. Paco, neem jij contact op met de zeevaartpolitie,' zei Renaudot.

Bingo! Eureka! *Voilà!* Jackpot! dacht de commissaris. Zijn hoofd bonsde van opwinding. Hij slikte en *pinggg!* allebei zijn oren popten open alsof zijn hersenen een e-mail ontvingen.

'Komaan, we pakken hem op,' zei Paco Banana.

'Dank je, Broeder,' zei het zwartje.

Een politiehelikopter zwaaide klepperend door de lucht. *Zûc-zûc-zûc.* Overal in de banlieue, tussen steenslag, stortafval, vervallen flatgebouwen, verloederde garages en lege magazijnen zaten sluipschutters van het arrestatieteam van de politie met hun halfautomatische MP5 in de aanslag. De machinepistolen—vuursnelheid: achthonderd kogels per minuut—hadden een handgreep van plastic, om te voorkomen dat het wapen gloeiend heet zou worden en onhandelbaar tijdens het schieten. Zij waren voorzien van geluidsdemper en nachtkijker. Iedere sluipschutter was gekleed in het veilige uniform van de Franse paratrooper: brandvrije balaclava, strakke kogelvrije helm, gepantserd stormvest—met één woord op de rug, POLICE, in witte drukletters—met kogelwerende flappen ter bescherming van vitale organen, brandvrije handschoenen, beenbeschermers, sokken en gevechtslaarzen—ook brandvrij—en was uitgerust met gasgranaten, vuurwerkstaven en een Sig-Sauer 9 mm Parabellum met 15 patronen in de lader. Vanaf het ogenblik dat hij voet zette in de ommuurde tuin, begreep de commissaris wat hem te wachten stond: harde, vergeelde rozenstaken met scherpe doornen staken als kippenpoten omhoog uit het onberispelijk geschoren grasperk, maar in de tuin bloeide geen enkele roos. Een graffiti op de tuinmuur leidde de speurders naar twee kookpotten op het gasfornuis in de keuken. In de eerste kookpot zat het verbrande en uitgekookte hoofd van een anonieme jonge vrouw. De tweede kookpot was tot de rand gevuld met een grauwe brij waarop een dikke vetlaag dreef. De vetlaag leek op kauwgum. Er staken handen en voeten uit, verbrand en uitgekookt. Op de keukentafel lag een vochtig mes met een boogvormig lemmet. Een Japans samoeraimes, dacht de commissaris. Het was gebruikt om aardappelen te vierendelen en groenten te snijden: uien, tomaten, gele en rode paprika, aubergines en courgettes. In een koperen braadpan in de oven sudderden de sappigste stukken van de anonieme vrouw, in mootjes gehakt zoals ossobuco en op smaak gebracht met mediterrane kruiden. Haar ontbeende bovenlichaam—met afgesneden borsten—lag in een zwarte afvalzak in de koelkast naast bokalen met vloeibare silicone. Een van de bokalen bevatte de linkerhand van Jenny, met een diamanten ring om haar ringvinger.

De commissaris daalde af in de ondergrondse koelruimte. Opdat hij zelf geen vingerolie en vingerafdrukken zou achterlaten, trok hij strakke witte handschoenen aan. Overal waren mensenogen geprikt, zoals gedroogde vlinders. De muren in de koelruimte waren van de vloer tot het plafond gesprayd met een groteske en bizarre muurschildering van afgehakte handen, schijtende ezels, weke horloges die smelten en vloeibaar worden zoals camembertkaas, open monden met bloedende tongen, brandende giraffen, dichters die winden laten op het ogenblik dat zij in hun kont worden geneukt en zwarte mieren die als ratten van de ene voorstelling naar de andere kruipen terwijl gebakken eieren aan touwtjes bengelen en grijze wolken doelloos boven een horizon met cipressen en gekartelde rotsen drijven.

Het schilderij was een ondergrondse nachtmerrie, een werveling van erotische waanvoorstellingen van een zonderling die geobsedeerd was door schaduwen op het strand die het evenbeeld zijn van erecties in het zand, copulerende sprinkhanen, bloedende rozen, naakte borsten, een wijdopen mannenmond die op kunstzinnige wijze verandert in een bloedrode vagina, druipende kaarsen, masturberende mannen, masturberende vrouwen, en was van A tot Z opgebouwd uit lichaamsdelen van *échte* mensen, met *échte* armen en *échte* benen en *échte* hoofden en *échte* ingewanden van tientallen, tientallen vrouwen, afgesneden, afgezaagd, geamputeerd en van de ingewanden ontdaan.

De namaak-Dalí was een monsterlijk 'tableau vivant'— wat Frans is voor 'levend schilderij', hoewel het letterlijk en figuurlijk een 'dood schilderij' was—en was de meest kwaadaardige en mensonterende hulde die ooit aan het surrealisme is gebracht en niemand die het 'tableau vivant' die dag had gezien, echt niemand, Renaudot niet, Achmed Al Fatou niet, Paco Banana niet en zelfs de commissaris niet, zou ooit deze gigantische, bizarre, met bloed besmeurde en bespatte muurschildering in dit idyllische stadje tussen de pracht en praal van de Pyreneeën en de wonderen van de Middellandse Zee uit zijn geheugen kunnen zetten.

'Bereid je voor op een gewelddadig einde,' zei de commissaris.

'Denk je?' vroeg de oudere agent.

'De Inspecteur denkt niet, hij weet,' zei Paco Banana.

Weet hij veel, die zwarte pispaal van kust-mijn-kloten, dacht de oudere agent.

Bijna zat de dag erop. Slechts aan één scène—de eindscène—werd volop gesleuteld. Kort voor zonsondergang werd de Filmacteur van zijn boot geplukt en opgesloten in een van de drie wachtcellen in het politiebureau op Place Arago. Speurders en politieofficieren bereidden zich voor op een steekspel van vraag en antwoord dat naar ieders verwachting tot vroeg in de ochtend zou duren. In het westen kreeg de hemel een blos op de wangen die blauw werd als de nacht. Aan het uitspansel tintelde de avondster—in werkelijkheid de planeet Venus—en na schemerdonker kwam de avondval. Onder de palmbomen op het terras van de kleine, donkere bar-tabac met gokkantoor van PMU deden wachtende reporters en fotografen zich te goed aan een heerlijk koele Chablis op het ritme van stampende disco uit de jukebox. Muziek die klonk alsof Chet Baker en zijn trompet werden drooggezwierd in een droogzwiermachine. De commissaris liet zijn versleten schoolboekentas achter op de linoleumvloer in de armoedige gang van het politiestation en begaf zich door de doolhof van eiken trappen naar de Moordafdeling op de hoogste verdieping. Het kantoor zag grijs van sigarettenrook. Het was er ondraaglijk warm. Alle hoorns waren van de telefoons gelegd. De bouwvakker in zijn Spaanse T-shirt en gestreepte trainingsbroek sliep in de tweede wachtcel zijn roes uit op een schuimmatras die tweehonderd jaar geleden geel van kleur was geweest. Niet alleen waren de hoorns van de telefoons gelegd, ook waren alle bureaus vakkundig tegen elkaar geschoven en ineen gepuzzeld, zodat zij één grote vierkante werktafel vormden, in het midden van het kantoor. Metalen bureaus waren roestig en gedeukt, de verf krulde eraf, en bureaus uit spaanplaat of gevernist hout waren beklad met inktvlekken en zaten vol littekens van pistoolkrassen. Alle bureaus werden ontsierd door brandplekken van brandende sigaretten.

De schroefbladen van de ventilator aan het plafond gonsden als een zwerm bijen en sneden de hete, verschaalde lucht traag en ritmisch in dunne plakjes maar brachten niet de minste verkoeling.

23 uur 50 op de klok boven de toiletten, tien minuten voor middernacht.

Paco Banana leunde tegen de borrelende waterkoeler en nipte voorzichtig aan een doorzichtig bekertje van plastic dat door zijn dikke zwarte vingers aan het zicht werd onttrokken.

De Filmacteur werd uit de wachtcel gehaald. Hij was lekker gebronsd en gebruind, of misschien was hij hevig geschminkt, met een donkere pruik, een valse haakneus en dikke kleefwenkbrauwen en bakkebaarden. Zijn valse haar was nat van het zweet en kleefde aan zijn voorhoofd. Hij wreef erover en streek het glad. Hij droeg een sponzen handdoek om zijn hals en was onberispelijk gekleed in een zwart T-shirt en strakke jeans van Armani, ook zwart, een zwarte leren broeksriem en zwarte sportschoenen van Adidas. Renaudot maakte het slot van zijn handboeien los. De Filmacteur schudde de handboeien af. Hij zat stijf en bewegingloos op de harde houten stoel, onbeweeglijk als een betonblok, zijn vingers in elkaar gevlochten in zijn schoot. Hij was zo klein, dat zijn voeten amper de vloer raakten. Zijn oogleden trilden: dat was de enige zenuwtic die hij niet kon bedwingen.

'Ik heb pertinente vragen,' zei Renaudot.

De Filmacteur knikte.

'We zijn van de politie omdat we vragen stellen,' zei Achmed Al Fatou.

De Filmacteur knikte.

'Een officier van politie stelt vragen. Hij geeft nooit antwoorden,' zei Paco Banana.

De Filmacteur knikte.

'Aan jou om de juiste antwoorden te geven. Antwoord je niet, maak er dan een kruis over, dan is je leven voorbij...' zei Achmed Al Fatou.

'... en kan je beter dood zijn,' zei Renaudot.

'Zelfs als ik niet antwoord, ben ik dood,' zei de Filmacteur.

'Stomme idioot,' zei Renaudot en balde zijn vuisten.

Achmed Al Fatou niesde geluidloos in zijn hand. 'Ga je gang, Inspecteur,' zei hij. 'Jij stelt de eerste vragen. Schud hem flink door elkaar of hij zwijgt als vermoord. In de bioscoop en op TV gaat een verdachte spontaan over tot bekentenissen, maar nooit in het echte leven.'

'Rammel met zijn vogelkooitje en sla zijn tanden eruit als dat nodig is,' zei Renaudot.

'Maak zijn leven tot een hel,' zei de blinde speurder.

De commissaris clipte zijn badge van Europol aan de kraag van zijn hawaïhemdje met bloemen en olifanten en ontspande zijn spieren en pompte bloed naar zijn hoofd volgens een techniek die hij in Den Haag had geleerd van de ex-worstelaar uit Luik.

De blinde speurder haalde batterijen en een cassette uit de verpakking en stopte ze in een klein, splinternieuw bandopnemertje dat op een mobiele telefoon geleek. Hij zette de bandopnemer in het midden van een leeg bureau tussen de speurders en de Filmacteur en drukte op de startknop.

De cassette zoemde in de bandopnemer.

'Een twee drie... test, test... werkt het bandopnemertje?' vroeg hij.

'Video klaar?' vroeg Renaudot.

'Video en bandopname zijn officiële documenten. Indien nodig, zullen zij in de rechtbank als bewijs worden gebruikt,' zei de blinde speurder.

Achmed Al Fatou hanteerde de videocamera.

De Filmacteur paste precies binnen het beeldscherm.

Hij keek de commissaris recht in de ogen en zei: 'Jou heb ik eerder gezien.' Alleen zijn lippen—en zijn trillende oogleden—bewogen.

'Mijn naam is Kerouac, *Inspecteur* Jacques Kerouac,' zei de commissaris. 'Ik ben als verbindingsofficier verbonden aan Europol. Ik zag je op de set in de rol van de oude schilder. Je leek als twee druppels op Salvador Dalí. Je bent een goed acteur.'

'Zomaar goed?'

'Een kei van een acteur, om eerlijk te zijn.'

'Ik ben de beste,' zei de Filmacteur.

Misschien zouden we in een ander leven en onder andere omstandigheden vrienden zijn geweest, dacht de commissaris. Nu zijn we vijanden. Wat doe je eraan? Niets. Zo is het leven.

'Wens je koffie?' vroeg hij.

'Loop naar de pomp,' snauwde de Filmacteur.

'Nog iets?'

'Als filmregisseur ben ik een amateur,' zei Achmed Al Fatou, 'maar als speurder ken ik mijn gelijke niet. Mag ik je een raad geven? Prevel een schietgebedje, want wij zorgen ervoor dat je niet zonder kleerscheuren uit deze ondervraging komt.'

Paco Banana knikte. 'Je toekomst ziet er niet gezond uit,' zei hij.

'Weet je wat dat is—ondervragen? De kloten van de verdachte klutsen en bakken tot roereieren,' zei Renaudot.

'Hu-huh, roereieren, lekker,' zei Paco Banana en likte zijn lippen.

De blinde speurder tastte naar de wijzers van zijn horloge. 'Vlieg erin, mannen, zonder pardon,' zei hij.

'Ik start de opname,' zei Achmed Al Fatou.

'Neem zoveel mogelijk close-ups,' zei Renaudot.

'Deze film wordt één grote close-up,' zei Paco Banana.

Dat was het sein om met de ondervraging te beginnen.

Geen enkele Franse politiedetective droeg een schouderholster. Franse speurders geven de voorkeur aan een lichte holster van nylon die zowel links als rechts op de heup wordt gedragen, waardoor het dienstwapen—een 9mm Sig-Sauer—zowel met de linkerhand als met de rechterhand kruiselings en zeer snel over het lichaam kan worden getrokken. Een springveer in de holster zorgt ervoor dat het wapen goed in de hand ligt. De schelpvormige holster op de heup van Renaudot was leeg. De commissaris was de enige speurder die een fraai opgeblonken schouderholster van ouderwets leer droeg. Er stak een handgreep van walnotenhout uit, een pareltje van Italiaans design. De handgreep was de kolf van zijn geliefde

9mm Beretta met vijftien dodelijke patronen in de lader.

Dit is een Amerikaanse politiefilm uit de jaren vijftig, dacht de Filmacteur, maar dan zonder regenjassen en deukhoeden.

'Ik wil je helpen. Maar voor ik je kan helpen, heb ik informatie nodig,' zei de commissaris.

Stilte.

'Hoe heet je?'

'Hou me niet voor de gek,' zei de Filmacteur. 'Je weet wie ik ben: ik ben de dubbelganger van Al *fucking* Pacino.'

Renaudot hield zijn hoofd scheef. 'Wat zei je?' vroeg hij—

'Ben je doof of heb je 't niet gehoord? Ik-zei-dat-ik-de-dubbelganger-van-Al-*fucking*-Pa...' zei de Filmacteur.

—en Renaudot mepte hem twee keer met de volle vuist in het gelaat, zo hard, dat de slagen weerkaatsten als kanonschoten. De bovenlip van de Filmacteur spleet in twee gelijke helften. Hij proefde bloed in zijn mond. Zijn rechteroor leek binnen de kortste keren op een gebakken oliebol.

De commissaris zuchtte en wreef met een schurend geluid over zijn wangen. Zijn stoppelbaard van twee dagen rook naar ijzervijlsel. Misschien heeft de Filmacteur gelijk, dacht hij, misschien is iedereen op een bepaald ogenblik in zijn leven een dubbelganger en een imitatie van zichzelf. Ik neem mijzelf als voorbeeld, dacht hij. Ik ben geen Jood zoals Woody Allen, ik heb geen Jodenneus, ik blunder en stotter niet, ik val niet over mijn eigen voeten en draag geen hoornen bril, ik speel geen klarinet en zit niet in de filmindustrie en toch kleed ik mij jaar in jaar uit op exact dezelfde manier als Woody Allen—een ribfluwelen broek met sleet aan de knieën en een gerafelde mosterdkleurige regenjas van Burberry—en ik hou niet eens van Woody Allen, laat staan dat ik een fan zou zijn.

'Ik wil je *naam* horen. Op de bandopname. Ik wil de naam horen waarmee je bent geboren,' zei Renaudot en schudde de Filmacteur bij zijn schouders.

Geen antwoord.

'Jij, ik, Elvis Presley, Napoleon, Raspoetin, Poetin, de paus van Rome, *iedereen* heeft een naam, zelfs Roodkapje heeft een naam en haar naam is NIET Julia Roberts,' zei de oudere agent.

Het was de vertrouwde methode van de politie overal ter wereld: flauwekul uitkramen om de verdachte te kleineren en zijn zelfvertrouwen te ondermijnen.

'Mijn naam staat in het filmscenario,' zei de Filmacteur.

'Het spijt me, deze ondervraging is geen film,' zei Renaudot.

'We zijn hier niet op een filmset,' zei Paco Banana en zoog aan een kruidensigaret.

'Wij zijn belast met het onderzoek naar meerdere moorden,' zei de blinde speurder.

'Alles wat hier gebeurt, gebeurt in het echt,' zei Renaudot.

'Hoe heet je? Alsjeblieft?' vroeg Paco Banana.

De Filmacteur glimlachte. 'Alpa Chino, Frank Serpico, *The Godfather*, *Scarface*, de enige echte,' zei hij. '*In Ocean's Thirteen* speel ik de rol van Willy Bank, een louche casino-eigenaar, en in *88 Minutes* ben ik een gerechtspsychiater die heel de film aan zijn mobieltje hangt. Kies zelf een naam uit. Keuze genoeg. De jongste weken was ik Salvador Dalí.'

Hij werkt niet mee, ik zou hem kunnen wurgen, dacht de commissaris—en plots, heel onverwacht, kreeg hij een schitterende ingeving.

'Oké, geen probleem, laat ons zeggen dat je John Milton bent,' zei hij.

'Dank je,' zei de Filmacteur.

'Wie is John Milton?' vroeg Renaudot.

'Pacino acteert als John Milton in *The Devil's Advocate*. Hij speelt de rol van de duivel zelf.'

'Klopt,' zei de Filmacteur.

'Acteer je *nu* een rol? Op *dit* ogenblik?' vroeg de commissaris.

'Altijd. Een filmacteur acteert in een film, dat is zijn job.'

'Bekijk je de wereld door de ogen van een filmacteur?'

'Natuurlijk.'

'Altijd?'

'Ja.'

'Kruip je iedere dag in de huid van een filmpersonage?'

'Ja.'

'Ik begrijp het, we zitten op één lijn,' zei de commissaris. 'Dit politiekantoor is *geen echt* politiekantoor. Het is een filmset. Jij bent de gevierde filmacteur en ik ben de regisseur. Sluit je ogen. Oké? Alles ziet zwart voor je ogen? Ja? Oké? Waar ben je nu?'

'Op een filmset. De set is een politiekantoor.'

'Heel goed. Dit is een film. Dit politiekantoor is de filmset. De camera is op jou gericht. Jij staat in het brandpunt van de belangstelling. Alles wat volgt, maakt deel uit van deze film. Twee dingen moet je weten. Eén. Jij speelt de hoofdrol. Jij bent de seriemoordenaar—in de film, natuurlijk—en als je deze set verlaat, ga je voor de rest van je leven naar de gevangenis. Je zult de zon nooit meer zien. Je zult de zee nooit meer zien. Heb je dat goed begrepen? Twee. Alles is vals, alles wat hier gebeurt. Kijk om je heen, wij zijn allemaal acteurs en figuranten. Dit is een generale repetitie en dit politiekantoor is een filmset en iedere zin staat in het filmscenario. Wij hebben geen tijd te verliezen, wij hebben slechts een beperkt aantal draaidagen. Zodra je klaar bent, laat ik de camera draaien. Is dat duidelijk? Antwoord met ja of nee.'

'Ja.'

'Zijn er vragen? Voor we beginnen met de opname?'

'Waar is mijn make-up? Ik acteer niet zonder make-up.'

'We hebben geen make-up nodig. Dit is een generale repetitie.'

De Filmacteur glimlachte. 'Ik hou van generale repeties,' zei hij.

Hamerend op zijn halfautomatische IBM Selectric met toetsenbord in brailleschrift vulde de blinde speurder de eindeloze officiële papierwinkel in die na iedere arrestatie hoort bij het verplichte takenpakket van de politie. Hij hoefde niet te zien wat zich afspeelde in het politiekantoor, hij *luisterde* naar wat gezegd werd en noteerde de gebeurtenissen op een vreemde en ongewone manier alsof hij op automatische piloot stond en hij zijn tekst kreeg ingefluisterd door iets of iemand ver weg in de ruimte.

'Waar kunnen wij je een plezier mee doen?' vroeg de commissaris goedlachs.

'Zonder mijn advocaat begin ik er niet aan,' zei de Filmacteur.

'Ik kan de Openbare Aanklager vragen om je in beschuldiging te stellen, zodat je gebruik kan maken van een advocaat pro deo—gratis en voor niks,' zei de blinde speurder terwijl zijn vingers over het brailletoetsenbord dansten.

'Ik wil *mijn eigen* advocaat,' zei de Filmacteur.

'In orde. Wie is dat?'

'Meester Tic-Tac,' zei de commissaris.

'Meester Tic-Tac? Wat een aangename verrassing,' zei Achmed Al Fatou.

'We zullen contact opnemen met uw advocaat,' zei de blinde speurder.

'Hij kan hier elk ogenblik zijn,' zei Renaudot.

Twintig minuten later kwam Meester Tic-Tac in een rookwolk van pijptabak in het politiekantoor, van de hand Gods geslagen—of misschien deed hij alsof.

'Wie heeft mijn cliënt gearresteerd?' vroeg hij buiten adem.

'Ik,' zei de commissaris.

'Waarom?'

'Moord,' zei Renaudot vlakaf.

'*Meervoudige* moord,' zei de blinde speurder.

'In deze film, natuurlijk,' zei de Filmacteur.

De advocaat speelde nerveus met een doosje Tic-Tacs. 'Inspecteur, mijn cliënt heeft een gespleten persoonlijkheid,' zei hij. 'Mijn cliënt lijdt aan het meervoudig persoonlijkheidssyndroom en zit zwaar onder de medicatie. Er zijn veel onbekende ziekten in de wereld waar geen remedie tegen bestaat en het meervoudig persoonlijkheidssyndroom is er een van. Mijn cliënt verkeert in de mening dat hij niet één maar twee, drie en zelfs vier verschillende mensen is. Befaamde geneesheren verbonden aan de duurste klinieken weten niet of het meervoudig persoonlijkheidssyndroom een echte of een ingebeelde ziekte is. Speelt mijn cliënt gewoon een rol? Ik weet het niet. Hij verandert zijn stem en wordt iemand anders en toch blijft hij zichzelf.'

'Waar wachten we op?' vroeg de Filmacteur.

'Oké. Ik heb hier een aantal politiefoto's van de vermoorde meisjes. Durf je ze onder ogen zien?' vroeg Renaudot en hij toonde de Filmacteur een serie politiefoto's in kleur van de dode en gruwelijk verminkte lichamen van Lorraine Pérès, Francine Zola en Jennifer Adiou.

'Deze film waarin ik meespeel, is dat een thriller?' vroeg de Filmacteur.

'Natuurlijk. De set is een politiekantoor.'

'Een thriller zoals *Righteous Kill* en *Heat*?'

'Precies.'

'Speelt de film zich af in het heden, het verleden of in de toekomst—waar zitten we in de tijd?'

'We zitten in het heden,' zei Paco Banana.

'Het is belangrijk dat je naar waarheid vertelt wat onderweg is gebeurd,' zei de commissaris. 'Je vertelt je eigen verhaal, zo eerlijk mogelijk. Er zijn geen spelregels en wij leggen je geen enkele beperking op. Acteer op je gevoel, geef je emoties de vrije teugel.'

'Ik begrijp het,' zei de Filmacteur.

'Een sterk verhaal is de ruggengraat van een sterke film,' zei de commissaris.

'Kom ik in close-up in beeld?'

De advocaat keek met vlammende ogen naar zijn cliënt. 'Je hoeft de politie niet te *helpen*,' snauwde hij.

'Maak je geen zorgen, Meester, alles staat in het scenario,' zei de Filmacteur. 'Hoeveel draaidagen hebben we?'

'Eén,' antwoordde de commissaris. 'Vanavond.'

'Voor *Heat* hadden wij 107 draaidagen,' zei de Filmacteur.

'Deze film wordt volledig binnenskamers in studio gedraaid,' zei de commissaris. 'We werken snel en gebruiken geen digitale effecten.'

'Goed, we beginnen,' zei de Filmacteur, 'binnen een halfuur wil ik gebraden kip met spinazie eten in mijn kleedkamer.'

Droom zacht, lieve man, droom zacht, dacht de commissaris. Mijn buikgevoel zegt dat je van geluk mag spreken. De elektrische stoel bestaat niet in Europa, behalve als pronkstuk in een foltermuseum. Engeland stuurde de beul met pensioen en Frankrijk schafte de guillotine en de brandstapel af. In dit land is levenslang in een gratis driesterrenhotel de maximale straf voor meervoudige moord. Je hoeft voor de rest van je leven geen belasting te betalen. Verwarming en verlichting gratis, plus drie gratis maaltijden per dag en het gratis gebruik in de cel van een minikoelkast vol chocolade en alcoholvrij bier en iedere gedetineerde die zich behoorlijk gedraagt krijgt op kosten van de staat een kleuren-TV met aansluiting op France 1, France 2 en drie softpornokanalen.

'Wie leidt de ondervraging?' vroeg de Filmacteur.

'Wij allemaal,' zei de commissaris. 'Ik ben de filmregisseur.'

De Filmacteur keek argwanend naar de agenten in hun blauwe uniform die in stilte koffie dronken.

'Figuranten,' zei de commissaris. 'Zij worden per dag betaald.'

'Ik ben de geluidstechnicus,' zei de blinde speurder.

Paco Banana hield een papieren politiedossier met diagonale strepen voor het oog van de videocamera.

'Klaar?' vroeg hij.

Hij had de titel van de film, de naam van de regisseur en het nummer van de opname op het dossier geschreven.

'Scène één—Opname 1,' zei hij en sloeg met de vlakke hand op het dossier.

(Net zoals in de cinema.)

'Klank loopt,' zei de blinde speurder.

'Nogmaals... Licht! Camera! ACTIE!' riep de commissaris.

De Filmacteur kroop in zijn rol en legde een bange uitdrukking op zijn gelaat—de uitdrukking van iemand die weet dat hij schuldig is en op het punt staat om te breken en een bekentenis af te leggen. Hij staarde naar zijn handen in zijn schoot en balde ze tot vuisten, zoals alle acteurs doen wanneer zij hun talent aanspreken om zich uit een moeilijke monoloog te praten—

De advocaat leunde met zijn ellebogen op een bureau, met zijn hoofd in zijn handen. 'Mijn cliënt heeft niet door wat je van plan bent,' mompelde hij met opeengeklemde kaken.

'Het spijt me, Meester,' zei de commissaris.

—en de Filmacteur richtte het hoofd op en keek de commissaris recht in de ogen. In een perfecte imitatie van Pacino, met die beroemde hese stem, gaf hij het beste van zichzelf in een ontroerende en verwarde vertolking, die af en toe werd onderbroken door een ondeugende glimlach. Hij biechtte op dat hij als kind rugbyspeler, filmacteur of kunstschilder wilde worden. 'Ik was eenzaam,' zei hij. 'Vader was onverschillig en afstandelijk. Hij zat in de vlees-industrie. Er hing een verschrikkelijke geur van rottend vlees in huis. Daarom al die rozen in de tuin, om de geur van verrotting te maskeren. *Wat betekent een naam? Wat wij een roos noemen, zou met een andere naam even heerlijk ruiken.* Shakespeares balkonscène in *Romeo en Julia*. Tussen mij en vader was een stalen muur opgetrokken. Hij sloot zich op in zijn slachtkamer in de koelkelder onder ons huis. Moeder was aan de drank. Van mijn ouders heb ik nooit geleerd dat je eerbied hebt voor het leven van anderen. Grootmoeder trachtte mij op te voeden tot een vrome katholiek—en toen blies zij haar laatste adem uit. Mensen worden oud en sterven, that's life, niets tegen te beginnen. Ik had een tweelingbroer. Hij verliet het huis—nee, ik weet niet of hij het huis verliet. Op een dag verdween hij en keerde nooit terug. Ik was eenzaam. Ik weende. Iedere nacht schrok ik wakker en huilde van angst. Mijn familie verdient het niet om te leven, dacht ik, mijn familie is rijp voor het slachthuis. *De wereld is mijn oester, die ik open met mijn zwaard.* Shakespeare in *De vrolijke vrouwtjes van Windsor*. Ik zette de pruik van moeder op en verfde mijn lippen scharlakenrood. In een gebloemde jurk ging ik als vrouw naar een feestje. Niemand herkende mij. Vrienden dachten dat ik een jongere zuster van moeder was. Ik wil geen evenbeeld zijn, dacht ik—ik steek een mes in haar buik, dacht ik en ging naar huis en stak een mes in haar buik en snipperde haar door de gehaktmolen en stockeerde het overschot van haar lichaam in blauwe vleeszakken in de vrieskamer. Niemand wees mij met de vinger. Een geslacht mens verschilt nauwelijks van een geslacht varken. Vader was ervan overtuigd dat moeder de familie in de steek had gelaten, zoals mijn tweelingbroer. Hij legde haar trouwjurk en pantoffels naast het echtelijke bed. Als zij terugkomt, kan zij zo in haar vroegere leven stappen, zei hij. Ik haalde moeder uit de vrieskamer en kookte haar vlees en frituurde haar ingewanden. In één keer aten we alles op. Eureka, Inspecteur, ik had mijn roeping gevonden. Ik hou van Richard III, ik hou van Hannibal Lecter, ik hou van monsters. Met plezier snijd ik je hoofd eraf met een kettingzaag. *O, wat mensen durven! Wat mensen doen! Wat mensen iedere dag doen, niet wetend wat zij doen!* Shakespeare in *Veel drukte om niets.* Gekookt mensenvlees smaakt naar varkenvlees maar is pittiger en heeft een kwalijke, ranzige geur. Weet je, Inspecteur, ik ben dol op films. Een beroemde acteur in een B-film uit Hollywood zet zijn pistool op het voorhoofd van zijn vijanden en schiet ze de een na de ander in koelen bloede neer, daar kan ik eindeloos van genieten. Ik was vijftien jaar. 's Nachts keek ik naar ruige porno en rukte mij af en plots bootste ik de stem van de personages na en begon films na te spelen. Ik beefde en was bang van mezelf. Toen overleed mijn vader. Ik kon het daar niet bij laten, ik moest iets doen.'

—lachend als een maniak, de stem van de Filmacteur was hees en schril en zijn oogleden trilden zonder ophouden.

'Doe ik het goed?' vroeg hij en keek hoopvol omhoog.

'Je bent de vedette van de show, jij en niemand anders,' zei de blinde speurder.

In gedachten verzonken zei Paco Banana: 'Brrravo! Brrravissimo!'

'Prachtig, goed geacteerd, met een tragische slotzin,' fluisterde de commissaris en kwispelde met zijn vinger.

Hij keek naar de klok en verbaasde zich over de traagte van de wijzers.

'Bereid je voor op de volgende opname,' zei de commissaris zacht.

Paco Banana dimde alle lampen en verduisterde het politiekantoor.

De maan scheen door de ramen. De Filmacteur rees van zijn stoel. Snel, struikelend over zijn woorden, *did-did-did-did*, als een menselijke BlackBerry, in een soort erotische extase en rollend met zijn ogen, alsof hij in een droom leefde waaruit hij niet kon ontwaken, grijnslachend, giechelend, ineenkrimpend en krijsend stak hij het vervolg van zijn redevoering af en alles aan hem was GROOTS en opschepperig—GROOTSE stem, GROOTSE gebaren en zijn woorden bleven als wierook in het politiekantoor hangen, minutenlang, tot de lucht ervan verzadigd was—

'De nacht is voorbestemd voor actie. 's Nachts dwaal ik door de straten rond het station,' zei de Filmacteur. 'Zoveel wellustig mooie meisjes met zandig haar en een bleek Russisch gelaat dat doorschijnend is als een waterverfschilderij. *Zo wijs zo jong, nooit leeft dat lang, zegt men.* Shakespeare in *Richard III*. Wellustig mooie meisjes zijn duivelswijven: mooi aan de buitenkant en lelijk en slecht van binnen. Zo sierlijk mogelijk haalde ik ze door de vleesmachine. Bloed en ingewanden spatten uit hun lichaam. Halfweg dronk ik mijzelf te pletter en zakte op de grond in een plas bloed—*echt* bloed dat stinkt naar dood en geweld, niet dat kleverige, slijmerige stroopbloed dat in Hollywood wordt gebruikt. Ik hakte handen en voeten af en pleisterde de handen en de voeten tegen de muurschildering in de ondergrondse koelruimte. Vader liefhebberde als kunstschilder, Inspecteur, ben je daarvan op de hoogte? Salvador Dalí was zijn favoriete kunstenaar. Vader imiteerde Dalí. Weet je, Inspecteur, kunst is een flauw aftreksel van het leven. De muurschilderingen van vader zijn foto's van *mijn* ergste nachtmerries. Ik stelde mij kandidaat voor een rol in een klotefilm over Dalí omdat IK EEN BETERE PACINO BEN dan Pacino ooit zal zijn en MIJN VADER WAS EEN BETERE DALÍ dan Dalí ooit geweest is. Als zoon van mijn vader ben ik de officiële dubbelganger van Dalí en Pacino, HAHAHA! Ik wilde altijd Dalí zijn. Vader dacht dat *hij* Dalí was. Waar zijn onze grote kunstenaars? Waar is de volgende Picasso? De volgende Chagall? Waar is Miró? Waar zijn de beroemde filmsterren van het witte doek? Waar is de volgende Burt Lancaster? De volgende Kirk Douglas? Waar is Humphrey Bogart? James Cagney? Gregory Peck? Waar zijn zij? Zwijg me van Harrison Ford, Inspecteur. Spreek niet over Schwarzenegger. Spreek niet over Stallone. Spreek niet over Bruce Willis. Zij zijn *fysieke* acteurs. Neem hun lichaam weg en er blijft niets over. Harrison Ford en Schwarzenegger en Stallone en Bruce Willis zijn peanuts in vergelijking met de sterren uit de gouden jaren van Hollywood. *Het is niet al goud wat blinkt.* Shakespeare in *De koopman van Venetië*. Ik heb de ogen uit mijn kop geweend toen Marlon Brando overleed. Ik ben verliefd op Kim Basinger en vraag me af— waar zijn de mooie, mooie seksgodinnen van weleer? Waar zijn ze? *Hoe zij haar wang doet rusten op haar hand, O, was ik toch haar handschoen, dat ik haar wang mocht raken.* Shakespeare in *Romeo en Julia*. Eerst hakte ik handen en voeten af, dan bereidde ik een maaltijd van lever en niertjes zoals een gourmet, gebakken in een lekkere botersaus met mosterd van Dijon, daarna hing ik mijn meisjes zoals een runderkwartier ondersteboven in de slachtkamer tot zij stijf en bevroren waren. *De hel in Perpignan.* Goede titel voor deze film, Inspecteur. De hel in Perpignan. Kleine stad, grote hel. Ik besloop mijn prooi in het donker. Mijn meisjes krijsten en tierden, er werd gevochten. Ik wilde ze niet straffen. Ik hield zoveel van mijn meisjes dat ik ze levend opvrat. Kannibalisme is een daad van liefde, Dalí heeft het zelf gezegd. In China knagen oudere mannen op rauwe vingers van overleden familieleden—lekkerder dan fish fingers—als middel tegen impotentie. Er is zoveel flauwekul in de wereld, Inspecteur. Een moordenaar keert altijd terug naar de plaats van de misdaad. Flauwekul. Bullshit. Iedere moordenaar maakt zich zo snel mogelijk uit de voeten. Hij keert terug omdat hij vlak bij de plaats van de misdaad woont en om geen enkele andere reden. In de krant zag ik foto's van mijn meisjes met raster en pixels in het gelaat. Zij waren niet mooi en wellustig meer. *Wie laf is, sterft meermaals voor zijn dood, De dappere proeft de smaak van de dood slechts éénmaal.* Shakespeare in *Julius Caesar.* Wat zeg je, Inspecteur? Je moet luider spreken, ik versta je niet. De oude clochard, zeg je? Is hij belangrijk? Staat hij in het scenario? De man kreeg zijn verdiende loon. Zijn dood was een *accident de parcours,* een werkongeval. Jenny was *mijn* meisje en toch stal hij haar hand. In het leven moet je eerbied hebben voor de eigendom van anderen. Ik zweef in een afschuwelijke luchtbel, Inspecteur, maar ik heb gedaan wat ik moest doen. Meisjes zijn gevaarlijk en ik ben slecht. Altijd slecht geweest. In mijn hart is geen plaats voor verlossing of loutering. Mijn hart is leeg. Er is *niets* in mijn hart. Mijn hart is hol als een voetbal. Dit is mijn zwanenzang, Inspecteur, daar ben ik mij van bewust. Staat alles wat ik zeg en doe op film? De klank loopt? Ik denk de hele tijd aan moeder. Ik wil mij bij haar verontschuldigen, maar hoe verontschuldigt iemand zich tegenover een lijk? Vele jaren geleden verlangde ik naar de dood. Die tijd is voorbij. Het leven is een soap en ik wil de volgende aflevering zien. *De wereld is een schouwtoneel, Ieder speelt zijn rol en krijgt zijn deel.* Shakespeare in *Elk zijn goesting.* De muurschildering van mijn vader? Wat wil je weten, Inspecteur? Hou je van zijn muurschildering? Zestig jaar om de piramiden te bouwen, zes jaar om de Eiffeltoren op te trekken—na zes *maanden* had vader zijn muurschildering klaar. Iedere dag haatte ik hem. Vrienden speelden in de zon met de knikkers en ik zat in de koude slachtkamer en hielp vader zijn bizarre droom realiseren. Ik was twaalf jaar. Hij gaf mij de opdracht om een kut zo groot als een kruiwagen te schilderen. Wat is een kut? vroeg ik. Vader greep zijn samoeraimes en sneed de vagina uit een zeug en plofte de homp koud dood vlees in mijn kleine hand. Dit is een kut, zei vader, gevulde kut was een delicatesse in de tijd van de Romeinen. Toen ik er eindelijk toe kwam om vader te vermoorden—heb ik dat al gezegd? Ik heb vader vermoord. Mijn grootmoeder en mijn tweelingbroer ook, trouwens. Alles wat een mens doet, wordt door zijn verleden bepaald—was ik te oud om in de zon met de knikkers te spelen. Kijk me niet zo aan, Inspecteur, alsjeblieft. Ik had het recht hen te vermoorden omdat ik zelf stierf vanbinnen. Staat alles op film? Heb je me nog nodig? Mag ik gaan, Inspecteur? Weet je dat ik heel bang ben? Ik wil beroemd zijn, zoals toen ik jong was, maar wie veertig wordt, heeft afgedaan en wordt bij het groot vuil van de filmindustrie gezet en volgende week word ik veertig jaar. In het leven zijn geen winnaars, Inspecteur, er zijn alleen verliezers en op het eind is iedereen dood.'

'Stop de camera!' zei de commissaris.

Het was een wilde en wonderlijke prestatie en geen enkele speurder die aanwezig was zou ooit de betovering van die avond vergeten.

'Inpakken en wegwezen! Alles staat op film! Dit is HET EINDE. De aftiteling loopt!' riep Paco Banana en zwaaide met zijn armen.

oo uur 50 op de klok boven de toiletten, vijftig minuten na middernacht.

'*C'est fini.* Gedaan ermee. Hij praatte zichzelf aan de galg,' fluisterde de advocaat zachtjes.

'Een sterk stukje acteerkunst,' zei Paco Banana vol bewondering.

Wie van monsters houdt, is zelf een monster, dacht hij.

'Hij acteerde niet, dit was echt,' zei de commissaris.

Klopt, dit was mijn voorstelling van de eeuw, dacht de Filmacteur.

Zou dit gekheid zijn, toch is er een verklaring voor. Shakespeare in *Hamlet.*

Onmiddellijk begon hij over Oscars en Golden Globes te dagdromen en zag zichzelf over de rode loper naar het podium schrijden en het kleine gouden Oscar-beeldje in ontvangst nemen van Whoopi Goldberg, die dikke vette negerin—of wie ook ceremoniemeester van dienst was— en verdomd nog aan toe, met de beste wil van de wereld kon hij zich de tekst van zijn speech niet herinneren en tranen stroomden over zijn wangen.

'We brengen je naar de gevangenis,' zei Renaudot.

'Dank je,' zei de Filmacteur. 'Heb ik kleuren-TV in mijn cel?'

'Waarschijnlijk. Waarom?'

'Ik wil geen enkele voetbalmatch missen.'

'Je bent een schijtluis,' siste de advocaat met toegeknepen kaken.

'Spoel de video terug. Alles staat erop?' vroeg Paco Banana.

Ik zit op mijn tandvlees, dacht hij, ik heb een shot heroïne nodig om mij plat te strijken.

In de bar-tabac en het gokkantoor van PMU waren alle lichten gedoofd. Geen kloppende discobeats meer in de stille, kronkelende en middeleeuwse straten van de oude stad.

Bij afwezigheid van de officiële woordvoerder van de politie van Perpignan stortten wachtende journalisten zich op Meester Tic-Tac en de speurders die het politiegebouw verlieten.

'Komt je cliënt ooit vrij?'

Meester Tic-Tac zuchtte en pufte aan zijn pijp. 'Wie weet?' zei hij. 'Mijn cliënt heeft een gespleten persoonlijkheid, zoals Dr. Jekyll en Mr. Hyde in het verhaal van *Jekyll en Hyde*. Zijn slechte kant communiceert niet met het gezonde deel van zijn lichaam. De ene helft van zijn persoonlijkheid weet niet wat de andere helft uitspookt. Zo zie ik het, maar ik ben geen psychiater. Straks staat hij in de *Who's Who* van seriemoordenaars, dat staat vast.'

'Heeft hij wroeging en toont hij berouw?'

'Op dit ogenblik kan ik daar geen positief antwoord op geven.'

'Uw cliënt staat bekend als de Dalí-moordenaar. Ziet hij zichzelf als een kunstenaar, naar het voorbeeld van Dalí?'

De advocaat smeet achteloos een handvol witte Tic-Tacs in zijn mond en zei: 'Een goede moord is het werk van een raskunstenaar...'

'... zoals een goed schilderij. Open de aanhalingstekens,

Thomas de Quincey, sluit de aanhalingstekens,' voegde de commissaris eraan toe.

Met een verblufte uitdrukking op zijn gelaat spuugde de advocaat een straal bruin tabakssap op het voetpad.

'Inspecteur, waarom gebeurt zoiets in Perpignan?' vroeg de plaatselijke correspondent van *Le Monde*.

'Waarom niet?' antwoordde de commissaris. 'Moord is moord. Perpignan verschilt niet van Barcelona, Parijs, Hollywood of New York. Waar mensen samen zijn, is er altijd misdaad.'

'Laatste vraag, Inspecteur. Waarom verandert een goed opgevoede jongen van een beschaafde en welgestelde familie van de ene dag op de andere in een moordmachine?' vroeg een geeuwende vrouwelijke reporter van Live TV Online.

De commissaris trok zijn schouders op. 'Zijn moeder nam zijn speelgoedeendje af toen hij vijf jaar was,' zei hij.

Live TV Online pakte z'n boeltje bijeen en verliet Place Arago.

Geboeid en geblinddoekt op de achterbank van een grijsgroene celwagen zonder deurklinken aan de binnenkant zodat hij niet kon ontsnappen, en begeleid door twee gemotoriseerde agenten van de Police Nationale op een Honda ST1300, werd de Filmacteur naar de ziekenboeg op de tweede verdieping van de vernieuwde gevangenis van Perpignan gebracht voor een medisch routineonderzoek voorafgaand aan zijn definitieve opsluiting.

Het hoge plafond van de ziekenboeg was versierd met stenen draken die water en vuur spuwden en werd geschraagd door marmeren pilaren en boogvormige ramen met smeedijzeren tralies. In een administratieve verpleeghoek tegenover een lange rij witte metalen hospitaalbedden stonden enkele stoelen en een oude schilferende schrijf-

tafel vol brieven en documenten, vooral facturen, gezond-
heidsgrafieken, afgescheurde papiertjes en losse aantekeningen op Post-Its. Boven de schrijftafel hing een ingelijste ets. Zij stelde François Arago voor, wiskundige, fysicus
en sterrenkundige, op latere leeftijd gedurende vijf weken plaatsvervangend eerste minister in Frankrijk en geboren in de buurt van Perpignan in 1786. Een patrouillewa-
gen toerde rond de gevangenis. Agenten in blauw uniform
en plaatselijke *gendarmes* trokken de wacht op in de gang,
kettingrokend, pratend en lachend, in de wetenschap dat
de arrestatie van de seriemoordenaar garant zou staan voor
pakkende titels in alle dagbladen over heel de wereld.

DALÍ-MOORDENAAR
TOONT GEEN BEROUW

VAN ONZE CORRESPONDENT IN
PERPIGNAN, FRANKRIJK. **De Franse politie is erin geslaagd de
man op te pakken die ten minste vier en waarschijnlijk meer
prostituees ontvoerde, vermoordde en opat in dit rustige
provinciestadje vlak bij de Middellandse Zee. De man, van wie
de naam in het belang van het
onderzoek niet werd vrijgege-
ven, werkte als figurant mee aan
een schandaalfilm over Salvador Dalí, met de flamboyante
Al Pacino in de rol van de grote
Spaanse kunstenaar en treedt
op als stand-in en dubbelganger van Pacino. Eerder werd**
bekendgemaakt dat de seriemoordenaar—naar verluidt het
evenbeeld van Pacino—zich
voor zijn macabere moorden
liet inspireren door de kunst van
Salvador Dalí en vooral door
enkele van zijn beroemdste
meesterwerken zoals *Het spook
van de Sex-Appeal* en *Het station van Perpignan*. Volgens een
raadsman die de verdediging
van 'de Dalí-moordenaar' op
zich neemt, toont zijn cliënt
geen spijt of berouw en verontschuldigt hij zich niet tegenover
de nabestaanden van de slachtoffers. Het is een ironische spe-
ling van het lot dat 'de Dalí-

moordenaar' opgesloten is in de ziekenboeg van de gevangenis hier in Perpignan, waar de moeder van zijn eerste gekende slachtoffer als hoofdverpleegster met nachtdienst werkt. De schandaalfilm over Salvador Dalí gaat in première op het Filmfestival van Cannes en draait volgend jaar in alle bioscopen.

Donker en rustig op straat. Met zijn oude schoolboekentas losjes in de hand wandelde de commissaris terug naar zijn hotel. Er wachtten geen boodschappen of berichten aan de incheckbalie. Hij maakte zijn koffer klaar—de eerste trein naar huis zou binnen enkele uren vertrekken—en sliep een poosje, waarna hij een douche nam en zich omkleedde in zijn versleten ribfluwelen broek en zwarte polo van Lacoste. Zijn versleten mosterdbruine regenjas lag op bed. Klaar om te vertrekken. Ik heb genoten van de zon en de hitte, dacht de commissaris, maar nu verlang ik naar mijn lief klein apenlandje en *smacht* naar de geur van gepofte kastanjes in de herfst. Hij was zo moe toen hij naar beneden ging, dat hij de greep op zijn bagage verloor en zijn koffer tuimelde halsoverkop van de trap. De nacht was heerlijk en helder met een begin van dageraad. De commissaris neuriede een chanson van Jacques Dutronc met een aangepaste tekst. *Il est 5 heures, Perpignan s'éveille.* Vlak bij het station van baksteen en cement keek hij omhoog naar de ochtendschemering. Op het dak van het gebouw zat Salvador Dalí in steen, honingkleurig en levensgroot, met zijn armen en benen gespreid alsof hij de hele wereld wilde omarmen. Waarom heb ik dit niet eerder gezien? vroeg hij zich af en grinnikte op de manier van Woody Allen. In de wachtzaal waar Dalí uren had gewacht eer hij de trein naar Parijs kon nemen, maakte een dienster op bestelling vers sinaasappelsap. Zij stopte de vruchten in een machine die de sinaasappelen doormidden sneed en uitperste en de pitten uitspuwde. De commissaris werd verwelkomd door gorgelende koffiezetmachines en de warme geur van sterke koffie. Er is een tijd geweest dat hij de geur van koffie de lekkerste geur ter wereld vond, maar die tijd was voorbij. Hij tastte zijn zakken af en toen hij zijn BlackBerry had gevonden, toetste hij het nummer in van Marie-Thérèse.

'Poesje? Ben jij het, poesje?'

'Natuurlijk, wie anders?'

'Ben je alleen thuis?'

'Ik ben *altijd* alleen thuis. Weet je hoe laat het is?'

'Ik kom naar huis, poesje.'

Einde van het verhaal.

Of niet?

INT—GEVANGENIS VAN PERPIGNAN—NACHT

Op de schrijftafel in de verpleeghoek liggen verse kranten met schreeuwerige koppen op de voorpagina. EINDE VAN EEN SURREALISTISCHE NACHTMERRIE en HALLELUJA: DALÍ-MOORDENAAR IN GEVANGENIS VAN PERPIGNAN. Een Parijse krant vond in het archief een foto uit 1998 waarop de Filmacteur glimlachend aan een glas wijn nipt. Terwijl zij een appel schilt, bladert *Madame* Charlotte door de kranten. Zij snijdt de appel in schijfjes en eet de schijfjes langzaam op. Het lijkt of zij zich op een andere planeet bevindt. Zij heeft tranen in de ogen en trekt een handvol papieren zakdoekjes uit een doos Kleenex. Zij veegt haar mond af en bijt in het papier. Haar kneukels trekken wit weg. Een zenuwtrek beroert haar ingevallen wangen. Zij legt het mes neer en kijkt op haar horloge. Vier uur. *Madame* Charlotte is volledig in het wit gekleed: witte bloes, witte schort, witte sokken, bijna-witte gezondheidschoenen van Dr. Scholl. In haar blonde haar—dat van het ene ogenblik op het andere met grijs dooraderd is—steekt een witte verpleegsterskap met een rood kruis.

Op de schrijftafel staat een ronde visbokaal. Een dode goudvis drijft ondersteboven aan het oppervlak. *Madame* Charlotte klemt de visbokaal tussen haar handen en gaat ermee naar de badkamer. Zij giet de bokaal leeg, trekt het toilet door en zet de bokaal terug op de schrijftafel. De lege visbokaal is in haar ogen een aquarium van wervelend bloed en menselijk haar en beenderen.

Zij trekt nerveus laden open, gooit de inhoud overhoop en diept er een kleine bruinmetalen telefoongids uit op, losbladig en met een springveermechanisme. Zij drukt op een toets en de gids klapt open. Doordat zij niet voorzichtig omgaat met het springveermechanisme vallen de gele, met vieze vingers besmeurde indexkaarten eruit. *Madame* Charlotte stoft haar handen af, hurkt op de vloer, trekt de onderste lade uit de schrijftafel, neemt er een rol medicinale zwachtels uit en windt de zwachtels om haar polsen. Geen geluid van buiten dringt door tot in de ziekenboeg. Het laatste licht van de maan schijnt door spleten en kieren. *Madame* Charlotte vraagt om bijstand en een cipier en twee gendarmes in uniform komen aanlopen met getrokken pistool.

Madame CHARLOTTE

[Emotieloos, alsof zij er zelf geen baat bij heeft:] De nieuwe gevangene klaagt over ademhalingsmoeilijkheden. Hij heeft nochtans geen versnelde polsslag en geen verhoogde bloeddruk. Ik stel voor onmiddellijk x-stralen van longen en borst te nemen in het kader van een volledig medisch onderzoek. Kun je hem in een rolstoel zetten?

CIPIER

Daarvoor zijn we hier, *Madame* Charlotte, maak je geen zorgen.

Madame CHARLOTTE

[Klopt het hoofdkussen van de gevangene op, vouwt zijn laken samen en strijkt het bed glad. Grinnikend:] Je kent me, ik maak me *altijd* zorgen.

In het zachte schemerlicht duwt zij de rolstoel traag en voorzichtig van de ene kant van de lange gang naar de Afdeling Radiologie aan het andere eind van de gang, langs een groot aantal ziekencellen aan twee kanten. Sommige cellen zijn gesloten, andere staan wijd open. Enkele celdeuren staan op een kier. Uit de cellen klinken gedempte geluiden: hoesten, kreunen, niezen, een oude gevangene die luidop tegen zichzelf praat...

Madame CHARLOTTE

[Tegen de gevangene in de rolstoel:] Ik zal hier niet lang zijn...

Stilte. Geen antwoord. De Filmacteur—gebronsd, blootsvoets in vilten pantoffels, hij ziet er goed uit, hij is rustig—is gekleed in een hemelsblauw gestreepte gevangenispyjama met open hals. Hij had de tijd noch de gelegenheid om zich van zijn donkere pruik van Al Pacino en valse wenkbrauwen te ontdoen.

Madame CHARLOTTE

[Duwt voorzichtig de rolstoel voort. Zij heeft tranen in de ogen:] Ik heb rust nodig, meneer, ik wil er een tijdje uit... [Haar lippen beven.]

... vanuit de ziekencellen klinkt boe-geroep. Er wordt op de vingers gefloten. De camera kijkt in een cel: gevangenen wijzen met de duim naar beneden. Anderen juichen. Alle gevangenen liggen vastgeriemd op hun bed. Zij dragen dezelfde hemelsblauw gestreepte pyjama met open hals als de Filmacteur.

GEVANGENE IN ZIEKENCEL
Zien jullie die stinkende bastaard glimlachen? Hoe durft hij!

FILMACTEUR
[Giechelt als een schoolmeisje. Met een servet veegt hij zweet van zijn voorhoofd:] Hoe laat is het, *Madame* Cha*rrr*lotte?

Madame CHARLOTTE
[Kortaf:] Vier uur twintig, ongeveer.

Er hangt een zwaarmoedige en melancholische sfeer in de gang—de sfeer van droefenis en smart en verdriet.

FILMACTEUR
[Draait de wielen van zijn rolstoel traag rond, met allebei de handen:] Vie*rrr* uu*rrr* twintig. Dank je, *Madame* Cha*rrr*lotte. Je bent goed voo*rrr* mij.

Madame CHARLOTTE
Als ik ergens heen ga, meneer, zal ik je een postkaart zenden...

... achter de rug van de gevangene rolt *Madame* Charlotte de witte mouwen van haar verpleegstersuniform op en—oh, horreur—in haar linker voorarm heeft zij drie keer een naam gekerfd van acht letters, het is de naam van haar afgeslachte dochter, Lorraine, L O R R A I N E, *L O R R A I N E,* en traag en bedachtzaam en koelbloedig en berekend vlecht en verstrengelt zij de rol medicinale zwachtels tot een harde lus, zoals een strop, en slaat de strop rond de magere hals van de Filmacteur en spant de strop strak-strak aan, uit alle macht en met al haar kracht, de strop sluit de aders af die bloed naar de hersenen van de Filmacteur pompen en *Madame* Charlotte wurgt hem, zij wurgt hem, langzaam wurgt zij hem...

Madame CHARLOTTE

Ik zend je een postkaart uit de hel, valse verachtelijke meneer Pacino, uit de hel *with love,* ondertekend Lorraine, vierentwintig jaar, mijn kleine lieve meisje dat *jij* hebt vermoord, valse verachtelijke meneer Pacino; en een tweede postkaart ondertekend Francine Zola, negentien jaar, een mooi meisje met de stem van een engel, voor het geval je 't vergeten bent, valse verachtelijke meneer Pacino, je hebt haar *ook* vermoord; en een derde postkaart ondertekend Jenny Adiou, eenentwintig jaar, dat God haar genadig mag zijn, want je hebt haar *ook* vermoord, valse verachtelijke meneer Pacino. Weet je 't nog? Weet je 't nog?

... de bolle ogen van de Filmacteur stulpen uit zijn oogkassen en zijn tong stoot uit zijn mond en knorrend van pijn blaast zijn gelaat op en kleurt paars en purper met donkere vlekken. We zijn hier van dichtbij getuige van, in een radicale close-up. In een van de ziekencellen zingt de dochter van Nat King Cole heel soft *Unforgettable* in een duet met haar vader...

Madame CHARLOTTE

Lorraine Pérès is *mijn* dochter en *jij* vermoordde haar, vieze vette klootzak. Hoe vaak keek zij in je ogen en smeekte om genade? Hoe vaak? Ik wacht op antwoord, vieze valse verachtelijke meneer Pacino. Hoe vaak? Hoe vaak?

... er kraakt iets in de hals van de Filmacteur—met het geluid van brekend spaanplaat—en bruin vocht druipt als motorolie van zijn kin...

Madame CHARLOTTE

[Sissend:] Je hebt gelijk, je hebt absoluut gelijk, mijn lieve kleine meisje was gewoon het zoveelste straathoertje, vieze valse verachtelijke meneer Pacino, net zoals ikzelf heel lang geleden een straathoertje was, ik werkte ook in die gore stegen rond het station maar ik kwam er levend uit, ik overleefde de hel op aarde en weet je waarom, vieze valse verachtelijke meneer Pacino? Opdat ik je zou kunnen vermoorden. Heb je dat begrepen? *Opdat ik je zou kunnen vermoorden.* Het is jouw beurt om te rotten in de hel, vieze valse verachtelijke klootzakkige meneer Pacino! Wat denk je *hiervan* als spannend einde van deze aflevering?

... en het lichaam van de Filmacteur valt slap en zijn voeten trekken krampachtig samen en stuiptrekkend verliest hij *en passant* zijn pantoffels en langzaam glijdt hij uit de rolstoel.

Gerechtigheid is geschied, dacht *Madame* Charlotte.

Eind Goed, Al Goed, om met een titel van Shakespeare te besluiten.

Girona in Spanje

De schrijver hamerde zijn laatste zinnen op het scherm en slaakte een zucht van opluchting. Dit is het perfecte einde, hier valt niets aan te verbeteren, dacht hij, ze zitten allebei in de stront, zowel *Madame* Charlotte als de Filmacteur en that's life. Hij savede zijn tekst op een externe harde schijf. Hij was niet boos meer, op niets, op niemand, al schrijvend had hij zijn geest vrij gemaakt en zichzelf gezuiverd van alle opgekropte spanning. Zes weken had hij aan zijn nieuwe filmscenario gewerkt. Dit is een goed moment om er een punt achter te zetten, dacht de schrijver. Hij greep een fles tomatensap uit de koelkast en droeg ze naar het balkon. Zijn soldatenlaarzen bonkten op de stenen vloer. Geen verblindend zonlicht meer. Bliksem in de verte en rommelende donder en ver weg aan de horizon zag hij de regenbui hangen. De hemel boven de bergen verduisterde en kleurde paarsgroen en angstaanjagend snel kwam de storm dichterbij. Hij schroefde de dop van de fles en zette ze aan zijn mond en dronk het tomatensap in één keer op—alsof ik het bloed van mooie dode meisjes drink, dacht hij—en wierp de lege fles over de gietijzeren balustrade in de ondiepe rivier, vier verdiepingen lager, en opnieuw lichtten bliksemflitsen de ochtendhemel op. Begeleid door het *drum-drum-drum* van kletterende donder blies de gevreesde tramontana de sneeuw van de toppen van de Pyreneeën en plots gutste de storm over bergen en daken en bekogelde de stad met natte, koude regennaalden die uitwaaierden naar alle kanten telkens wanneer de orkaanwind van richting veranderde.

Van STAN LAURYSSENS
is verschenen:

Zwarte sneeuw
Bekroond met de Hercule Poirot-prijs 2002

Dode lijken

Rode rozen

Doder dan dood

Bloter dan bloot

Geen tijd voor tranen

Wie vroeg sterft

Dalí & I: het ware verhaal

Over het werk van STAN LAURYSSENS:

'Unieke mix van sarcasme en humor in een erg beeldrijke en ironische taal vol baldadigheid.' – DE MORGEN

'Lauryssens schrijft scherp, explosief en met kennis van zaken.' – DAG ALLEMAAL

'L is voor Lauryssens. Een man die weet waarover hij schrijft.' – DE MORGEN

'Racistisch, seksistisch, politiek incorrect. Maar een genot om lezen.' – CRIMEZONE

'De meest poëtische van alle Vlaamse misdaadschrijvers.' – DE MORGEN

'Een unieke stijl. Stan Lauryssens ontpopt zich tot een van de origineelste misdaadauteurs van ons taalgebied.' – DE STANDAARD

'Stan Lauryssens is een icoon. De Vlaamse Stephen King.' – DEN BRABO

'Opnieuw prachtige beelden en beklemmende scènes.' – GAZET VAN ANTWERPEN

'Niemand schrijft mooier over banaliteiten en flauwe grappen dan Stan Lauryssens.'– HET NIEUWSBLAD

'Paniek, dood, vernieling. Veel fantasie. Je hoort de sneeuw vallen. Knap allemaal.' – VTM

'Wanneer verschijnt je volgende boek? Ik hoop dat je snel schrijft, want ik kan snel lezen.' – EEN LEZERES

De pers over DALÍ & I: het ware verhaal

'Ik ben ervan overtuigd dat dit boek een succes kan worden dat is te vergelijken met *Catch Me If You Can* (Leonardo DiCaprio/Steven Spielberg), *The Hoax* (Richard Gere) en *Confessions of a Dangerous Mind* (George Clooney). Met of zonder de film, Stan schreef een onthullend boek over de wereld van Dalí dat ik met liefde zal uitgeven en verdedigen.' – PETER JOSEPH, ST. MARTIN'S PRESS, NEW YORK.

'Hugo Claus zit aan 19 vertalingen. Van Felix Timmermans circuleren 25 vertalingen. *Dalí & I: het ware verhaal* van Stan Lauryssens breekt dit record met de hulp van Al Pacino.' – HET LAATSTE NIEUWS

'Stan Lauryssens is geniaal. Ik genoot echt van zijn verhaal over Dalí.' – MEDIABOM-TV

'Al Pacino vertolkt de grote Dalí in Andrew Niccol's film naar het boek van Stan Lauryssens. De film speelt zich af in de nadagen van Salvador Dali en is een ontdekkings-tocht naar zijn ongezonde obsessie met de almachtige dollar.' – THE NEW YORK TIMES